Himnario Bautista

Casa Bautista de Publicaciones

CASA BAUTISTA DE PUBLICACIONES

7000 Alabama Street, El Paso, TX 79904 EE. UU. de A.

www.casabautista.org

Nuestra pasión: Comunicar el mensaje de Jesucristo y facilitar la
formación de discípulos por medios impresos y electrónicos.

Ediciones: 1978, 1980, 1981, 1982, 1984, 1984, 1985, 1986, 1987,
1988, 1990, 1991, 1995, 1996, 1997, 1999, 2001, 2002,
2004, 2005, 2007, 2007, 2009, 2010
Vigésimacuarta edición: 2011

Clasificación Decimal Dewey: 245
Tema: Música

ISBN: 978-0-311-32206-0
C.B.P. Art. No. 32206

12 M 1 11

Impreso en Colombia
Printed in Colombia

Prefacio

Cantad alegres a Dios habitantes de toda la tierra. Salmo 100:1

El canto ha sido, entre los seres de la tierra, una forma de expresar y compartir sus alegrías y sus penas, de transmitir su mensaje, de hacer oír su pensamiento.

El pueblo de Dios usó el canto, desde los primeros tiempos, como expresión de júbilo o de clamor. Los salmos nos producen admiración permanentemente, mostrándonos las formas y costumbres de su alabanza y adoración.

La historia del pueblo cristiano es rica en himnología. El creyente se ha caracterizado por la exteriorización de la música y el canto como parte de su culto a Dios.

En los últimos tiempos, la participación más activa de la juventud, utilizando en sus canciones música folclórica, ha enriquecido nuestra himnología. Este himnario establece un puente entre lo que fue tradicional y lo nuevo, con la incorporación de varios himnos regionales y respetando la permanencia de himnos que han llegado a formar historia en nuestras vidas.

Como un aporte más a las iglesias y en cumplimiento de su ministerio, la Casa Bautista de Publicaciones, con las colaboraciones señaladas por el editor, tiene el honroso privilegio de poner al alcance del pueblo bautista de habla hispana este himnario. ¡Que sea para la gloria del Altísimo y para que todos los habitantes de la tierra canten a nuestro Señor, enriqueciendo el culto y la proclamación del evangelio por medio de la música!

Natalio Aldo Broda
Director General

Introducción

Este himnario es la culminación de un sueño. Durante años, los líderes de diversas convenciones bautistas han expresado su deseo de contar con un himnario nuevo que supliera las necesidades actuales en lo que a adoración, evangelismo y extensión de la iglesia se refiere. La oración ferviente del editor es que éste sea tal himnario.

El procedimiento usado para preparar esta obra constituye una historia por demás interesante. Dos himnarios actualmente en uso sirvieron como su fuente, a saber: HIMNOS SELECTOS EVANGELICOS, himnario muy difundido en la zona sur de Sudamérica y EL NUEVO HIMNARIO POPULAR que es más conocido en América Central, Estados Unidos y la zona norte de Sudamérica. El primer paso fue comprobar lo que los líderes bautistas anhelaban ver en un nuevo himnario. Se hicieron encuestas sobre los dos himnarios para determinar los himnos que más se cantan en los distintos países. Luego se llevó a cabo una reunión del Comité Consultivo para el Nuevo Himnario dentro de los Estados Unidos, patrocinado por la Junta de Misiones Domésticas de la Convención Bautista del Sur y la Convención General Bautista de Texas. Después de la reunión del comité y de estudiar las encuestas, el editor hizo una extensa gira por América Latina para validar los resultados a nivel internacional y para entrevistar pastores y otros líderes denominacionales. El proceso de compilar los himnos no empezó hasta después de analizados todos los resultados.

En la elección de los himnos la meta fue estudiar cada uno para determinar su claridad de pensamiento, contenido doctrinal y su facilidad para ser cantado. Se intentó mejorar la gramática de la letra de los himnos pero no fue del todo posible pues en algunos casos los dueños del *copyright* no autorizaron los cambios.

Otro detalle que interesará es el formato de las páginas de himnos. Las siguientes características son dignas de notar:

1. Se ha usado la primera línea del himno como título, salvo en los casos cuando ya se lo conoce comúnmente por otro título.

2. Cuando un himno tiene una base bíblica específica, ésta se indica al pie del himno.

3. Cada himno lleva un texto bíblico apropiado inmediatamente debajo del título.•

4. El autor, compositor y/o fuente de la letra y la tonada, más el nombre de la tonada, se estipulan al pie del himno. La fecha que se consigna es la de su composición o publicación cuando ésta se conoce.•

5. Las formas métricas de las tonadas no se consignan en la página donde aparece el himno sino en el índice alfabético de tonadas.

6. Los asteriscos en las estrofas indican una referencia bíblica o una nota al pie del himno.

7. Los paréntesis cuadrados en el encabezamiento de la música indican la introducción sugerida para el acompañante.•

8. Cuando se usa una tonada más de una vez, en la mayoría de los casos se sugiere un cambio de tono por medio de una referencia al pie del himno que indica el número de la tonada en un tono más agudo o más grave.•

9. Hay nomenclatura simple para guitarra en los himnos apropiados. Los asteriscos en los acordes indican acordes más difíciles.•

• (Edición con música)

v

Vaya una palabra de gratitud a todos los que hicieron posible este himnario:

A los que participaron en su preparación, ya sea por correspondencia, entrevistas o trabajos de comités.

A la Junta de Misiones Foráneas de la Convención Bautista del Sur por el apoyo financiero que hizo posible esta nueva obra.

Al doctor H. Cecil McConnell, cuya visión de muchos años y cuyo estímulo ha sido de inspiración.

Al doctor William J. Reynolds, Secretario del Departamento de Música de la Junta de Escuelas Dominicales de la Convención Bautista del Sur.

Al doctor Arnoldo Canclini y señor Juan N. McGuckin, de la Asociación Bautista Argentina de Publicaciones.

A la Junta de Publicaciones de la Convención de Chile.

Al señor Samuel W. Prestidge, señor John McLaughlin, al doctor Charles McLaughlin y la Comisión de Misiones de la Convención General Bautista de Texas.

Al doctor Stanley Clark y su esposa Kathleen; a la señora Berta I. Montero y al señor Kinley Lange.

Al comité local del himnario y en especial al señor Adolfo Robleto por su ayuda en traducir himnos y analizarlos para evitar errores doctrinales.

Y una palabra final de gratitud a quienes formaron en estas fechas el equipo del Departamento de Música:
el señor James R. Benson, el doctor Genter L. Stephens y la señora Gladys Samp de Nelson.

Eduardo Nelson G.
Editor General

Contenido

...para alabanza de su gloria.
Efesios 1:14

1. ¡SANTO!   ¡SANTO!   ¡SANTO!

1. ¡Santo! ¡Santo! ¡Santo! Señor Omnipotente,
   Siempre el labio mío loores te dará;
   ¡Santo! ¡Santo! ¡Santo! te adoro reverente,
   Dios en tres Personas, bendita Trinidad.

2. ¡Santo! ¡Santo! ¡Santo! en numeroso coro,
   Santos escogidos te adoran sin cesar,
   De alegría llenos, y sus coronas de oro
   Rinden ante el trono y el cristalino mar.

3. ¡Santo! ¡Santo! ¡Santo! la inmensa muche-
      dumbre,
   De ángeles que cumplen tu santa voluntad,
   Ante ti se postra bañada de tu lumbre,
   Ante ti que has sido, que eres y serás.

4. ¡Santo! ¡Santo! ¡Santo! por más que estés
      velado,
   E imposible sea tu gloria contemplar;
   Santo tú eres solo y nada hay a tu lado,
   En poder perfecto, pureza y caridad.

5. ¡Santo! ¡Santo! ¡Santo! la gloria de tu nombre,
   Vemos en tus obras en cielo, tierra y mar.
   ¡Santo! ¡Santo! ¡Santo! te adora todo hombre,
   Dios en tres Personas, bendita Trinidad. Amén.

Reginald Heber. Tr., J. B. Cabrera.

2. ¡OH PADRE, ETERNO DIOS!

1. ¡Oh Padre, eterno Dios!
   Alzamos nuestra voz con santo ardor,
   Por cuanto tú nos das, tu ayuda sin igual,
   Hallando nuestra paz en ti, Señor.

2. ¡Bendito Salvador!
   Te damos con amor el corazón.
   Y tú nos puedes ver que humildes a tu altar,
   Venimos a traer, precioso don.

3. ¡Espíritu de Dios!
   Escucha nuestra voz; y tu bondad
   Derrame en nuestro ser divina claridad,
   Para poder vivir en santidad. Amén.

Vicente Mendoza

3. TE LOAMOS, ¡OH DIOS!

1. Te loamos, ¡oh Dios! con unánime voz,
   Pues en Cristo tu Hijo nos diste perdón.

CORO

   ¡Aleluya! te alabamos, ¡oh, cuán grande
      es tu amor!
   ¡Aleluya! te adoramos, bendito Señor.

2. Te loamos, Jesús, pues tu trono de luz
   Tú dejaste por darnos salud en la cruz.

3. Te damos loor, santo Consolador,
   Que nos llenas de gozo y santo valor.

4. Unidos load, a la gran Trinidad,
   Que es la fuente de gracia, poder y verdad.

William P. Mackay. Tr., H. W. Cragin.

4. A DIOS EL PADRE CELESTIAL

1. A Dios el Padre celestial,
   Al Hijo nuestro Redentor,
   Y al eternal Consolador,
   Unidos todos alabad.

2. Cantad al trino y uno Dios,
   Sus alabanzas entonad;
   Su eterna gloria proclamad
   Con gozo, gratitud y amor.

Thomas Ken. © 1972 Lexicon Music, Inc. ASCAP.
Todos los derechos reservados. Amparado por los
derechos de copyright internacional. Usado con permiso.

5. A NUESTRO PADRE DIOS

1. A nuestro Padre Dios alcemos nuestra voz,
   ¡Gloria a él! Tal fue su amor que dio
   Al Hijo que murió, y así nos redimió
   ¡Gloria a él!

2. A nuestro Salvador demos con fe loor,
¡Gloria a él! Su sangre derramó;
Con ella nos lavó, y el cielo nos abrió,
¡Gloria a él!

3. Al fiel Consolador celebre nuestra voz,
¡Gloria a él! Con celestial fulgor
Nos muestra el amor de Cristo, el Señor;
¡Gloria a él!

4. Con gozo y amor, cantemos con fervor
Al Trino Dios. En la eternidad
Mora la Trinidad; ¡Por siempre alabad,
Al Trino Dios!

Estrella de Belén

6. QUE TODO EL MUNDO CANTE AL SEÑOR

1. Que todo el mundo cante al Señor, mi Dios y Rey.
Los cielos ecos dan, que a todas partes van.
La tierra en derredor proclama su loor;
Que todo el mundo cante al Señor, mi Dios y Rey.

2. Que todo el mundo cante al Señor, mi Dios y Rey.
La iglesia himnos da y nunca cesará;
Con todo el corazón le alaben con tesón;
Que todo el mundo cante al Señor, mi Dios y Rey.
Amén.

George Herbert. Tr., Clarice de Riddering.

7. SOLO A TI, DIOS Y SEÑOR

1. Sólo a ti, Dios y Señor, adoramos, adoramos,
   Y la gloria y el honor tributamos, tributamos.
   Sólo a Cristo, nuestra Luz, acudimos, acudimos;
   Por su muerte en la cruz revivimos, revivimos.

2. Un Espíritu, no más, nos gobierna, nos gobierna,
   Y con él, Señor, nos das paz eterna, paz eterna;
   El es fuego celestial, cuya llama, cuya llama
   En amor angelical nos inflama, nos inflama.

3. Disfrutamos tu favor solamente, solamente
   Por Jesús, fuente de amor permanente, permanente;
   Sólo él nos libertó de la muerte, de la muerte,
   Sólo él se declaró nuestro Fuerte, nuestro Fuerte.

4. Sólo tú, oh Creador, Dios eterno, Dios eterno,
   Nos libraste del furor del infierno, del infierno;
   Y por esto con placer proclamamos, proclamamos
   Que sólo en tu gran poder esperamos, esperamos.
                                                    Amén.

Pedro Castro

8. ALABAD, OH LOS SIERVOS DEL SEÑOR

1. Alabad, oh los siervos del Señor,
   Alabad al Señor;
   Bendecid el nombre de Dios,
   Bendecid el nombre de Dios,
   Por siempre y por siempre jamás.
   ¡Alabad al Señor!

2. Alabad, cantad gracias al Señor.
   A Dios dadle loor;
   Soberano es el Señor,
   Soberano es el Señor,
   Su gloria reina en nuestro ser.
   ¡Alabad al Señor!

3. Alabad, honra y gloria dad a él.
   ¿Quién es como Jehová?
   Grande y potente es Dios;
   Grande y potente es Dios,
   Es Rey de reyes, Señor y Dios.
   ¡Alabad al Señor!

4. ¡Alabad, oh los siervos del Señor,
   Dadle sumo loor;
   Al excelso y bendito Dios,
   Al excelso y bendito Dios;
   Cantadle con gratitud y amor.
   ¡Alabad al Señor!

Salmo 113. Adap., Eduardo Nelson G.

9. SEÑOR, ¿QUIEN ENTRARA?

1. Señor, ¿quién entrará en tu santuario
       para adorar?
   Señor, ¿quién entrará en tu santuario
       para adorar?
   El de manos limpias y un corazón puro,
   Y sin vanidades, que sepa amar;
   El de manos limpias y un corazón puro,
   Y sin vanidades, que sepa amar.

2. Señor, yo quiero entrar en tu santuario
   para adorar.
   Señor, yo quiero entrar en tu santuario
   para adorar.
   Dame manos limpias y un corazón puro,
   Y sin vanidades, enséñame a amar;
   Dame manos limpias y un corazón puro,
   Y sin vanidades, enséñame a amar.

10. HOY CANTO EL GRAN PODER DE DIOS

1. Hoy canto el gran poder de Dios;
   Los montes él creó;
   Habló a los mares con fuerte voz;
   Los cielos extendió.
   Su mente sabia cantaré;
   Poder al sol le dio.
   Las luces de la noche, sé:
   Que él las decretó.

2. De Dios hoy canto la bondad
   Que bienes proveyó,
   Para uso de la infinidad
   De todo lo que creó.
   Sus maravillas por doquier
   ¡Cuán numerosas son!
   Mis ojos bien las pueden ver
   En toda su creación.

3. Oh Dios, tu gloria, flores mil
   Demuestran por doquier;
   Los vientos y el turbión hostil
   Declaran tu poder.
   En la natura, buen Señor,
   La vida a todos das;
   Doquier que miro alrededor
   Allí presente estás.

Isaac Watts. Tr., George P. Simmonds. © 1978 Casa Bautista de Publicaciones. Todos los derechos reservados. Amparado por los derechos de copyright internacional.

11. BENDICE, OH ALMA A TU CREADOR

1. Bendice, oh alma a tu Creador con férvida canción;
   Despierta, y canta su loor tu ardiente corazón.

CORO

   Oh cantad, oh cantad al Señor con fervor;
   Bendice, oh alma, a nuestro Rey y Salvador.

2. No olvides nunca su bondad mostrando ingratitud,
   Pues él perdona tu maldad, te salva y da salud.

3. De bien tu boca llena está; y nueva juventud.
   A tu alma siempre le dará, calmando tu inquietud.

4. En ira es lento nuestro Rey, mas pronto es
      en su amor,
   No quiere siempre contender ni dura su furor.

Adap., Vicente Mendoza

12. DAD A DIOS INMORTAL ALABANZA

1. Dad a Dios inmortal alabanza,
   Su merced, su verdad nos inunda;
   Es su gracia en prodigios fecunda,
   Sus mercedes, humildes, cantad.
   ¡Al Señor de señores dad gloria,
   Rey de reyes, poder sin segundo!
   Morirán los señores del mundo,
   Mas su reino no acaba jamás.

2. Vio los pueblos en vicios sumidos
   Y sintió compasión en su seno;
   De prodigios de gracia está lleno,
   Sus mercedes, humildes, cantad.
   A su pueblo llevó por la mano
   A la tierra por él prometida.
   Por los siglos sin fin le da vida;
   Y el pecado y la muerte caerán.

3. A su Hijo envió por salvarnos
   Del pecado y la muerte eterna;
   De prodigios de gracia es torrente,
   Sus mercedes, humildes, cantad.
   Por el mundo su mano nos lleva.
   Y al celeste descanso nos guía;
   Su bondad vivirá eterno día,
   Cuando el mundo no exista ya más.

José Mora

13. ENGRANDECIDO SEA JEHOVA

Engrandecido sea Jehová, nuestro Dios;
Por todas las edades, por siempre. Amén.

14. ¡DIOS ESTA PRESENTE!

1. ¡Dios está presente! Vamos a postrarnos
   Ante él con reverencia;
   En silencio estemos frente a su grandeza,
   Implorando su clemencia.
   Quien con él quiera andar,
   Su mirada eleve; votos le renueve.

2. ¡Dios está presente! Y los serafines
   Lo adoran reverentes;
   "Santo, santo, santo," en su honor le cantan
   Los ejércitos celestes.
   ¡Oh buen Dios! nuestra voz
   Como humilde ofrenda a tu trono ascienda.

3. Como el sol irradia sobre el tierno lirio,
   Que contento se doblega,
   Dios omnipresente,
   Ilumina mi alma y feliz yo te obedezca;
   Haz que así, tú en mí
   Seas reflejado, y tu amor, probado. Amén.

Gerhard Tersteegen. Tr., Marta Weihmüller.
Arr., Juanita de Balloch.

15. NUNCA, DIOS MIO

1. Nunca, Dios mío, cesará mi labio
   De bendecirte, de cantar tu gloria,
   Porque conservo de tu amor inmenso
   Grata memoria.

2. Cuando perdido en mundanal sendero
   No me cercaba sino niebla oscura,
   Tú me miraste, y alumbróme un rayo
   De tu luz pura.

3. Cuando inclinaba mi abatida frente
   Por el pecado de mi necio yugo,
   Dulce reposo, y eficaz alivio
   Darme te plugo.

4. Cuando los dones malgasté a porfía,
   Con que a mi alma pródigo adornaste,
   "Padre, he pecado", con dolor te dije,
   Y me abrazaste.

5. Cuando en sus propios méritos se fiaba,
   Nunca mi pecho con amor latía;
   Hoy de amor late, porque en tus bondades
   Sólo confía.

Juan B. Cabrera

16. ENGRANDECIDO SEA DIOS

1. Engrandecido sea Dios en esta reunión,
   En esta reunión.
   Alegres, juntos a una voz

CORO

> ¡Dad gloria, gloria, gloria, gloria,
> Dad gloria a nuestro Dios! Amén.

2. Durante el día que pasó la mano del Señor,
   La mano del Señor
   De muchos males nos salvó:

3. Pues hasta aquí nos ayudó, y siempre proveerá.
   Y siempre proveerá.
   Con gratitud, placer y amor:

4. A otras almas ¡salva, oh Dios! Despiértalas, Señor,
   Despiértalas, Señor,
   Escucha nuestra petición,

Henry S. Turrall

17. TODOS JUNTOS TRIBUTEMOS

1. Todos juntos tributemos gracias al buen Salvador;
   Grande ha sido su paciencia y precioso su amor;

CORO

> ¡Aleluya! ¡Aleluya! Proclamemos su loor.

2. Nuestro Rey divino, eterno, nos rodea con favor;
   Fortalece a los cansados y perdona al pecador.

3. En él pongamos la confianza, en el santo Redentor;
   Y en la gloria, redimidos, cantaremos su amor.

F. M. Fernández

18. CORAZONES TE OFRECEMOS

1. Corazones te ofrecemos, Dios de vida y plenitud;
   Al Señor hoy honraremos con lealtad y gratitud.
   Tú perdonas rebeliones al que escoges para bien;
   En tus atrios los recibes para darles tu sostén.

2. Tú respondes en justicia y tremendas cosas das;
   Tierra y mar los beneficias con salud, sostén y paz.
   En la tierra tú afirmas las montañas con poder;
   Y el rugir de mares callas y al gentío en su correr.

3. Las mañanas las alegras, a las tardes das favor;
   Maravillas son tus obras, que producen gran pavor.
   Tú visitas a la tierra con tus lluvias, oh Señor,
   Y la riegas por doquiera, la enriqueces con verdor.

4. Con las aguas, los desiertos de renuevos vestirás,
   Y los valles como huertos con sus frutos llenarás.
   Gracias hoy, Señor, te damos porque aceptas la
      oración,
   Y los votos te pagamos con placer y devoción.

Maurilio López

19. SALMO 100

1. Cantad alegres al Señor, mortales todos por doquier;
   Servidle siempre con fervor, obedecedle con placer.

2. Con gratitud canción alzad al Hacedor que el ser nos
   dio;
   A Dios excelso venerad, que como Padre nos amó.

3. Su pueblo somos, salvará a los que busquen al Señor;
   Y nunca él los dejará, pues los ampara con su amor.

4. Siempre en sus atrios alabad, su santo nombre
   bendecid;
   Eternamente es su bondad, la buena nueva difundid.

5. Misericordia sin igual nos muestra por la eternidad,
   Y su verdad será eternal a toda la posteridad. Amén.

Parafraseada por Tomás J. González Carvajal

20. ¡CUAN GRANDE ES EL!

1. Señor, mi Dios, al contemplar los cielos,
   El firmamento y las estrellas mil;
   Al oír tu voz en los potentes truenos
   Y ver brillar el sol en su cenit:

CORO

   Mi corazón entona la canción,
   ¡Cuán grande es él! ¡Cuán grande es él!
   Mi corazón entona la canción,
   ¡Cuán grande es él! ¡Cuán grande es él!

2. Al recorrer los montes y los valles
   Y ver las bellas flores al pasar;
   Al escuchar el canto de las aves
   Y el murmurar del claro manantial:

3. Cuando recuerdo del amor divino
   Que desde el cielo al Salvador envió;
   Aquel Jesús que por salvarme vino
   Y en una cruz sufrió por mí y murió:

4. Cuando el Señor me llame a su presencia,
   Al dulce hogar, al cielo de esplendor,
   Le adoraré cantando la grandeza
   De su poder y su infinito amor:

21. ALABAD AL SEÑOR

1. Alabad al Señor porque él es bueno,
   Alabad al Señor porque él es bueno,
   Alabad al Señor porque él es bueno,
   Porque para siempre es su misericordia.

2. Alabad al Dios soberano,
   Alabad al Dios soberano,
   Alabad al Dios soberano,
   Porque para siempre es su misericordia.

3. Alabad al Señor de los señores,
   Alabad al Señor de los señores,
   Alabad al Señor de los señores,
   Porque para siempre es su misericordia.

Cantad al Señor Cántico Nuevo. Usado con permiso.

22. A DIOS DEMOS GLORIA

1. A Dios demos gloria, pues grande es él;
   Su amor es inmenso y a su Hijo nos dio:
   Quien fue a la cruz do sufrió muerte cruel,
   Y así de los cielos las puertas abrió.

CORO

Dad loor al Señor, oiga el mundo su voz;
Dad loor al Señor, nos gozamos en Dios.
Vengamos al Padre y a su Hijo Jesús,
Y démosle gloria por su gran poder. Amén.

2. Por darnos la vida su sangre vertió;
   Jesús al creyente es promesa de Dios;
   El vil pecador que de veras creyó
   En ese momento perdón recibió.

3. Dios es el Maestro, potente Hacedor,
   Y grande es el gozo que Cristo nos da;
   Mas nuestro asombro será aún mayor
   Al ver a Jesús que en su gloria vendrá.

Fanny J. Crosby. Tr., Adolfo Robleto. © 1978 Casa
Bautista de Publicaciones. Todos los derechos reservados.
Amparado por los derechos de copyright internacional.

23. CUANTO SOY Y CUANTO ENCIERRO

1. Cuanto soy y cuanto encierro
   Manifiesto es para ti;
   Pues tu vista escrutadora,
   Oh Señor, penetra en mí.

2. Si se agita mi conciencia,
   Tú percibes su emoción;
   Razonar ves a la mente,
   Meditar al corazón.

3. Ves mis dudas o esperanzas,
   Mi sosiego o mi inquietud,
   Mis tristezas o alegrías,
   Mi dolencia o mi salud.

4. Y hasta el íntimo deseo
   Que en mi pecho se abrigó,
   Sin que el labio lo expresara,
   En tu oído resonó.

5. ¡Oh gran Dios! si yo contemplo
   Tu infinita perfección,
   El asombro llena mi alma,
   ¡Se confunde mi razón!

Juan Bautista Cabrera

24. HONOR, LOOR Y GLORIA

1. Honor, loor y gloria a ti, buen Salvador,
   Cual niños que cantaron hosannas al Señor.
   Y hebreos que con palmas te dieron recepción.
   Tu pueblo te ofrece sincera aclamación.

2. Tú, de David el Hijo, de Israel el Rey,
   Así te recibimos los miembros de tu grey;
   Como antes de tu muerte, honráronte también,
   Acepta nuestras preces, como en Jerusalén.

3. Recibes la alabanza, y oyes la oración.
   Lo bueno te deleita, también la adoración.
   Honor, loor y gloria a ti, Rey, Redentor,
   Nosotros ensalzamos, tu nombre, oh Señor.

Theodulph de Orleans. Tr. al inglés, John Mason Neale.
Tr. al castellano, Maurilio López L.

25. SANTO DIOS, TE DAMOS LOOR

1. Santo Dios, te damos loor;
   Nos postramos con reverencia;
   De la tierra tú eres Señor,
   En el cielo todos te adoran.
   Infinito es tu poder
   Y tu reino siempre ha de ser.

2. Se oye el himno celestial
   De ángeles que en coro te cantan
   En concierto musical.
   Serafines, querubines
   Cantan notas de adoración:
   Santo, santo es el Señor.

3. Padre santo, mi Jesús,
   Y el Consolador, Dios trino,
   Y en esencia uno sois.
   Te adoramos, Dios bendito,
   Y te damos nuestro amor:
   A tu nombre, ¡oh Salvador! Amén.

Atribuída a Ignaz Franz. Tr. al inglés, Clarence A. Walworth. Tr. al castellano, Pablo Filós. © 1978 Casa Bautista de Publicaciones. Todos los derechos reservados. Amparado por los derechos de copyright internacional.

26. CASTILLO FUERTE ES NUESTRO DIOS

1. Castillo fuerte es nuestro Dios,
   Defensa y buen escudo.
   Con su poder nos librará en todo trance agudo.
   Con furia y con afán acósanos Satán:
   Por armas deja ver astucia y gran poder;
   Cual él no hay en la tierra.

2. Nuestro valor es nada aquí,
   Con él todo es perdido;
   Mas con nosotros luchará de Dios el escogido.
   Es nuestro Rey Jesús, él que venció en la cruz,
   Señor y Salvador, y siendo el solo Dios,
   El triunfa en la batalla.

3. Y si demonios mil están
   Prontos a devorarnos,
   No temeremos, porque Dios sabrá cómo
   ampararnos.
   ¡Que muestre su vigor Satán, y su furor!
   Dañarnos no podrá, pues condenado es ya
   Por la Palabra Santa.

4. Esa palabra del Señor,
   Que el mundo no apetece,
   Por el Espíritu de Dios muy firme permanece.
   Nos pueden despojar de bienes, nombre, hogar,
   El cuerpo destruir, mas siempre ha de existir
   De Dios el Reino eterno. Amén.

Martín Lutero. Tr. al inglés, Frederick H. Hedge. Tr. al
castellano, J. B. Cabrera.

27. A DIOS, NACIONES, DAD LOOR

1. A Dios, naciones, dad loor,
   Porque es el único Señor;
   A él con gozo alabad,
   Y sus bondades celebrad.

2. Es infinito su poder;
   En él tenemos nuestro ser,
   Pues que del polvo nos formó,
   Y de la muerte nos salvó.

3. Universal es tu bondad;
   Será eterna tu verdad;
   Inagotable es tu amor
   ¡Omnipotente Dios, Señor!

Isaac Watts. Tr., Henry G. Jackson.

28. BENDICE, ¡OH ALMA MIA!

1. Bendice, ¡oh alma mía! a Jehová tu Dios,
   Y no te olvides de ensalzar su grande amor.
   Pues él te perdonó tu mucha iniquidad;
   Y al ver tu angustia y contrición, te dio su paz.

2. Tu vida rescató de la condenación;
   Y te corona de favor y bendición.
   El quiere enriquecer tu vida espiritual;
   En alas de esperanza y fe remontarás.

3. Un miserable soy, indigno pecador,
   Mas por la fe en mi Salvador, mi Padre es Dios.
   Su Espíritu obra en mí y no me dejará;
   Al acabar mi vida aquí veré su faz. Amén.

Enrique Turrall

29. VENID, NUESTRAS VOCES ALEGRES UNAMOS

1. Venid, nuestras voces alegres unamos
   Al coro celeste del trono en redor:
   Sus voces se cuentan por miles de miles,
   Mas todas son una en su gozo y amor.

2. "Es digno el cordero que ha muerto," proclaman,
   "De verse exaltado en los cielos así."
   "Es digno el cordero," decimos nosotros,
   "Pues él por su muerte nos hace vivir."

3. Digno eres, Jesús, de alcanzar en los cielos
   Poder y riquezas y gloria y honor,
   Y las bendiciones que darte podemos
   Se eleven por siempre a tu trono, Señor.

4. Que todos los seres que hicieron tus manos,
   Que pueblan la tierra, y el aire y el mar,
   Unidos proclamen tus glorias eternas,
   Y dente alabanzas, Señor, sin cesar. Amén.

Isaac Watts. Tr., José J. de Mora.

30. GLORIA DEMOS AL SALVADOR

1. ¡Oh quién tuviera lenguas mil!
   Gloria demos al Salvador.
   Con gratitud al Rey decid:
   Gloria demos al Salvador.

CORO

Gloria al Salvador, gloria al Salvador,
Gloria demos al Salvador;
Gloria al Salvador, gloria al Salvador,
Gloria demos al Salvador.

2. Jesús disipa todo mal,
   Gloria demos al Salvador;
   Nos da pureza celestial,
   Gloria demos al Salvador.

3. Al pecador podrá limpiar,
   Gloria demos al Salvador;
   Su ser él quiere transformar,
   Gloria demos al Salvador.

Charles Wesley. Tr., H.T. Reza. ©1962 Lillenas Publishing
Company, U.S.A. Todos los derechos reservados. Usado con permiso.

31. VED AL CRISTO, REY DE GLORIA

1. Ved al Cristo, Rey de gloria,
   Es del mundo el vencedor;
   De la muerte sale invicto,
   Todos démosle loor.

CORO

   Coronadle, santos todos;
   Coronadle Rey de reyes;
   Coronadle, santos todos;
   Coronad al Salvador.

2. Exaltadle, exaltadle;
   Ricos triunfos da Jesús;
   En los cielos entronadle,
   En la refulgente luz.

3. Pecadores se burlaron,
   Coronando al Salvador;
   Angeles y santos danle
   Su riquísimo amor.

4. Escuchad sus alabanzas
   Que se elevan hacia él;
   Victorioso reina el Cristo:
   Adorad a Emanuel.

Thomas Kelley. Es traducción.

32. REDENTOR, TE ADORAMOS

1. Redentor, te adoramos, grande es tu merced
   y amor;
   Que tu rostro contemplemos, que sintamos
   tu calor.
   Redentor, te adoramos, de Dios muestras
   compasión;
   Redentor, te adoramos, reina en nuestro
   corazón.

2. Redentor, te adoramos, quita dudas y temor;
   Resplandezca en nuestras vidas de tu rostro
   el fulgor.
   Redentor, te adoramos, tu renombre es sin
   igual;
   Redentor, te adoramos, con la hueste
   angelical.

3. Redentor, te adoramos, perdonaste nuestro
     mal;
   Llénanos de tu presencia, danos vida espiritual.
   Redentor, te adoramos, por tu amor y libertad;
   Redentor, te adoramos, llénanos de tu bondad.

4. Redentor, te adoramos, tu hermosura singular
   Algún día por tu gracia, la podremos contemplar.
   Redentor, te adoramos, transformónos tu
     verdad;
   Redentor, te adoramos, hoy y por la eternidad.
   Amén.

33. LOORES DAD A CRISTO EL REY

1. Loores dad a Cristo el Rey, suprema potestad;
   De su divino amor la ley, postrados aceptad;
   De su divino amor la ley, postrados aceptad.

2. Vosotros, hijos del gran Rey, ovejas de la grey;
   Loores dad a Emanuel, y proclamadle Rey;
   Loores dad a Emanuel, y proclamadle Rey.

3. Naciones todas, escuchad y obedeced su ley;
   De Cristo ved su majestad, y proclamadle Rey;
   De Cristo ved su majestad, y proclamadle Rey.

4. Dios quiera que con los que están del trono en
   derredor,
   Cantemos por la eternidad a Cristo el Salvador;
   Cantemos por la eternidad a Cristo el Salvador.
   Amén.

Edward Perronet. Tr., T. M. Westrup.

34. DIGNO ES EL CORDERO

1. Digno es el Cordero que en la cruz murió;
   Digno es el Cordero que al ladrón salvó.
   Digno es el Señor; su vida dio por mí.
   ¡Oh!, digno es el Señor: loor doy a ti.

2. Digno es el Cordero, al morir pagó;
   Digno es el Cordero, la vida él me dio.
   Digno es el Señor; su ruego yo atendí.
   ¡Oh!, digno es el Señor: loor doy a ti.

3. Digno es el Cordero, y no tiene igual;
   Digno es el Señor: nos quita él del mal.
   Digno es el Señor; su gracia es para mí.
   ¡Oh!, digno es el Señor: loor doy a ti.

4. Digno es el Cordero, vivo yo por él;
   Digno es el Señor; y yo le sigo fiel.
   Digno es el Señor; mi vida cambia aquí.
   ¡Oh!, digno es el Señor: loor doy a ti.

Stephen Leddy. Tr., Daniel Díaz R. ©1967 Hope Publishing
Co. Amparado por los derechos de copyright internacional. Todos
los derechos reservados. Usado con permiso.

35. FUENTE DE LA VIDA ETERNA

1. Fuente de la vida eterna y de toda bendición;
   Ensalzar tu gracia tierna, debe cada corazón.
   Tu piedad inagotable, abundante en perdonar,
   Unico Ser adorable, gloria a ti debemos dar.

2. De los cánticos celestes te quisiéramos cantar;
   Entonados por las huestes, que lograste rescatar.
   Almas que a buscar viniste, porque les tuviste
      amor,
   De ellas te compadeciste, con tiernísimo favor.

3. Toma nuestros corazones, llénalos de tu verdad;
   De tu Espíritu los dones, y de toda santidad.
   Guíanos en obediencia, humildad, amor y fe;
   Nos ampare tu clemencia; Salvador, propicio sé.

   Robert Robinson. Tr., T.M. Westrup.

36. GLORIA A TU NOMBRE

1. ¡Oh bendito Rey divino! Te adoramos con fervor.
   Poderoso, admirable eres tú, ¡oh Salvador!

CORO

   Gloria, gloria, ¡gloria a tu nombre oh Dios!
   Gloria, gloria, gloria a tu nombre, ¡Oh Dios! Amén.

2. Redentor, Señor del cielo, Luz eterna, dulce bien;
   Las naciones de la tierra cantan gloria a su Rey.

3. De tu trono en los cielos a este mundo pecador,
   Has bajado para darte como nuestro Salvador.

4. Ven, oh ven, Señor eterno; ven con gloria divinal.
   Ven y lleva a tu iglesia a tu reino celestial.

B.B. McKinney. Tr., Salomón Mussiett C. © 1942.
Renovado 1970 Broadman Press. ©1978 Broadman Press.
Todos los derechos reservados. Amparado por los derechos
de copyright internacional. Usado con permiso.

37. ¡DAD GRACIAS Y HOY CANTAD!

1. Cristianos, la canción alegres entonad,
   Y el símbolo de salvación de Cristo desplegad.

CORO

   ¡A Dios load! ¡Dad gracias y hoy cantad!

2. Con los que están con Dios, con los que están aquí,
   Hoy levantad alegre voz, a Dios honor rendid.

3. La enseña tremolad, las fuerzas Dios dará;
   Con paso firme y fiel marchad, la lucha fin tendrá.

4. De todo corazón loores siempre dad,
   Y bajo toda condición el himno levantad.

Edward H. Plumptre. Tr., G. Paúl S. ©1978, renovado
George P. Simmonds. Todos los derechos reservados.
Usado con permiso.

38. ¡GLORIA! ¡GLORIA!

1. ¡Gloria! ¡Gloria! a Jesús Salvador nuestro.
   ¡Canta, tierra! Canta su gran amor.
   ¡Gloria! ¡Gloria! ángeles santos del cielo,
   A su nombre den eternal loor.
   Cuenta cómo él descendió del cielo
   A nacer y en vida sufrir dolor.
   ¡Gloria! ¡Gloria! ángeles santos del cielo
   A su nombre den eternal loor.

2. ¡Gloria! ¡Gloria! a Jesús Salvador nuestro.
   Por nosotros él con la cruz cargó:
   Por salvarnos él sufrió pena de muerte,
   Del pecado Cristo nos libertó.
   ¡Alabadle! ¡Oh qué amor tan grande!
   Que nos brinda éste que él mostró.
   ¡Gloria! ¡Gloria! ángeles santos del cielo
   Rindan loor al que nos rescató.

Fanny J. Crosby. Tr., C.V. Pelegrín.

39. TU SANTO NOMBRE ALABARE

1. Tu santo nombre alabaré,
   Bendito Redentor;
   Ni lenguas mil cantar podrán
   La grandeza de tu amor.

2. Bendito mi Señor y Dios,
   Te quiero proclamar,
   Decir al mundo en derredor
   De tu salvación sin par.

3. Dulce es tu nombre para mí,
   Pues quita mi temor;
   En él encuentra paz, salud
   El pobre pecador.

4. Sobre pecado y tentación
   Victoria te dará.
   Su sangre limpia al ser más vil.
   ¡Gloria a Dios, soy limpio ya!

Charles Wesley. Tr., R.H. Dalke y Ellen de Eck.

40. TE AMO

1. Te amo, te amo, te amo, Señor;
   Te amo, mi Cristo, te amo, mi Dios.
   Te amo, te amo, conoces mi amor;
   ¡Oh cuánto te amo: de ti voy en pos!

2. Contento, contento, contento estoy,
   Mi gozo no muere, pues al monte yo voy;
   Contemplo el tesoro y allí yo estaré:
   A Cristo en la gloria y a su pueblo veré.

3. Oh Cristo divino, tú me das bendición,
   Tu nombre es mi tema, tu amor mi cantar;
   Tu nombre es mi tema, tu amor mi cantar:
   Tu gracia inspira mi sentir y mi hablar.

4. No hay otro cual Cristo, de Salem es el Rey,
   Le adoro, le adoro con toda la grey;
   Le adoro, le adoro con toda la grey,
   Y ríos de gozo me vendrán a animar.

41. ME AGRADA CANTAR

1. Me agrada cantar sin cesar, y honrar
   A Jesús mi amado Salvador;
   Quien me hizo pensar que debía dejar
   Para siempre la senda del error.
   ¡Mi Salvador! ¡Mi Salvador!
   Te alabo, mi Rey y Señor.
   ¡Mi Salvador! ¡Mi Salvador!
   Te alabo, mi Rey y Señor.

2. A Jesús acudí, el perdón recibí,
   Y ahora feliz yo soy en él;
   El me dijo: "Ten fe, yo contigo estaré,
   Y de toda maldad te guardaré."
   ¡Mi Salvador! ¡Mi Salvador!
   Te alabo, mi Rey y Señor.
   ¡Mi Salvador! ¡Mi Salvador!
   Te alabo, mi Rey y Señor.

3. Serviré a Jesús, predicando la luz,
   Y gozoso con él yo viviré;
   El me da salvación, y gratuita protección;
   En la lucha constante seguiré.
   ¡Mi Salvador! ¡Mi Salvador!
   Te alabo, mi Rey y Señor.
   ¡Mi Salvador! ¡Mi Salvador!
   Te alabo, mi Rey y Señor.

42. LA CANCION AL MUNDO ENTONAD

1. La canción al mundo entonad:
   ¡Cristo es el Señor!
   Aclamadle por su bondad;
   Rendidle honor.
   Toda lengua, toda nación
   Cante a coro esta canción.
   La canción al mundo entonad:
   ¡Cristo es el Señor!

2. La canción al mundo entonad
   El día al nacer;
   Notas santas resonad
   Con santo placer.
   Y los bosques al cantar
   Eco encuentran en el mar.
   La canción al mundo entonad
   El día al nacer.

3. La canción al mundo entonad:
   ¡Cristo es el Rey!
   Todo el mundo, alabad,
   Proclamad su ley.
   La creación adore al Señor
   Exaltando su gran amor.
   La canción al mundo entonad:
   ¡Cristo es el Rey!

43. DE QUIEN PAGO MI REDENCION

1. De quien pagó mi redención,
   Podría siempre yo cantar,
   Y con mi voz y corazón
   Su nombre siempre alabar.

2. Por fe en él el pecador
   Encuentra vida y perdón,
   Y goza en su Redentor,
   De Dios el inefable don.

3. Por redimirnos él sufrió
   Amargas penas y dolor,
   Y por la muerte demostró
   La plenitud de su amor.

4. Oh Salvador, a ti mi voz
   Levantaré con gratitud:
   A ti, mi Redentor y Dios,
   Autor de vida y salud. Amén.

44. CON CANTICOS, SEÑOR

1. Con cánticos, Señor, mi corazón y voz
   Te adoran con fervor, ¡Oh Trino, Santo Dios!
   En tu mansión yo te veré,
   Y paz eterna gozaré.

2. Tu mano paternal trazó mi senda aquí;
   Mis pasos, cada cual, velados son por ti.
   En tu mansión yo te veré,
   Y paz eterna gozaré.

3. Innumerables son los bienes, y sin par,
   Que por tu compasión recibo sin cesar.
   En tu mansión yo te veré,
   Y paz eterna gozaré.

4. Tú eres, ¡oh Señor! mi sumo, todo bien;
   Mil lenguas tu amor cantando siempre estén.
   En tu mansión yo te veré,
   Y paz eterna gozaré.

James John Cummins. Tr., M.N. Hutchinson.

45. A JESUS ALABAREMOS

1. A Jesús alabaremos, él es nuestro Salvador;
   Y por él alcanzaremos gozo, paz y gran favor.

¡Gloria, gloria, aleluya;
Gloria, gloria a Jesús;
Me salvó y hoy me guarda;
Gloria, gloria a Jesús!

2. A Jesús ensalzaremos, él es nuestro Mediador:
   Y por él, sí, entraremos en la gloria del Señor.

3. A Jesús adoraremos, nuestro Santificador;
   Y un día, sí, seremos cual es nuestro Salvador.

4. A Jesús alabaremos, él es nuestro Protector;
   Y ya nunca temeremos al astuto tentador.

46. MARAVILLOSO ES EL NOMBRE DE JESUS

Maravilloso es el nombre de Jesús,
Maravilloso es Cristo el Señor;
Rey poderoso y fiel, de todo es dueño él,
Maravilloso es Cristo el Señor.
Pastor divino, la Roca eterna,
Dios poderoso es;
Venid, amadle, hoy adoradle;
Maravilloso es Cristo el Señor.

47. JESUS ES MI REY SOBERANO

1. Jesús es mi Rey soberano;
   Mi gozo es cantar su loor;
   Es Rey, y me ve cual hermano;
   Es Rey y me imparte su amor.
   Dejando su trono de gloria, me vino a sacar
      de la escoria,
   Y yo soy feliz, y yo soy feliz por él.

2. Jesús es mi amigo anhelado,
   Y en sombras o en luz siempre va
   Paciente y humilde a mi lado,
   Y ayuda y consuelo me da.
   Por eso constante lo sigo, porque él es
      mi Rey y mi amigo,
   Y yo soy feliz, y yo soy feliz por él.

3. Señor, ¿qué pudiera yo darte
   Por tanta bondad para mí?
   ¿Me basta servirte y amarte?
   ¿Es todo entregarme yo a ti?
   Entonces acepta mi vida, que a ti sólo
      queda rendida,
   Pues yo soy feliz, pues yo soy feliz por ti.

Vicente Mendoza

48. GRACIAS DAD A JESUCRISTO

1. Gracias dad a Jesucristo por su sempiterno amor;
   Alabadle, santos todos, él es nuestro Salvador.
   Que sus siervos por doquiera canten su benignidad;
   Los que temen a su nombre hablen de su libertad.

2. En cadenas de amargura yo pedí su protección;
   Escuchó mi voz y mi alma la salvó de la prisión.
   Si me asalta el enemigo nada tengo que temer;
   En la lucha tremebunda con Jesús podré vencer.

3. Quien confía en Jesucristo la victoria llevará,
   Mas si fía en los hombres, su esperanza fallará.
   Oh Señor, tu santo nombre alabamos sin cesar;
   Por tu amor incomparable gracias te queremos dar.

Juan N. de los Santos

49. ES CRISTO QUIEN POR MI MURIO

1. Es Cristo quien por mí murió, mis culpas él borró.
   ¡Cuán grandes penas él sufrió, cuán grande es su
   amor!

CORO

   ¡Oh, cuánto le alabo! ¡Oh, cuánto le adoro!
   Y siempre le sigo de todo corazón.

2. Jesús su sangre derramó, el Rey por mí murió;
   Por mí, porque él me amó, mi iniquidad limpió.

3. ¡Oh! nunca puedo yo pagar, la deuda de su amor;
   Estoy aquí, mi Salvador, recíbeme, Señor.

4. Vivir con Cristo me trae paz, con él habitaré;
   Pues suyo soy, y de hoy en más, a nadie temeré.

Frederick Whitfield. Es traducción.

50. CANTAD ALEGRES AL SEÑOR

1. Cantad alegres al Señor,
   Mortales todos por doquier,
   Servidle siempre con fervor,
   Obedecedle con placer.

2. Con gratitud canción alzad
   Al Hacedor que el ser nos dio;
   Al Dios excelso venerad,
   Que como Padre nos amó.

3. Su pueblo somos; salvará
   A sus ovejas el Pastor;
   Ninguna de ellas faltará
   Si fueren fieles al Señor. Amén.

Tomás González Carvajal

51. POR LA EXCELSA MAJESTAD

1. Por la excelsa majestad de los cielos, tierra y mar;
   Por las alas de tu amor que nos cubren sin cesar;
   Te ofrecemos, oh Señor, alabanzas con fervor.

2. Por la calma nocturnal, por la tibia luz del sol,
   Por el amplio cielo azul, por el árbol, por la flor;
   Te ofrecemos, oh Señor, alabanzas con fervor.

3. Por la mente, el corazón, los sentidos que nos das,
   Que tu inmensa creación nos permiten apreciar;
   Te ofrecemos, oh Señor, alabanzas con fervor.

4. Por los lazos del amor, que en familia y amistad,
   Nos acercan hoy aquí y a los que partieron ya;
   Te ofrecemos, oh Señor, alabanzas con fervor.
                                          Amén.

Folliott S. Pierpoint. Tr., F.J. Pagura.

52. CRISTO, YO QUIERO DAR GRACIAS

1. Cristo, yo quiero dar gracias;
   Cristo, yo quiero dar gracias;
   Cristo, yo quiero dar gracias,
   Gracias por tu gran bondad.

2. Cristo, yo quiero alabarte;
   Cristo, yo quiero alabarte;
   Cristo, yo quiero alabarte;
   Te alabo por tu gran bondad.

3. Cristo, yo quiero decirte;
   Cristo, yo quiero decirte;
   Cristo, yo quiero decirte;
   Te amo por tu gran bondad.

4. Cristo, yo quiero servirte;
   Cristo, yo quiero servirte;
   Cristo, yo quiero servirte;
   Te sirvo por tu gran bondad.

5. Cristo, yo sé que tú vienes;
   Cristo, yo sé que tú vienes;
   Cristo, yo sé que tú vienes
   Para llevarme a tu hogar.

Gloria y William J. Gaither. Tr., Sid D. Guillén. ©1974 William J. Gaither. Amparado por los derechos de copyright internacional. Todos los derechos reservados. Esta traducción usada con el permiso especial del publicador.

53. CRISTO DIVINO, HIJO UNIGENITO

1. Cristo divino, Hijo unigénito,
   Gran Creador y fiel sostén, siempre he de amarte,
   Siempre servirte, mi gozo, mi corona y bien.

2. Los campos bellos cubren el suelo
   De lozanía y floración; Jesús, empero,
   Siempre es más bello; hace cantar el corazón.

3. ¡Bello el lucero! ¡La argentina luna!
   Titilan las estrellas mil. Jesús es bello,
   Jesús es puro que todo el reino celestial.

4. Más que la aurora fulge tu rostro
   Con hermosura de lirio en flor. Magnificencia
   Incomparable eres mi Cristo, mi Señor. Amén.

Autor anónimo. Tr. al castellano, estrofas 1, 2, 3, Maurilio López L.; estrofa 4, Alberto Rembao.

54. OH VEN, EMANUEL

1. Oh ven, oh ven, Rey *Emanuel, rescata ya a Israel,
   Que llora en su desolación y espera su liberación.

CORO

    Vendrá, vendrá Rey Emanuel,
    Alégrate, oh Israel. Amén.

2. Sabiduría celestial, al mundo hoy ven a morar;
   Corrígenos y haznos ver en ti lo que podemos ser.

3. Anhelo de los pueblos, ven; en ti podremos paz
   tener;
   De crueles guerras líbranos, y reine soberano Dios.

4. Ven tú, oh Hijo de David, tu trono establece aquí:
   Destruye el poder del mal. ¡Visítanos, Rey celestial!

Himno latino anónimo. Tr. al inglés estrofas 1 y 2, John Mason
Neale; estrofas 3 y 4, Henry Sloane Coffin. Tr. al castellano,
F.J. Pagura.
*Dios con nosotros, Isaías 7:14.

55. CONSOLAOS, PUEBLO MIO

1. Consolaos, pueblo mío, paz tened, dice el Señor;
   Consolad al que, perdido, yace en la oscuridad.
   A Jerusalén hablad de la paz que ya llegó;
   Su pecado es perdonado, y su tiempo ya se
   cumplió.

2. Voz que en el desierto clama, su mensaje claro es;
   Llama al arrepentimiento, pues el reino ya llegó.
   Esa voz hoy escuchad, y el camino preparad;
   Valles, saludadle erguidos; montes, inclinaos ante
   él.

3. Lo torcido enderezadlo, y lo áspero allanad;
   Un ejemplo de su reino, sea vuestro corazón.
   Y la gloria del Señor, revelada así será;
   Todo ser habrá de verla, pues Jehová lo ha dicho
   así. Amén.

Johannes Olearius. Tr. al inglés, Catherine Winkworth.
Tr. al castellano, Luden A. Gutiérrez. ©1978 Casa Bautista
de Publicaciones. Todos los derechos reservados. Amparado por
los derechos de copyright internacional.

56. VEN, JESUS MUY ESPERADO

1. Ven, Jesús muy esperado,
   Ven, y quita de tu grey sus temores y pecados,
   Pues tú eres nuestro Rey.
   Eres fuerza y alegría, de la tierra y de Israel;
   Y esperanza para aquellos,
   Que te esperan con gran fe.

2. Naces para bien de todos;
   Aunque niño, eres Dios; naces para hacernos
      buenos;
   Oh Jesús, ven pronto hoy.
   Con tu Espíritu divino reina en todo corazón,
   Y tu gracia nos conduzca
   A tu trono de esplendor.

Charles Wesley. Tr., Lorenzo Alvarez.

57. EN BELEN NACIO JESUS

1. En Belén nació Jesús, aleluya,
   A los hombres trajo luz, aleluya.

CORO

En lo alto gloria a Dios, aleluya,
En lo alto gloria a Dios, aleluya.

2. Siendo Dios se hizo mortal, aleluya,
   Mas su gloria es eternal, aleluya.

3. Por los hombres él murió, aleluya,
   Con poder resucitó, aleluya.

4. Cristo salva al pecador, aleluya,
   Si confiamos en su amor, aleluya.

5. A vivir con él iré, aleluya,
   En su amor me gozaré, aleluya.

Autor anónimo. Tr., Homero Villarreal Rubalcava.
© 1978 Casa Bautista de Publicaciones. Todos los derechos
reservados. Amparado por los derechos de copyright internacional.

58. NOCHE DE PAZ

1. ¡Noche de paz, noche de amor!
   Todo duerme en derredor,
   Entre los astros que esparcen su luz,
   Bella, anunciando al niñito Jesús,
   Brilla la estrella de paz,
   Brilla la estrella de paz.

2. ¡Noche de paz, noche de amor!
   Oye humilde el fiel pastor,
   Coros celestes que anuncian salud,
   Gracias y glorias en gran plenitud,
   Por nuestro buen Redentor,
   Por nuestro buen Redentor.

3. ¡Noche de paz, noche de amor!
   Ved qué bello resplandor
   Luce en el rostro del niño Jesús,
   En el pesebre, del mundo la luz,
   Astro de eterno fulgor,
   Astro de eterno fulgor.

Joseph Mohr. Es traducción.

59. EN LA NOCHE LOS PASTORES VELAN

1. En la noche los pastores a sus ovejitas velan;
   Angeles del cielo alaban, ángeles del cielo cantan.
   Pastorcitos, id, pastorcitos, ya,

CORO

A adorar al Niño, a adorar al Niño,
Que en Belén está, que en Belén está.
A adorar al Niño, a adorar al Niño,
Que en Belén está, que en Belén está.

2. Del oriente, unos magos siguen la brillante
   estrella;
   Quieren ofrecer regalos, traen muy valiosos
   dones.
   Magos, hoy venid; magos, hoy llegad

3. Con alegre reverencia en la bella noche buena,
   Los cristianos hoy alaban, los cristianos todos
     cantan.
   Pueblos, hoy venid; pueblos, hoy llegad

60. TU DEJASTE TU TRONO Y CORONA POR MI

1. Tú dejaste tu trono y corona por mí,
   Al venir a Belén a nacer;
   Mas a ti no fue dado el entrar al mesón.
   Y en establo te hicieron nacer.

CORO

   Ven a mi corazón, ¡oh Cristo!
   Pues en él hay lugar para ti;
   Ven a mi corazón, ¡oh Cristo! ven,
   Pues en él hay lugar para ti.

2. Alabanzas celestes los ángeles dan,
   En que rinden al Verbo loor;
   Mas humilde viniste a la tierra, Señor,
   A dar vida al más vil pecador.

3. Siempre pueden las zorras sus cuevas tener,
   Y las aves sus nidos también;
   Mas el Hijo del hombre no tuvo un lugar
   En el cual reclinara su sien.

4. Alabanzas sublimes los cielos darán,
   Cuando vengas glorioso de allí,
   Y tu voz entre nubes dirá: "Ven a mí,
   Que hay lugar junto a mí para ti."

Emily E.S. Elliott. Es traducción.

61. PASTORES CERCA DE BELEN

1. Pastores cerca de Belén
   Miraban con temor
   Al ángel quien les descendió
   Con grande resplandor.

2. El dijo a ellos, "No temáis,"
   Temieron en verdad,
   "Pues buenas nuevas del Señor
   Traigo a la humanidad."

3. "Os ha nacido hoy en Belén,
   Y es de linaje real,
   El Salvador, Cristo el Señor;
   Esto os será señal."

4. "Envuelto en pañales hoy
   Al Niño encontraréis,
   Echado en pesebre vil
   Humilde le hallaréis."

5. El serafín hablaba así,
   Y luego en alta voz
   Se oyó celeste multitud
   Loor cantando a Dios.

6. "En las alturas gloria a Dios,
   En todo el mundo paz,
   Y para con los hombres hoy
   La buena voluntad."

Parafraseada, Nahum Tate. Tr., George P. Simmonds.
©1967, renovado, George P. Simmonds. Todos los derechos
reservados. Usado con permiso.

62. HOY LA NUEVA DAD

1. Ha nacido Cristo ya, gloria a él, gloria a él;
   En pesebre donde está, duerme allí tranquilo.

CORO

   Vedle hoy, la nueva dad, gloria a él, gloria a él,
   ¡Oh qué bella Navidad, la del dulce Niño!
   Vedle hoy, la nueva dad, gloria a él, gloria a él,
   ¡Oh qué bella Navidad, gloria siempre, amén!

2. Los pastores le verán, gloria a él, gloria a él;
   Angeles le cantarán desde el alto cielo.

3. Magos desde oriente van, gloria a él, gloria a él;
   Oro, incienso y mirra dan al pequeño Niño.

4. Demos a Jesús loor, gloria a él, gloria a él;
   Por brindarnos su amor, él nació en Belén.

H.B. Franklin. Tr., Alfredo Díaz C. ©1958 Broadman Press.
Todos los derechos reservados. Amparado por los derechos de
copyright internacional. Usado con permiso.

63. VENID, PASTORES

1. Venid, pastores, venid, oh venid a Belén, oh venid
   al portal.
   Yo no me voy de Belén sin al Niño Jesús un
   momento adorar.
   Y la estrella de Belén os guiará con su luz,
   Hasta el humilde portal, donde nació Jesús.
   Venid, pastores, venid, oh venid a Belén, oh venid
   al portal.
   Yo no me voy de Belén sin al Niño Jesús un
   momento adorar.

2. Venid, pastores, venid, con gran gozo, dejando en
   el campo la grey.
   Ved a los ángeles quienes anuncian que hoy ha
   nacido el Rey.
   Y la estrella de Belén os guiará con su luz,
   Hasta el humilde portal, donde nació Jesús.
   Venid, pastores, venid, con gran gozo, dejando en
   el campo la grey.
   Ved a los ángeles quienes anuncian que hoy ha
   nacido el Rey.

64. SE OYE UN SON EN ALTA ESFERA

1. Se oye un son en alta esfera:
   "¡En los cielos gloria a Dios!
   ¡Al mortal paz en la tierra!"
   Canta la celeste voz.
   Con los cielos alabemos,
   Al eterno Rey cantemos,
   A Jesús, que es nuestro bien,
   Con el coro de Belén;
   Canta la celeste voz:
   "¡En los cielos gloria a Dios!"

2. El Señor de los señores,
   El Ungido celestial,
   A salvar los pecadores
   Vino al mundo terrenal.
   Gloria al Verbo encarnado,
   En humanidad velado;
   Gloria al Santo de Israel,
   Cuyo nombre es Emanuel;
   Canta la celeste voz:
   "¡En los cielos gloria a Dios!"

3. Príncipe de paz eterna,
   Gloria a ti, Señor Jesús;
   Entregando el alma tierna,
   Tú nos traes vida y luz.
   Has tu majestad dejado,
   Y buscarnos te has dignado;
   Para darnos el vivir,
   A la muerte quieres ir.
   Canta la celeste voz:
   "¡En los cielos gloria a Dios!"

Charles Wesley. Tr., Federico Fliedner.

65. EN UN PESEBRE YACE UN NIÑITO

1. En un pesebre yace un niñito;
   Su madre canta al Padre Dios.
   Niño divino que por nosotros
   Del cielo vino a darnos perdón.

2. Dejó los cielos altos, sublimes,
   Y un pesebre le hospedó.
   Angeles cantan, reyes le adoran,
   Y se contenta la creación.

3. Las profecías ya se cumplieron:
   Es Jesucristo, Rey, Salvador.
   Desde su trono del alto cielo
   Nos ha venido el Redentor.

Mary Macdonald; tr. al inglés, Lachlan Macbean; tr. al castellano, Salomón Mussiett C. ©1978 Casa Bautista de Publicaciones. Todos los derechos reservados. Amparado por los derechos de copyright internacional.

66. CRISTIANOS, HOY CANTAD A DIOS

1. Cristianos, hoy cantad a Dios con alma, corazón y
   voz;
   Grata nueva escuchad, Jesucristo ya nació.
   Los pastores honra dan al Niño allá en el portal.
   Cristo ya nació, Cristo ya nació.

2. Cristianos, hoy cantad a Dios con alma, corazón y
   voz;
   Y al pecado no temáis, Jesucristo nos da paz.
   Puede darte salvación si oyes hoy su invitación;
   Vino a salvar, vino a salvar.

Autor anónimo. Tr. al inglés, John Mason Neale; tr. al
castellano, Elina Cabarcas. ©1978 Casa Bautista de Publicaciones.
Todos los derechos reservados. Amparado por los derechos de
copyright in ernacional.

67. ANGELES CANTANDO ESTAN

1. Angeles cantando están tan dulcísima canción;
   Las montañas su eco dan como fiel contestación.

CORO

   Gloria a Dios en lo alto. Gloria a Dios en lo alto.

2. Los pastores sin cesar sus loores dan a Dios;
   Cuán glorioso es el cantar de su melodiosa voz.

3. ¡Oh! venid pronto a Belén para contemplar con fe
   A Jesús, autor del bien, al recién nacido Rey.

Villancico francés. Tr., George P. Simmonds.

68. A MEDIA NOCHE RESONO

1. A media noche resonó glorioso y sin igual
   Un canto angélico de amor, sublime y divinal;
   Brillante luz resplandeció en densa oscuridad,
   Y a los pastores anunció la voz angelical.

2. "Alzad la vista sin temor, mortales por doquier;
   Mensaje de gran gozo os doy, que es para todo ser:
   Os ha nacido hoy en Belén, el pueblo de David,
   Un Salvador y Redentor que es Cristo el adalid."

3. Mensaje grato proclamó celeste multitud,
   Que por los campos resonó con gozo y gran virtud:
   "¡En las alturas gloria a Dios, y al mundo salvación,
   Al hombre buena voluntad, paz, gozo y bendición!"

Edmund H. Sears. Tr. estrofa 1, José L. Santiago Cabrera; estrofas 2 y 3, Arnfeld C. Morck.

69. ANGELES DE ALTA GLORIA

1. Angeles de alta gloria, vuestras voces levantad;
   Cristo ya nació, la historia pronto a todos
       proclamad.
   Adoremos, adoremos al recién nacido Rey.

2. Los pastores vigilando sobre su ganado están;
   Dios en Cristo ya habitando con los hombres,
       mirarán.
   Adoremos, adoremos al recién nacido Rey.

3. Sabios, las meditaciones todas pronto abandonad,
   Al Deseado de naciones en pesebre vil mirad.
   Adoremos, adoremos al recién nacido Rey.

4. Los que a Cristo reverentes esperando verle están,
   En su templo, muy fervientes contemplarle allí
     podrán.
   Adoremos, adoremos al recién nacido Rey.

James Montgomery. Tr., George P. Simmonds.

70. VENID, PASTORCITOS

1. Venid, pastorcitos, sigamos
   La senda que va hacia Belén.
   Cantemos un himno de amor y de gloria
   Al Niño que es todo un Edén.

CORO

Venid a cantar, a cantar, a cantar,
Un himno de amor y de paz, y de paz.
Lleguemos a él con afán, con afán,
Que ejemplo nos da de humildad.
Venid, venid, pastores.
No hay tiempo que perder, que perder.
No hay tiempo que perder.

2. Los magos salieron del Oriente
   Vinieron al Niño adorar;
   Trajeron con ellos presentes que con gran
   Cariño le quisieron dar.

71. CANTAN ANGELES MIL

1. Cantan ángeles mil, brilla estrella de paz;
   Virgen madre en amor, vela al Hijo de Dios.
   Todo el cielo en júbilo canta loor;
   Ha nacido en Belén nuestro Rey y Señor.

2. Hay un gozo sin par por el don de su amor,
   Pues el tierno bebé es del mundo Señor.
   Todo el cielo en júbilo canta loor;
   Ha nacido en Belén nuestro Rey y Señor.

3. El sublime fulgor es del mundo la luz,
   Y resuena este son alabando a Jesús.
   Nuestras almas se inflaman y cantan loor;
   Ha nacido en Belén nuestro Rey y Señor.

4. Grande gozo nos da esta luz celestial;
   Canta hoy nuestra voz himno angelical.
   Proclamamos alegres su eterno amor,
   Y adoramos al Niño, al Rey y Señor.

Josiah G. Holland. Tr., Elsie E. Tyron.

72. VENID, FIELES TODOS

1. Venid, fieles todos, a Belén marchemos:
   De gozo triunfantes, henchidos de amor.
   Y al Rey de los cielos contemplar podremos:

CORO

   Venid, adoremos, venid, adoremos,
   Venid, adoremos a Cristo el Señor.

2. El que es hijo eterno del eterno Padre,
   Y Dios verdadero que al mundo creó,
   Al seno humilde vino de una madre:

3. En pobre pesebre yace reclinado.
   Al hombre ofrece eternal salvación,
   El santo Mesías, Verbo humanado:

4. Cantad jubilosas, célicas criaturas:
   Resuene el cielo con vuestra canción:
   ¡Al Dios bondadoso gloria en las alturas!

Himno latino atribuído a John Francis Wade. Tr. al inglés, Frederick Oakeley; tr. al castellano, Juan B. Cabrera.

73. VE, DILO EN LAS MONTAÑAS

CORO

Vé, dílo en las montañas, en todas partes y
   alrededor;
Vé, dílo en las montañas: que Cristo el Rey nació.

1. El mundo ha esperado que Cristo el Rey de paz,
   Viniera a esta tierra trayéndole solaz.

2. Llegó como un niño de noche en Belén;
   Del cielo las estrellas le alumbraron también.

3. Y los que son de Cristo debieran proclamar,
   Que Cristo al mundo vino los hombres a salvar.

John W. Work, h. Tr., Adolfo Robleto. ©1978 Casa Bautista de Publicaciones. Todos los derechos reservados. Amparado por los derechos de copyright internacional.

74. ¡OH ALDEHUELA DE BELEN!

1. ¡Oh aldehuela de Belén! afortunada tú,
   Pues en tus campos brilla hoy la sempiterna luz.
   El Hijo tan deseado con santa expectación,
   El anunciado Salvador en ti, Belén, nació.

2. Allá do el Redentor nació los ángeles están
   Velando todos con amor al niño sin igual.
   ¡Estrellas rutilantes, a Dios la gloria dad!
   Pues hoy el cielo nos mostró su buena voluntad.

3. Calladamente Dios nos da su incomparable don;
   Así también impartirá sus bendiciones hoy.
   Ningún oído acaso perciba su venir,
   Mas él de humilde corazón, le habrá de recibir.

4. ¡Oh santo Niño de Belén! desciende con tu paz;
   En nuestras almas nace hoy limpiando todo mal.
   Los ángeles del cielo te anuncian al nacer:
   ¡Ven con nosotros a morar, oh Cristo, Emanuel!

Phillips Brooks. Es traducción.

75. LA NOTICIA SIN IGUAL

1. La noticia sin igual el ángel la dio
   A los fieles pastores del campo en Belén;
   Y aunque el frío invernal en la noche cundió,
   Las ovejas estaban cuidadas muy bien.

CORO

Noel, noel, noel, noel,
Hoy ha nacido el Rey de Israel.

2. Y una estrella todos vieron arriba brillar
   Que viajaba hacia el Oeste del vasto confín;
   Y a la tierra alumbró con su luz estelar
   Día y noche continuos en regio festín.

3. Y los magos por fe, siempre en pos de esa luz
   Caminaron de lejos en busca de un rey;
   Y al llegar hasta Belén, donde estaba Jesús:
   Le adoraron con gozo cual su santa grey.

4. Adoremos a Jesús en unión y amor
   Por los muchos favores que él siempre nos da;
   De la tierra y del mar y del cielo es Creador,
   Por su sangre nuestra alma salvada está.

76. ¡AL MUNDO PAZ, NACIO JESUS!

1. ¡Al mundo paz, nació Jesús! Nació ya nuestro Rey;
   El corazón ya tiene luz,
   Y paz su santa grey, y paz su santa grey,
   Y paz, y paz su santa grey.

2. ¡Al mundo paz, el Salvador en tierra reinará!
   Ya es feliz el pecador,
   Jesús perdón le da, Jesús perdón le da,
   Jesús, Jesús perdón le da.

3. Al mundo él gobernará con gracia y con poder;
   A las naciones mostrará
   Su amor y su poder, su amor y su poder,
   Su amor, su amor y su poder.

Isaac Watts. Es traducción.

77. VILLANCICO DE LA ESTRELLA

1. Hace años, una noche oscura y glacial
   Se vio brillando una estrella sin igual.
   En un pesebre fue puesto un bebé
   Cuya cunita de paja fue.

2. Ese niñito fue Jesús, el Salvador:
   En un establo durmió el Redentor.
   Bello lucero arriba se vio,
   Y su fulgor a la cuna dio.

3. Cristo querido, ¡cuán pequeño estás allí!
   Haré lugar en mi vida para ti.
   Y cada estrella que arriba se ve
   Me hará pensar en Jesús, mi Rey.

Wihla Hutson. Tr., Marjorie J. de Caudill.

78. UN CANTO DE BELEN CANTAD

1. Un canto de Belén cantad,
   De pastores fieles también;
   Y un ángel que envuelto en luz
   Anuncióles el gran bien.
   La luz que allá en Belén brilló
   Brilla hoy por doquier;
   Y Jesús al mundo le ofreció su paz,
   Pues vino a nacer.

2. También cantad de Nazaret,
   De días de amor;
   Del Niño que jamás pecó
   Y de flores de grato olor.
   Porque ahora flores de Nazaret
   Pueden crecer en ti:
   Y esparcir la fama de Jesús,
   Por los vientos que giran, sí.

3. De Galilea hoy cantad,
   De sus montes y del mar;
   De cómo el Señor Jesús
   La tormenta pudo calmar.
   Es así también que él nos da
   Al atacar el mal:
   Fortaleza y paz y tranquilidad,
   Victoria sin igual.

Louis F. Benson. Tr., Pablo Filós. ©1978 Casa Bautista de Publicaciones. Todos los derechos reservados. Amparado por los derechos de copyright internacional.

79. NIÑO SANTO, SUFRES TANTO

1. Niño santo, sufres tanto en tu cama sin calor.
   Los que ignoran no te adoran: Cristo el Niño es el
   Señor.
   Y volando va cantando, ángel dando, proclamando:
   Cristo el Niño es el Señor.

2. Los pastores con temores sus rebaños vieron bien.
   Y escucharon que cantaron en los prados de Belén.
   Y corrieron y creyeron cuando vieron y
   entendieron
   Que Jesús nació en Belén.

Villancico polaco parafraseado por Edith M.G. Reed.
Tr., Pablo Filós.

80. VENID A BELEN

1. Venid a Belén, oh venid sin tardar,
   Venid al pesebre, venid a adorar
   Al Hijo de Dios, el Niñito Jesús;
   De vida es Señor y del mundo es la luz.

2. Allá en el pesebre en el heno mirad
   Al niño dormido. Venid, contemplad;
   Más puro que ángeles, le encontraréis;
   Envuelto en pañales al Niño hallaréis.

3. María le arrulla con dulce cantar,
   Le mira José con amor sin cesar,
   Pastores le buscan con paso veloz,
   Y se oye del cielo angélica voz.

4. Postrados loadle con el corazón
   Las voces unid al angélico son;
   En lo alto cantad:"Gloria a Dios por su amor
   En darnos a su Hijo, Jesús el Señor."

81. VENID, PASTORCILLOS

1. Venid, pastorcillos, venid a adorar
   Al Rey de los cielos que nace en Judá.
   Sin ricas ofrendas podemos llegar,
   Que el niño prefiere la fe y la bondad.

2. Un rústico techo abrigo le da;
   Por cuna un pesebre, por templo un portal;
   En lecho de pajas incógnito está
   Quien quiso a los astros su gloria prestar.

3. Hermoso lucero le vino a anunciar,
   Y magos de Oriente buscándole van;
   Delante se postran del Rey de Judá,
   De incienso, oro y mirra tributo le dan.

4. Con fe y con gozo vayamos a él,
   Que el Niño es humilde y nos ama muy fiel.
   Los brazos nos tiende con grato ademán:
   "Venid", nos repite su voz celestial.

Francisco Martínez de la Rosa

82. JESUCRISTO HOY NACIO

1. Oíd la historia que ángeles cantan: ha nacido
   Cristo.
   En un pesebre entre animales; ved al santo Niño.

CORO

Angeles y pastores cantando, anuncian las buenas
   nuevas cantando;
Digan dulcemente, digan fuertemente:
Jesucristo hoy nació.

2. Pastores vigilando en el campo oyeron la historia,
   Se arrodillaron ante la luz fulgente de su gloria.

3. Venid, oh pueblos, y en el establo adorad al niño.
   Cual ángeles cantad, y tributos cual pastores dadle.

83. ¿QUE NIÑO ES ESTE?

1. Un tierno niño dormido está en los brazos de
   María;
   Los ángeles le saludan con amor y con alegría.

CORO

Este es el Cristo el Rey a quien los ángeles dan
   loor.
Presto marchad a ver, al niño de María.

2. ¿Por qué Jesús está así en medio de animales?
   Gozad, cristianos, pues el niño viene a quitar los
   males.

3. Traedle, pues, incienso y mirra y oro porque es
   Rey.
   El trae paz y santo amor; también nos dicta su ley.

84. ¡OH SANTISIMO, FELICISIMO!

1. ¡Oh, santísimo, felicísimo, grato tiempo de
   Navidad!
   A este mundo herido, Cristo le ha nacido:
   ¡Alegría, alegría, cristiandad!

2. ¡Oh, santísimo, felicísimo, grato tiempo de
   Navidad!
   Coros celestiales oyen los mortales:
   ¡Alegría, alegría, cristiandad!

3. ¡Oh, santísimo, felicísimo, grato tiempo de
   Navidad!
   Príncipe del cielo, danos tu consuelo:
   ¡Alegría, alegría, cristiandad!

Johannes Falk. Tr., Federico Fliedner.

85. ALLA EN EL PESEBRE

1. Allá en el pesebre, do nace Jesús,
   La cuna de paja nos vierte gran luz;
   Estrellas lejanas del cielo al mirar
   Se inclinan gozosas su lumbre a prestar.

2. Pastores del campo, teniendo temor,
   Cercados de luz y de gran resplandor,
   Acuden aprisa buscando a Jesús,
   Nacido en pesebre del mundo la luz.

3. Extraño bullicio despierta al Señor,
   Mas no llora el Niño, pues es puro amor;
   ¡Oh vélanos, Cristo Jesús, sin cesar!
   Y así bien felices siempre hemos de estar. Amén.

Autor anónimo. Tr., George P. Simmonds.

86. SUENEN DULCES HIMNOS

1. ¡Suenen dulces himnos gratos al Señor,
   Y óiganse en concierto universal!
   Desde el alto cielo baja el Salvador
   Para beneficio del mortal.

CORO

¡Gloria! ¡gloria sea a nuestro Dios!
¡Gloria! sí, cantemos a una voz,
Y el cantar de gloria, que se oyó en Belén,
Sea nuestro cántico también.

2. Salte, de alegría lleno el corazón,
   La abatida y pobre humanidad;
   Dios se compadece viendo su aflicción,
   Y le muestra buena voluntad.

3. Sientan nuestras almas noble gratitud
   Hacia él que nos brinda redención;
   Y a Jesús el Cristo, que nos da salud,
   Tributemos nuestra adoración.

W.O. Cushing. Adap., Juan B. Cabrera.

87. DAD LOOR A DIOS

1. Dad loor a Dios, himnos elevad,
   Alabando su bondad;
   Canta de Jesús, pobre pecador;
   Canta, sí, su gran amor.
   Jesucristo descendió de los cielos a Belén;
   Nuestra paz allí nació,
   Nuestra dicha, luz y bien.

CORO

   ¡Oh bendito Dios! Gloria a ti, Señor,
   Por Jesús, el Salvador.

2. Dad loor a Dios, himnos elevad,
   Alabando su bondad;
   Canta de Jesús, pobre pecador;
   Canta, sí, su gran amor.
   Por venir a padecer a los ángeles dejó,
   Y nacido de mujer,
   Con los hombres habitó.

3. Dad loor a Dios, himnos elevad,
   Alabando su bondad;
   Canta de Jesús, pobre pecador;
   Canta, sí, su gran amor.
   En la cruz, martirio cruel, dio su vida el
      Salvador,
   Porque tenga paz en él
   Todo pobre pecador.

88. ERES DEL MUNDO

1. ¡Eres del mundo, Cristo, la esperanza!
   Habla y aquieta nuestro corazón.
   Salva a tu pueblo de falaz confianza,
   Falsos ideales y mortal pasión.

2. ¡Tú, la esperanza! don del alto cielo,
   Al alma hambrienta das de vida el pan;
   Haz que tu Espíritu nos dé consuelo,
   Y ponga fin al angustioso afán.

3. ¡Tú, la esperanza! ven a nuestro lado;
   En nuestra senda oscura sé la luz;
   Con tu poder evita que el pecado
   Nos extravíe lejos de tu cruz.

4. ¡Tú, la esperanza! surges victorioso
   Sobre la muerte y vida eterna das.
   Fieles seremos al pregón glorioso:
   ¡Tú para siempre, Cristo, reinarás!

89. CUANDO OIGO LA HISTORIA DE JESUS

1. Cuando oigo la historia del querido Jesús
   Que bendice a los niños con amor,
   Yo también quisiera estar,
   Y con ellos descansar
   En los brazos del tierno Salvador.

2. Ver quisiera sus manos sobre mí reposar;
   Cariñosos abrazos de él sentir;
   Sus miradas disfrutar,
   Las palabras escuchar:
   "A los niños dejad a mí venir."

3. Yo ansío aquel tiempo venturoso sin fin,
   El más grato, el más bello y el mejor,
   Cuando, de cualquier nación,
   Niños mil, sin distinción,
   En los brazos se encuentren del Señor.

Jemima T. Luke. Tr., Sebastián Cruellas.

90. DEL SANTO AMOR DE CRISTO

1. Del santo amor de Cristo que no tendrá igual,
   De su divina gracia, sublime y eternal;
   De su misericordia, inmensa como el mar,
   Y cual los cielos alta, con gozo he de cantar.

CORO

   El amor de mi Señor, grande y dulce es
      más y más;
   Rico e inefable, nada es comparable,
   Al amor de mi Jesús.

2. Cuando él vivió en el mundo la gente lo siguió,
   Y todas sus angustias en él depositó;
   Entonces, bondadoso, su amor brotó en raudal,
   Incontenible, inmenso, sanando todo mal.

3. El puso en los ojos del ciego nueva luz,
   La eterna luz de vida que brilla en la cruz,
   Y dio a las almas todas la gloria de su ser,
   Al impartir su gracia, su Espíritu y poder.

4. Su amor, por las edades, del mundo es el fanal,
   Que marca esplendoroso la senda del ideal;
   Y el paso de los años lo hará más dulce y más,
   Precioso al dar al alma su incomparable paz.

Leila N. Morris. Tr., Vicente Mendoza. ©1912. Renovado
1940 Nazarene Publishing House, U.S.A. Todos los derechos
reservados. Usado con permiso.

91. ¡OH MAESTRO Y MI SEÑOR!

1. ¡Oh Maestro y mi Señor!
   Yo contigo quiero andar;
   En tu gracia y en tu amor
   Sólo quiero yo confiar.

2. Eres mi profeta y rey,
   Mi divino Salvador;
   Soy oveja de tu grey,
   Eres tú mi buen pastor.

3. Dime tú lo que he de ser,
   Las palabras que he de hablar,
   Lo que siempre debo hacer,
   Cómo debo yo pensar.

4. Sólo así feliz seré
   En mi vida espiritual.
   Sólo así morar podré
   En la patria celestial. Amén.

H.B. Someillan

92. HIJO DE DIOS ES EL

1. ¿Conoces a Cristo quien es el Señor?
   Hijo de Dios es él.
   ¿No sabes que te ama? ¿Acaso le has visto?
   Hijo de Dios es él.

¡Oh maravilla! ¡Oh maravilla! Hijo de Dios es él.
Hoy yo le adoro y lo amo siempre,
Hijo de Dios es él.

2. Jesús con su muerte rescata las almas,
Hijo de Dios es él.
Su sangre preciosa nos da paz y calma,
Hijo de Dios es él.

3. ¿Por qué rechazarle? ¿Por qué no buscarle?
Hijo de Dios es él.
Jesús te recibe si vienes contrito,
Hijo de Dios es él.

4. Si tú le aceptas y en él tú confías,
Hijo de Dios es él.
Darás alabanzas, tendrás alegrías,
Hijo de Dios es él.

G.T. Haywood. Tr., Daniel Díaz R. ©1978 Casa Bautista de
Publicaciones. Todos los derechos reservados. Amparado por los
derechos de copyright internacional.

93. LA TIERNA VOZ DEL SALVADOR

1. La tierna voz del Salvador
Nos habla conmovida.
Oíd al Médico de amor,
Que da a los muertos vida.

Nunca los hombres cantarán,
Nunca los ángeles en luz,
Nota más dulce entonarán
Que el nombre de Jesús.

2. Cordero manso, ¡gloria a ti!
Por Salvador te aclamo.
Tu dulce nombre es para mí
La joya que más amo.

3. La amarga copa de dolor,
Jesús, fue tu bebida;
En cambio das al pecador
El agua de la vida.

4. Y cuando al cielo del Señor
Con él nos elevemos,
Arrebatados en su amor,
Su gloria cantaremos.

William Hunter. Tr., Pedro Castro.

94. TIERRA DE LA PALESTINA

1. Tierra bendita y divina es la de Palestina,
donde nació Jesús;
Eres, de las naciones, cumbre bañada por la
lumbre que derramó su luz.

CORO

Eres la historia inolvidable,
Porque en tu seno se derramó
La sangre, preciosa sangre,
Del unigénito Hijo de Dios;
La sangre, preciosa sangre,
Del unigénito Hijo de Dios.

2. Cuenta la historia del pasado que en tu seno
sagrado vivió el Salvador,
Y en tus hermosos olivares, habló a los millares
la palabra de amor.

3. Quedan en ti testigos mudos, que son los
viejos muros de la Jerusalén;
Viejas paredes ya destruidas, que si tuvieran
vida, nos hablarían bien.

Autor anónimo. Tr. ©1978 Singspiration, Inc. Todos los derechos reservados. Usado con permiso.

95. CONTEMPLANDO TU AMOR

1. Contemplando tu amor, tu tristeza, tu dolor,
Tu constancia en la oración, en vencer la
tentación:
Sólo en ti vencer podré. Salvador, ayúdame.

2. Por tu gran fidelidad a la eterna voluntad,
Por la sangre y el sudor de tu noche de dolor:
Sólo en ti vencer podré. Salvador, ayúdame.

3. Por tu muerte, ¡oh Jesús! en la vergonzosa cruz,
   Y por tu resurrección, y gloriosa ascensión:
   Sólo en ti vencer podré. Salvador, ayúdame.
                                        Amén.

Robert Grant. Tr., H.G. Jackson.

96. EL PADRE NUESTRO

1. Oh Padre nuestro que estás en los cielos,
   Santificado seas en verdad.
   Venga tu reino y hágase tu voluntad,
   En esta tierra como se hace allá.

2. Danos, Señor, el pan de cada día;
   También perdona tú nuestra maldad,
   Como nosotros hemos perdonado
   A todos los que nos han hecho mal.

3. Sé nuestro amparo en las tentaciones,
   Mas líbranos del mundo y su maldad.
   Pues tuyo es el reino y la gloria,
   Y por los siglos tuyo es el poder. Amén.

97. ¡OH ROSTRO ENSANGRENTADO!

1. ¡Oh rostro ensangrentado, imagen del dolor,
   Que sufres, resignado, la burla y el furor!
   Soportas la tortura, la saña, la maldad;
   En tan cruel amargura, ¡qué grande es tu bondad!

2. Cubrió tu noble frente la palidez mortal;
   Cual velo transparente de tu sufrir, señal.
   Cerróse aquella boca, la lengua enmudeció;
   La fría muerte toca al que la vida dio.

3. Señor, tú has soportado lo que yo merecí;
   La culpa que has cargado, cargarla yo debí.
   Mas mírame: confío en tu cruz y pasión.
   Otórgame, Dios mío, la gracia del perdón.

4. Aunque tu vida acaba no dejaré tu cruz;
   Pues cuando errante andaba, en ti encontré la luz.
   Me apacentaste siempre, paciente cual pastor;
   Me amaste tiernamente con infinito amor. Amén.

Paul Gerhardt. Tr., Federico Fliedner.

98. HAY UNA FUENTE SIN IGUAL

1. Hay una fuente sin igual de sangre de Emanuel,
   En donde lava cada cual las manchas que hay en él.
   Que se sumerge en él, que se sumerge en él.
   En donde lava cada cual las manchas que hay en él.

2. El malhechor se convirtió clavado en una cruz;
   El vio la fuente y se lavó, creyendo en Jesús.
   Creyendo en Jesús, creyendo en Jesús.
   El vio la fuente y se lavó, creyendo en Jesús.

3. Y yo también mi pobre ser allí logré lavar;
   La gloria de su gran poder me gozo en ensalzar.
   Me gozo en ensalzar, me gozo en ensalzar.
   La gloria de su gran poder me gozo en ensalzar.

4. ¡Eterna fuente carmesí! ¡Raudal de puro amor!
   Se lavará por siempre en ti el pueblo del Señor.
   El pueblo del Señor, el pueblo del Señor.
   Se lavará por siempre en ti el pueblo del Señor.

William Cowper. Tr., M.N. Hutchinson.

99. EN EL CALVARIO ESTUVE YO

1. En el Calvario estuve yo; Jesús allí murió.
   Yo no sabía que él me amó: por mí él fue a la cruz.
   Y al estar junto a Jesús su gran amor sentí.
   ¡Oh qué vergüenza tuve yo en el Calvario allí!

2. En el Calvario me postré y con dolor lloré.
   Tan gran amor yo rechacé por muchos años, sí;
   Y al Señor decir le oí:"Por ti yo fui a la cruz."
   ¡Oh santo amor mi ser llenó en el Calvario allí!

3. En el Calvario un día oré:"De ti, Señor, seré;
   Perdón te pido, pues pequé; restáurame, oh Dios."
   Y al orar, él me salvó, seguridad me dio.
   Y dulce paz yo recibí en el Calvario allí.

Walt Huntley. Tr., Daniel Díaz R. Tr. ©1978 Zondervan
Music Publishers. Todos los derechos reservados. Usado con permiso.

100. EN EL MONTE CALVARIO

1. En el monte Calvario se vio una cruz,
   Emblema de afrenta y dolor,
   Y yo quiero esa cruz do murió mi Jesús
   Por salvar al más vil pecador.

¡Oh! yo siempre amaré esa cruz,
En sus triunfos mi gloria será;
Y algún día en vez de una cruz,
Mi corona Jesús me dará.

2. Aunque el mundo desprecie la cruz de Jesús,
Para mí tiene suma atracción,
Porque en ella llevó el Cordero de Dios
Mi pecado y mi condenación.

3. En la cruz do su sangre Jesús derramó
Hermosura contemplo en visión,
Pues en ella el Cordero inmolado murió,
Para darme pureza y perdón.

4. Yo seré siempre fiel a la cruz de Jesús,
Sus desprecios con él sufriré;
Y algún día feliz con los santos en luz,
Para siempre su gloria tendré.

George Bennard. Tr., S.D. Athans. ©1941 The Rodeheaver
Co. Usado con permiso.

101. CRISTO SU PRECIOSA SANGRE

1. Cristo su preciosa sangre en la cruz la dio;
Por nosotros pecadores la vertió.

2. Con su sangre tan preciosa hizo redención;
Y por eso Dios te brinda el perdón.

3. Es la sangre tan preciosa del buen Salvador,
   La que quita los pecados y el temor.

4. Sin la sangre es imposible que haya remisión;
   Por las obras no se alcanza salvación. Amén.

Frances R. Havergal. Tr., Stuart E. McNair.

102. JESUCRISTO FUE INMOLADO

1. Jesucristo fue inmolado, por salvarte, pecador;
   Dio su sangre en el Calvario, por brindarte
   salvación.

CORO

   El tus culpas y desgracias las llevó con tanto amor.
   No desprecies su llamado, pecador.

2. Cual cordero fue llevado, y sus labios él no abrió;
   Mansamente y con arrojo a la muerte se enfrentó.

3. Fue sin mancha y sin pecado, culpa nunca se le
   halló;
   Sin embargo, se ensañaron con mi Cristo, con mi
   Dios.

103. AL SALVADOR JESUS

1. Al Salvador Jesús canciones por doquier,
   Con gratitud y puro amor entone todo ser;
   A quien nos redimió en santa caridad,
   Cristianos todos, con ardor su nombre celebrad.

2. A Cristo el Salvador, Rey de la eternidad,
   Tributa cantos de loor el coro celestial;
   Con ellos a una voz, con júbilo sin par,
   Las glorias de su inmenso amor, cristianos,
      entonad.

3. Las glorias declarad del Príncipe de paz;
   Es su justicia salvación y su poder, bondad.
   Es digno sólo él de gloria sin igual,
   Pues con su sangre nos abrió el reino celestial.

4. Rey de la vida es él, del mundo el vencedor,
   Quien a la muerte despojó de todo su terror;
   En el poder vivid de su resurrección;
   Glorioso el día llegará de plena redención.

Matthew Bridges. Es traducción y adaptación.

104. DE TAL MANERA ME AMO

1. Crucificado por mí fue Jesús,
   De tal manera me amó.
   Sin murmurar fue llevado a la cruz,
   De tal manera me amó.

CORO

De tal manera me amó; de tal manera me amó;
Cristo en la cruz del Calvario murió;
De tal manera me amó.

2. El inocente Cordero de Dios,
   De tal manera me amó.
   Y por salvarme sufrió muerte atroz,
   De tal manera me amó.

3. En mi lugar padeció aflicción,
   De tal manera me amó.
   Ya consumó mi eternal salvación,
   De tal manera me amó.

Robert Harkness. Tr., S.D. Athans. ©1952 Broadman Press.
Todos los derechos reservados. Usado con permiso.

105. REY DE MI VIDA

1. Rey de mi vida tú eres hoy, en ti me gloriaré;
   Es por tu cruz que salvo soy; no te olvidaré.

CORO

Después de tu Getsemaní, subiste a la cruz más
   cruel;
Todo sufriste tú por mí; yo quiero serte fiel.

2. Mas vi la luz amanecer de la eternidad;
   Te vi, Señor, aparecer con inmortalidad.

3. Rey de mi vida, Rey de luz, en ti me gloriaré;
   Por mí moriste en la cruz; no te olvidaré.

106. ESPINAS DE MI CRISTO

1. Espinas de mi Cristo, claveles de la cruz,
   Que crueles traspasaron las sienes de Jesús;
   Que crueles traspasaron las sienes de Jesús.
   Espinas de mi Cristo, claveles de la cruz,
   Que crueles traspasaron las sienes de Jesús;
   Que crueles traspasaron las sienes de Jesús.
   Espinas de mi Cristo.

2. Corona ensangrentada, perdón del pecador;
   Corona dolorosa de nuestro Salvador;
   Corona dolorosa de nuestro Salvador.
   Corona ensangrentada, perdón del pecador;
   Corona dolorosa de nuestro Salvador;
   Corona dolorosa de nuestro Salvador.
   Espinas de mi Cristo.

107. MANOS CARIÑOSAS

1. Manos cariñosas, manos de Jesús;
   Manos que llevaron la pesada cruz.
   Manos que supieron sólo hacer el bien,
   ¡Gloria a esas manos! ¡Aleluya, amén!

2. Blancas azucenas, lirios de amor,
   Fueron esas manos de mi Redentor.
   Manos que a los ciegos dieron la visión
   Con el real consuelo de su gran perdón.

3. Manos que supieron calmar el dolor,
   ¡Oh manos divinas de mi Redentor!
   Que multiplicaron los peces y el pan,
   Manos milagrosas que la vida dan.

4. Manos que sufrieron el clavo y la cruz;
   Manos redentoras de mi buen Jesús.
   De esas manos bellas yo confiado estoy,
   Ellas van guiando, pues al cielo voy.

5. ¡Oh Jesús!, tus manos yo las vi en visión
   Y vertí mi llanto con el corazón;
   Vi sus dos heridas y la sangre vi
   Que tú derramaste por salvarme a mí.

108. MI BENDITO REDENTOR

1. Hacia el Calvario, mi Salvador,
   Una mañana triste subió;
   Y amarga muerte, llena de horror,
   Sobre una cruz él por mí sufrió.

CORO

¡Oh qué divino! ¡Oh qué precioso!
Miro su cuerpo sangrando por mí;
Y hoy canto alegre, vivo gozoso,
Desde ese día que en él creí.

2. "Padre, perdona, ten compasión,
Ellos no saben que hacen muy mal.
Yo doy por todos mi corazón
Para que tengan paz celestial."

3. ¡Oh cuánto le amo, mi Amigo fiel!
Servirle quiero y honrarle más.
Mi vida toda es sólo de él,
Gloria a su nombre siempre jamás.

Avis Burgeson Christiansen. Tr., Daniel Díaz R. ©1978
John T. Benson, h. Todos los derechos reservados. Amparado
por los derechos de copyright internacional. Usado con permiso.

109. LA CRUZ EXCELSA AL CONTEMPLAR

1. La cruz excelsa al contemplar
Do Cristo allí por mí murió,
Nada se puede comparar
A las riquezas de su amor.

2. Yo no me quiero, Dios, gloriar
Mas que en la muerte del Señor.
Lo que más pueda ambicionar
Lo doy gozoso por su amor.

3. Ved en su rostro, manos, pies,
   Las marcas vivas del dolor;
   Es imposible comprender
   Tal sufrimiento y tanto amor.

4. El mundo entero no será
   Dádiva digna de ofrecer.
   Amor tan grande, sin igual,
   En cambio exige todo el ser. Amén.

Isaac Watts. Tr., W.T.T. Millham.

110. EN LA CRUZ

1. Herido, triste, a Jesús, mostrele mi dolor;
   Perdido, errante, vi su luz, bendíjome en su amor.

CORO

En la cruz, en la cruz, do primero vi la luz,
Y las manchas de mi alma yo lavé;
Fue allí por fe do vi a Jesús,
Y siempre feliz con él seré.

2. Sobre una cruz mi buen Jesús su sangre derramó
   Por este pobre pecador, a quien así salvó.

3. Venció a la muerte con poder y el Padre le exaltó;
   Confiar en él es mi placer. Morir no temo yo.

4. Aunque él se fue conmigo está el gran Consolador;
   Por él entrada tengo ya al reino del Señor.

5. Vivir en Cristo me da paz; con él habitaré;
   Ya suyo soy, y de hoy en más a nadie temeré.

Estrofas, Isaac Watts; coro, Ralph E. Hudson.
Tr., Pedro Grado.

111. EN LA VERGONZOSA CRUZ

1. En la vergonzosa cruz padeció por mí Jesús;
   Por la sangre que vertió mis pecados él expió.
   Lavará de todo mal ese rojo manantial,
   El que abrió por mí Jesús, en la vergonzosa cruz.

CORO

   Sí, fue por mí, sí, fue por mí;
   Sí, por mí murió Jesús en la vergonzosa cruz.

2. ¡Oh qué amor, qué inmenso amor reveló mi
      Salvador!
   La maldad que hice yo al suplicio le llevó.
   Ahora a ti mi todo doy, cuerpo y alma, tuyo soy;
   Mientras permanezca aquí, hazme siempre fiel a ti.

3. Yo de Cristo sólo soy, a seguirle pronto estoy;
   Al bendito Redentor serviré con firme amor.
   Sea mi alma ya su hogar, y mi corazón su altar;
   Vida emana, paz y luz, del Calvario, de la cruz.

112. INMENSA Y SIN IGUAL PIEDAD

1. ¡Inmensa y sin igual piedad! Jesús murió por mí;
   Y por mi culpa vil sufrió la muerte en la cruz.

Acuérdate, Señor Jesús; acuérdate de mí;
Y por tu muerte y tu pasión,
¡Oh,ten piedad de mí!

2. Por la maldad que hice yo, murió el Redentor:
   ¡Oh qué divina compasión! ¡Qué infinito amor!

3. Y tuvo que esconderse el sol en negra confusión,
   Al ver morir al Salvador por nuestra redención.

4. ¡Amado Cristo!, no podré jamás pagar tu amor;
   Mas lo que tengo doy a ti, tu siervo soy, Señor.

Isaac Watts. Es traducción.

113. VUESTRO HIMNO HOY CANTAD

1. Vuestro himno hoy cantad de triunfante gozo;
   A su pueblo Dios le dio justo alborozo.
   Canta hoy, Jerusalén, con amor sagrado:
   Que Jesús, el que murió, ¡ha resucitado!

2. De almas primavera es hoy, Cristo ya está libre;
   De la muerte y su terror vida y luz brotaron.
   Nuestro invierno de pecar ya se va volando;
   Y a Jesús, quien es Señor, himnos le cantamos.

3. ¡Aleluya! canten hoy a Jesús bendito;
   Pues glorioso emergió de la tumba invicto.
   ¡Aleluya! a Jesús y a Dios el Padre;
   Y al Espíritu de luz loas le complacen. Amén.

Juan de Damasco. Tr. al inglés, John Mason Neale; tr. al
castellano, Adolfo Robleto.

114. EL SEÑOR RESUCITO

1. El Señor resucitó, ¡Aleluya!
   Muerte y tumba él venció; ¡Aleluya!
   Con su fuerza y su virtud ¡Aleluya!
   Cautivó a la esclavitud. ¡Aleluya!

2. Jesucristo se humilló, ¡Aleluya!
   Vencedor se levantó; ¡Aleluya!
   Cante hoy la cristiandad ¡Aleluya!
   Su gloriosa majestad. ¡Aleluya!

3. Cristo que la cruz sufrió, ¡Aleluya!
   Y en desolación se vio, ¡Aleluya!
   Hoy en gloria celestial ¡Aleluya!
   Reina vivo e inmortal ¡Aleluya!

4. Hoy al lado está de Dios, ¡Aleluya!
   Donde escucha nuestra voz; ¡Aleluya!
   Por nosotros rogará, ¡Aleluya!
   Con su amor nos salvará. ¡Aleluya! Amén.

Michael Weisse. Tr. al inglés,
Catherine Winkworth

115. JESUCRISTO RESUCITO

La música de este himno se canta con la misma
letra del himno anterior, el 114.

116. UN DIA

1. Un día que el cielo sus glorias cantaba,
   Un día que el mal imperaba más cruel:
   Jesús descendió, y al nacer de una virgen,
   Nos dio por su vida un ejemplo tan fiel.

CORO

> Vivo, me amaba; muerto, salvóme;
> Y en el sepulcro victoria alcanzó;
> Resucitado, él es mi justicia;
> Un día él viene, pues lo prometió.

2. Un día lleváronle al monte Calvario,
   Un día enclaváronle sobre una cruz;
   Sufriendo dolores y pena de muerte,
   Expiando el pecado, salvóme Jesús.

3. Un día dejaron su cuerpo en el huerto,
   Tres días en paz reposó de dolor.
   Velaban los ángeles sobre el sepulcro
   De mi única, eterna esperanza, el Señor.

4. Un día la tumba ocultarle no pudo,
   Un día el ángel la piedra quitó;
   Habiendo Jesús a la muerte vencido,
   A estar con su Padre en su trono, ascendió.

5. Un día otra vez viene con voz de arcangel,
   Un día en su gloria el Señor brillará;
   ¡Oh día admirable en que unido su pueblo
   Loores a Cristo por siempre dará!

J. Wilbur Chapman. Tr., George P. Simmonds. ©Asignado a The Rodeheaver Company. Usado con permiso.

117. HERIDO, TRISTE, A JESUS

1. Herido, triste, a Jesús, mostréle mi dolor;
   Perdido, errante, vi su luz, bendíjome en su amor.

2. Sobre una cruz mi buen Jesús su sangre derramó
   Por este pobre pecador, a quien así salvó.

3. Venció a la muerte con poder y el Padre le exaltó;
   Confiar en él es mi placer. Morir no temo yo.

4. Aunque él se fue conmigo está el gran Consolador;
   Por él entrada tengo ya al reino del Señor.

5. Vivir en Cristo me da paz; con él habitaré;
   Ya suyo soy, y de hoy en más a nadie temeré.

Isaac Watts. Tr., Pedro Grado.

118. ¿VISTE TU?

1. ¿Viste tú cuando en la cruz murió?
   ¿Viste tú cuando en la cruz murió?
   ¡Oh! hay veces que al pensarlo tiemblo, tiemblo,
     tiemblo.
   ¿Viste tú cuando en la cruz murió?

2. ¿Viste tú cuando expiró allí?
   ¿Viste tú cuando expiró allí?
   ¡Oh! hay veces que al pensarlo tiemblo, tiemblo,
      tiemblo.
   ¿Viste tú cuando expiró allí?

3. ¿Viste tú cuando enterrado fue?
   ¿Viste tú cuando enterrado fue?
   ¡Oh! hay veces que al pensarlo tiemblo, tiemblo,
      tiemblo.
   ¿Viste tú cuando enterrado fue?

4. ¿Viste tú cuando él resucitó?
   ¿Viste tú cuando él resucitó?
   ¡Oh! hay veces que al pensarlo tiemblo, tiemblo,
      tiemblo.
   ¿Viste tú cuando él resucitó?

Adap., John W. Work,h. y Frederick J. Work. Tr., Arnoldo
Canclini.

119. EL DIA DEL SEÑOR

1. Quitada fue la piedra allí, la tumba de dolor;
   Mas Cristo el Rey resucitó y él es nuestro Señor.

CORO

   Alegres todos canten, sí, con gratitud y amor:
   ¡Resucitó! Dios hizo así, el día del Señor.

2. Del ave el canto no se oyó, ni aroma dio la flor;
   Mas Cristo fiel resucitó y es nuestro Rey y Señor.

3. Verdor el mundo tiene hoy de gozo por Jesús;
   Le damos gloria y loor pues él nos da la luz.

120. ALEGRES CANTEMOS CANCIONES DE LOOR

1. Alegres cantemos canciones de loor:
   Jesús victorioso es nuestro Salvador.
   Al Salvador rindámosle honor;
   La muerte ya venció nuestro Salvador.
   Al Salvador rindámosle honor;
   La muerte ya venció nuestro Salvador.

2. Los malos negaron a nuestro Redentor
   Y le condenaron a la crucifixión.
   Resucitó Jesús nuestro Señor.
   Los ángeles del cielo le dan loor.
   Resucitó Jesús nuestro Señor.
   Los ángeles del cielo le dan loor.

3. Jesús, Hijo Santo del Padre Celestial,
   El mundo está lleno de tu majestad.
   Tu gran amor nos da felicidad.
   Y al cielo junto a ti hemos de llegar.
   Tu gran amor nos da felicidad.
   Y al cielo junto a ti hemos de llegar.

121. OH HERMANOS, DAD A CRISTO

1. Oh hermanos, dad a Cristo alabanzas mil,
   El la muerte ha vencido y la tumba vil.

CORO

> Cristo, por tu gran victoria
> Me das vida a mí;
> Vencedor, tú, de la muerte;
> ¡Gloria doy a ti!

2. En la cruz él fue clavado por mí, pecador;
   Por su muerte él se hizo nuestro Redentor.

3. En la tumba sepultaron a mi Salvador;
   Su presencia le ha quitado todo el terror.

4. La potencia de la muerte Cristo derrotó;
   Del sepulcro tenebroso él se levantó.

Samuel P. Craver

122. JESUS VENCIO LA MUERTE

1. A Jesús crucificado lo llevaron al jardín;
   A Jesús lo han sepultado entre flores de jazmín.
   A Jesús lo han sepultado entre flores de jazmín.

2. Vino un ángel al sepulcro y la piedra le quitó;
   Y Jesús venció la muerte, el Señor resucitó.
   Y Jesús venció la muerte, el Señor resucitó.

3. Alegres las aves cantan, perfuman las flores ya;
   Porque vive el Bien Amado, Jesús resucitado ha.
   Porque vive el Bien Amado, Jesús resucitado ha.

4. Oh Jesús resucitado, te adoramos con amor;
   Príncipe de nuestras almas sé tú, oh buen
     Salvador.
   Príncipe de nuestras almas sé tú, oh buen
     Salvador.

5. Alegres hoy te cantamos, te amamos, oh buen
     Señor.
   Gloria a Dios por la victoria del victorioso
     Salvador.
   Gloria a Dios por la victoria del victorioso
     Salvador.

123. SE LEVANTO EL SEÑOR

1. Mataron al Señor, a Cristo nuestro Rey,
   Y en tumba de dolor brotó el amanecer.

CORO

   Se levantó el Señor, con majestad, poder;
   Y así triunfó sobre el dolor.
   Hoy proclamemos, pues, la gloria de su ser:
   Resucitó Jesús el Rey.

2. Su pueblo se enlutó sumido de dolor,
   Mas pronto el cuadro fue cambiado por la fe.

3. La piedra se apartó, Jesús resucitó;
   Y ahora vive él, nos da su amor muy fiel.

Oswald J. Smith. Tr., Daniel Díaz R. ©1944 The
Rodeheaver Company. Renovado 1972 The Rodeheaver
Company. Todos los derechos reservados. Usado con permiso.

124. TUYA ES LA GLORIA

1. Tuya es la gloria, victorioso Redentor,
   Porque tú la muerte venciste, Señor.
   Quitan la gran piedra ángeles de luz,
   Y en la tumba el lienzo guardan, oh Jesús.

CORO

   Tuya es la gloria, victorioso Redentor,
   Porque tú la muerte venciste, Señor. Amén.

2. Vemos que llega el resucitado ya;
   Ansias y temores él nos quitará.
   Que su iglesia alegre cante la canción:
   ¡Vivo está! ¡La muerte pierde su aguijón!

3. ¡Ya no dudamos, Príncipe de vida y paz!
   Sin ti no valemos; fortaleza das.
   Más que vencedores haznos por tu amor,
   Y al hogar celeste llévanos, Señor.

Edmund L. Budry. Tr. al inglés, R. Birch Hoyle;
tr. al castellano, Marjorie J. de Caudill. ©1978 Casa
Bautista de Publicaciones. Todos los derechos reservados.
Amparado por los derechos de copyright internacional.

125. LA TUMBA LE ENCERRO

1. La tumba le encerró, Cristo, mi Cristo;
   El alba allí esperó, Cristo el Señor.

CORO

   Cristo la tumba venció,
   Y con gran poder resucitó;
   De sepulcro y muerte Cristo es vencedor,
   Vive para siempre nuestro Salvador.
   ¡Gloria a Dios! ¡Gloria a Dios!
   El Señor resucitó.

2. De guardas escapó, Cristo, mi Cristo;
   El sello destruyó, Cristo el Señor.

3. La muerte dominó Cristo, mi Cristo;
   El su poder venció, Cristo el Señor.

Robert Lowry. Tr., George P. Simmonds.
©1967, renovado, George P. Simmonds. Todos los derechos
reservados. Usado con permiso.

126. EL REY YA VIENE

1. El comercio ya ha cesado, el bullicio terminó,
   Los talleres se han cerrado, la cosecha se dejó;
   En las casas no hay labores, en las cortes no hay
       ley;
   El planeta ya está listo para recibir al Rey.

CORO

¡Oh el Rey ya viene, el Rey ya viene!
Ya sonó la gran trompeta, y su rostro veo ya;
¡Oh el Rey ya viene, el Rey ya viene!
¡Gloria a Dios! ¡El viene por mí!

Se repite el coro la última vez.

2. En los rostros sonrientes que conocen la verdad,
   Se ven vidas redimidas que ya tienen libertad;
   Se ven niños y ancianitos que sufrieron gran dolor
   Tienen ya salud y gozo, gracias a su Redentor.

3. Oigo carros que retumban porque vienen a
      anunciar,
   La victoria de la vida y el final de la maldad.
   Togas reales se reparten, la tribuna lista está,
   Y el gran coro de los cielos canta gracia, amor y
      paz.

Estrofas 1, 2, 3, Gloria y William J. Gaither; estrofa 3,
Charles Milhuff. Tr., Sid D. Guillén. ©1970 William J. Gaither.
Todos los derechos reservados. Amparado por los derechos de
copyright internacional. Esta traducción usada con el permiso
especial del publicador.

127. VIENE OTRA VEZ

1. Viene otra vez nuestro Salvador,
   ¡Oh que si fuera hoy!
   Para reinar con poder y amor,
   ¡Oh que si fuera hoy!
   El por su iglesia viene esta vez,
   Purificada en su grande amor.
   Del mundo por la redondez,
   ¡Oh que si fuera hoy!

CORO

¡Gloria! ¡gloria! gozo sin fin traerá,
¡Gloria! ¡gloria! al coronarle Rey;
¡Gloria! ¡gloria! la senda preparad,
¡Gloria! ¡gloria! Cristo viene otra vez.

2. Terminará la obra de Satán,
   ¡Ojalá fuera hoy!
   No más tristezas aquí verán,
   ¡Ojalá fuera hoy!
   Todos los muertos en Cristo irán
   Arrebatados por su Señor;
   ¿Cuándo estas glorias aquí vendrán?
   ¡Ojalá fuera hoy!

3. Fieles y leales nos debe hallar,
   ¡Si él viniera hoy!
   Todos velando con gozo y paz,
   ¡Si él viniera hoy!
   Multiplicadas señales hay,
   De su venida se ve el fulgor,
   Ya más cercano el tiempo está,
   ¡Ojalá fuera hoy!

Leila N. Morris. Es traducción. ©1912. Renovado 1940.
Hope Publishing Company, dueño. Todos los derechos reservados.
Amparado por los derechos de copyright internacional. Usado con permiso.

128. CRISTIANOS TODOS, A PREPARARSE

1. Cristianos todos, a prepararse:
   Ved al Esposo, vuestro Señor;
   Llenas tened las lámparas siempre,
   A su encuentro id con amor.

CORO

Cristo ya viene, pronto, sí, viene;
Sin tardanza aparecerá.
Con él iremos ¡aleluya!
A la mansión que él nos dará.

2. Ya las señales cúmplense todas,
   Ya la higuera quiere brotar.
   Fieles venid, el Salvador llama;
   Nadie en sus bodas debe faltar.

3. Presto acude, alma acepta
   Este convite de tu Señor;
   El te dará su gozo y gloria,
   Ven y recibe don de amor.

129. DIA DE VICTORIA

1. Día de victoria viene ya,
   Cuando Cristo venga a reinar.
   Y los redimidos triunfarán,
   Del sepulcro nos levantará.

CORO

¡Oh gloria al Salvador que pronto volverá!
Con él yo viviré por toda eternidad.

2. Cuando Cristo dijo "Yo vendré",
   El nos prometió bella mansión.
   Y en su promesa confiaré,
   Gozo tengo en mi corazón.

3. Esta vida pronto pasará,
   Pues lo terrenal terminará.
   Cristo nos ofrece lo eternal,
   En aquella vida celestial.

130. ¡OH DIOS, QUE MAÑANA!

CORO

¡Oh, Dios, qué mañana! ¡Oh Dios, qué mañana!
Oh mi Dios, cuando estrellas ya empiecen a caer.

1. Los hombres llorarán, ¡naciones despertarán!
   Viendo a mi Señor venir, las estrellas caerán.

2. Los hombres orarán, ¡naciones despertarán!
   Viendo a mi Señor venir, las estrellas caerán.

3. Cristianos gritarán, ¡naciones despertarán!
   Viendo a mi Señor venir, las estrellas caerán.

4. Cristianos cantarán, ¡naciones despertarán!
   Viendo a mi Señor venir, las estrellas caerán.

131. CRISTO VIENE

1. ¡Cristo viene! No más guerras ni trabajo ni
      aflicción;
   Hoy nos trae fe, esperanza esta fiel proclamación:
   Cristo viene, Cristo viene, Cristo viene.
   Ven, sí, Príncipe de Paz, ven, oh Príncipe de Paz.

2. De esta tierra es la historia de amargura y dolor,
   Pero sí verá tu gloria cuando vengas, oh Señor.
   Cristo viene, Cristo viene, Cristo viene:
   Que lo diga hoy la grey, que lo diga hoy la grey.

3. Y al tener tan grata nueva la debemos compartir
   Y este coro que se eleva pueda el mundo hoy oír:
   Cristo viene, Cristo viene, Cristo viene.
   Ven, Jesús, oh pronto, ven. Ven, Jesús, oh pronto,
      ven. Amén.

John R. MacDuff. Tr., Pablo Filós. Poema en castellano ©1978
Casa Bautista de Publicaciones. Todos los derechos reservados.
Amparado por los derechos de copyright internacional.

132. YO SOLO ESPERO ESE DIA

1. Yo sólo espero ese día cuando Cristo volverá,
   Yo sólo espero ese día cuando Cristo volverá.
   Afán y todo trabajo para mí terminarán,
   Cuando Cristo venga, a su reino me llevará.
   Cuando Cristo venga, a su reino me llevará.

2. Ya no me importa que el mundo me desprecie por
doquier,
Ya no soy más de este mundo, soy del reino
celestial.
Yo sólo espero ese día cuando me levantaré
De la tumba fría con un cuerpo ya inmortal.
De la tumba fría con un cuerpo ya inmortal.

3. Entonces allí triunfante y victorioso estaré,
A mi Señor Jesucristo cara a cara le veré.
Allí no habrá más tristezas, ni trabajos para mí,
Con los redimidos al Cordero alabaré.
Con los redimidos al Cordero alabaré.

133. SANTO ESPIRITU, SE MI GUIA

1. Santo Espíritu de amor, ven a mí con prontitud:
Purifícame, Señor, cúbreme con tu virtud.

CORO

Santo Espíritu de amor,
Hazme atento tu voz escuchar.
Te necesito, Trino Dios,
En mi ser ven a reinar.

2. Nunca aquí seré feliz, mientras cubra mi maldad;
Ven, Dios Santo, ven a mí, libra del innato mal.

3. Tú no engañas, oh Señor, al que clama en
   contrición,
   Toma todo lo que soy, llena hoy mi corazón.

134. ¡SANTO ESPIRITU, LLENAME!

1. ¡Oh, Santo Espíritu de Dios! unge mi corazón;
   Tu luz divina brille en mí con todo su esplendor.

CORO

   ¡Lléname! ¡Lléname! Santo Espíritu de Dios.
   Mueve mi ser con tu poder, ¡Oh, Santo Espíritu,
   lléname!

2. ¡Oh, Santo Espíritu de Dios! toma mi voluntad;
   Hazme saber el gran poder de Cristo con claridad.

3. ¡Oh, Santo Espíritu de Dios! dame tu gran poder;
   Enciende el fuego de tu amor muy dentro de mi
   ser.

4. ¡Oh, Santo Espíritu de Dios! escucha mi oración;
   Mi vida entera te la doy en fiel consagración.

135. VEN, SANTO ESPIRITU

1. Ven y concédenos vida; ven, danos luz para ver.
   Ven, danos hoy fortaleza; toma, Señor, nuestro
   ser.

CORO

Ven Santo Espíritu, llena mi alma de santo amor;
Ven con poder y victoria, ven como quieras, ven
hoy. Amén.

2. Ven a brindarnos descanso, ven a librarnos del mal.
   Ven a calmar la tristeza dándonos gozo eternal.

3. Ven como flor en desierto, dale a nuestra alma
   solaz;
   Y tu poder nos eleve a tu palacio de paz.

Gloria y William J. Gaither. Tr., Daniel Díaz R. ©1964
William J. Gaither. Todos los derechos reservados. Amparado por
los derechos de copyright internacional. Usado con permiso.

136. LLENA, OH SANTO ESPIRITU

1. Llena, oh Santo Espíritu,
   Llena sí hoy nuestro ser:
   Y así la imagen de Cristo
   Otros con fe podrán ver.

CORO

Llena, llena, llénanos hoy, Señor.
Llena, oh Santo Espíritu,
Para servirte en amor. Amén.

2. Llena, oh Santo Espíritu,
   Para tu gloria mostrar,
   Y así podremos a otros
   Tus bendiciones brindar.

3. Llena, oh Santo Espíritu,
   Llénanos de santo ardor,
   Para servir en la causa
   De nuestro gran Salvador.

Isaac H. Meredith. Tr., Adolfo Robleto. ©1978 Casa Bautista de Publicaciones. Todos los derechos reservados. Amparado por los derechos de copyright internacional.

137. ESPIRITU DE AMOR

1. Espíritu de amor que estás en nosotros,
   Ven presto a revelarnos tu santa voluntad.

2. Espíritu de amor, ven a dirigirnos,
   Y que al vivir, podamos hacer tu voluntad.

3. Espíritu de amor, haz que hoy vivamos
   En paz, amor y gozo. Sosténnos hasta el fin.
                                        Amén.

Carmelo Alvarez Santos

138. DIVINO ESPIRITU DE DIOS

1. Divino Espíritu de Dios, enviado por Jesús,
   Del bien condúcenos en pos, y alúmbrenos
   tu luz.

2. Haz comprender al corazón cuán grave es su maldad,
   Y danos el precioso don de andar en santidad.

3. Venza la fuerza de tu luz al fiero tentador;
   Por Cristo quien muriendo en cruz nuestro
   dolor sufrió.

4. Sé nuestro guía al transitar la senda que él trazó.
   Danos poder, y así triunfar, siguiendo de él en pos.
   Amén.

139. SANTO ESPIRITU, FLUYE EN MI

1. Santo Espíritu, fluye en mí;
   Santo Espíritu, fluye en mí;
   Mi vida sea según tu querer,
   Santo Espíritu, fluye en mí.

2. Santo Espíritu, mora en mí;
   Santo Espíritu, mora en mí.
   Las almas quiero ganar para ti.
   Santo Espíritu, mora en mí.

3. Santo Espíritu, úsame;
   Santo Espíritu, úsame.
   Y así verán que tú estás en mí.
   Santo Espíritu, úsame.

140. ESPIRITU DE LUZ Y AMOR

1. Espíritu de luz y amor, escucha nuestro ruego;
   Inflama nuestro corazón con tu celeste fuego.

2. Ven a los que en pecado están, sus almas
        vivifica;
   Y a los que por ti viven ya alégrales la vida.

3. Promesa del Señor Jesús, y dádiva del Padre,
   Con tu poder, con tu virtud, visítanos, no
        tardes. Amén.

141. DICHA GRANDE ES LA DEL HOMBRE

1. Dicha grande es la del hombre, cuyas sendas
        rectas son;
   No anda con los pecadores, en actuar de
        perversión.
   A los malos consejeros deja, porque teme el mal;
   Huye de la burladora gente impía sin moral.

2. Antes, en la ley divina cifra su mayor placer,
   Meditando día y noche en su divinal saber.
   Este, como el árbol verde, bien regado y en
        sazón,
   Frutos abundantes rinde y hojas que perennes
        son.

3. El prospera en lo que emprende y le sale todo
   bien;
   Mas funestos resultados los impíos siempre ven.
   Porque Dios la senda mira por la cual los suyos
   van;
   Otra es la de los impíos: al infierno bajarán.
   Amén.

T.M. Westrup

142. PADRE, TU PALABRA ES

1. Padre, tu palabra es mi delicia y mi solaz;
   Guíe siempre aquí mis pies, y a mi alma traiga
   paz.

CORO

   Es tu ley, Señor, faro celestial,
   Que en perenne resplandor, norte y guía da
   al mortal.

2. Si obediente oí tu voz, en tu gracia fuerza hallé,
   Y con firme pie y veloz, por tus sendas caminé.

3. Tu verdad es mi sostén, contra duda y tentación,
   Y destila calma y bien cuando asalta la aflicción.

4. Son tus dichos para mí, prendas fieles de salud;
   Dame, pues, que te oiga a ti, con filial solicitud.

Juan B. Cabrera

143. BELLAS PALABRAS DE VIDA

1. ¡Oh, cantádmelas otra vez!
   Bellas palabras de vida;
   Hallo en ellas mi gozo y luz,
   Bellas palabras de vida.
   Sí, de luz y vida son sostén y guía;

CORO

   ¡Qué bellas son, qué bellas son!
   Bellas palabras de vida,
   ¡Qué bellas son, qué bellas son!
   Bellas palabras de vida.

2. Jesucristo a todos da
   Bellas palabras de vida;
   El llamándote hoy está,
   Bellas palabras de vida.
   Bondadoso te salva, y al cielo te llama;

3. Grato el cántico sonará,
   Bellas palabras de vida;
   Tus pecados perdonará,
   Bellas palabras de vida.
   Sí, de luz y vida son sostén y guía;

Philip B. Bliss. Es traducción.

144. GOZO LA SANTA PALABRA AL LEER

1. Gozo la santa Palabra al leer,
   Cosas preciosas allí puedo ver;
   Y sobre todo, que el gran Redentor,
   Es de los niños el tierno Pastor.

CORO

   Con alegría yo cantaré
   Al Redentor, tierno Pastor,
   Que en el Calvario por mí murió,
   Sí, sí, por mí murió.

2. Me ama Jesús, pues su vida entregó,
   Por mi salud y de niños habló;
   "Dejad los niños que vengan a mí,
   Para salvarlos mi sangre vertí."

3. Si alguien pregunta que cómo lo sé,
   "Busca a Jesús, pecador," le diré;
   "Por su palabra, que tienes aquí,
   Aprende y siente que te ama a ti."

Philip P. Bliss. Es traducción.

145. TU PALABRA ES DIVINA Y SANTA

Es de Dios la Santa Biblia,su palabra de verdad.
Yo la creo con el alma hoy y por la eternidad.
Si la Biblia no es mi guía, esperanza no tendré;
Aunque el mundo me abandone, tu palabra me da
    fe.

2. ¡Aleluya! ¡cuán preciosa! es la Biblia, ¡roca fiel!
   Sus preceptos son seguros y son dulces cual la
   miel.
   Fortaleza dame, Cristo, pues servirte quiero aquí;
   Y a tus pies, oh buen Maestro, pueda yo aprender
   de ti.

Estrofa 1, Nikolaus L. von Zinzendorf; estrofa 2, Christian
Gregor. Tr. al inglés, Esther Bergen; tr. al castellano, Daniel
Díaz R. ©1978 Casa Bautista de Publicaciones. Todos los derechos
reservados. Amparado por los derechos de copyright internacional.

146. SANTA BIBLIA PARA MI

1. Santa Biblia, para mí eres un tesoro aquí;
   Tú contienes con verdad la divina voluntad;
   Tú me dices lo que soy, de quién vine y a quién
   voy.

2. Tú reprendes mi dudar; tú me exhortas sin cesar;
   Eres faro que a mi pie, lo conduce por la fe
   A las fuentes del amor del bendito Salvador.

3. Eres infalible voz del Espíritu de Dios,
   Que vigor al alma da cuando en aflicción está;
   Tú me enseñas a triunfar de la muerte y el pecar.

4. Por tu santa letra sé que con Cristo reinaré;
   Yo, que tan indigno soy, por tu luz al cielo voy;
   ¡Santa Biblia!, para mí eres un tesoro aquí.

John Burton. Tr., Pedro Castro.

147. LA LEY DE DIOS PERFECTA ES

1. La ley de Dios perfecta es: convierte al pecador;
   Su testimonio es tan fiel que al simple iluminó.

2. Los mandamientos del Señor dan gozo al corazón;
   Tan puro su precepto es que aclara la visión.

3. Es limpio el temor de Dios, que permanecerá;
   Los sabios juicios del Señor, son justos, son verdad.

4. Deseables más que el oro son, sus juicios, mucho
      más:
   Aun más dulces que la miel que fluye del panal.

Autor anónimo. Tr., N. Martínez.

148. LA ESCALERA DE JACOB

1. Todos vamos caminando, y subiendo la escalera,
   Hacia el cielo, hacia el cielo, siervos de la cruz.

2. Cada paso nos acerca, cada paso nos acerca,
   Cada paso nos acerca, siervos de la cruz.

3. ¿Amas tú a Jesucristo? ¿Amas tú a Jesucristo?
   Todos deben de amarle, siervos de la cruz.

4. Sirve a Cristo si le amas, sirve a Cristo si le amas,
   Todos deben de servirle, siervos de la cruz.

Autor anónimo. Tr., Marjorie J. de Caudill. ©1978 Casa Bautista de Publicaciones. Todos los derechos reservados. Amparado por los derechos de copyright internacional.

149. OMNIPOTENTE PADRE DIOS

1. Omnipotente Padre Dios,
   Danos la fe del Salvador,
   Que a nuestros padres fue sostén
   En los momentos de dolor.
   ¡Hasta la muerte, en Cristo estén
   Nuestra esperanza y nuestra fe!

2. Danos la fe que dio poder
   A los soldados de la cruz,
   Que en cumplimiento del deber
   Dieron su vida por Jesús.
   ¡Hasta la muerte, en Cristo estén
   Nuestra esperanza y nuestra fe!

3. Danos la fe que dé valor
   Para enfrentarnos con el mal,
   Y por palabra y por acción
   Buen testimonio siempre dar.
   ¡Hasta la muerte, en Cristo estén
   Nuestra esperanza y nuestra fe!

Frederick W. Faber. Es traducción.

150. POR LOS SANTOS QUE DESCANSAN YA

1. Hoy, por los santos que descansan ya,
   Después de confesarte por la fe,
   Tu nombre, oh Cristo, hemos de alabar.
   ¡Aleluya! ¡Aleluya!

2. Tú fuiste amparo, roca y defensor;
   En la batalla, recio Capitán;
   Tu luz venció las sombras del temor.
   ¡Aleluya! ¡Aleluya!

3. Oh bendecida y santa comunión
   De los que aún luchan o en la gloria están;
   Un solo cuerpo, porque tuyos son.
   ¡Aleluya! ¡Aleluya!

4. Y cuando ruda la batalla es,
   Del cielo se oye un cántico triunfal;
   Se afirma el brazo, vence al fin la fe:
   ¡Aleluya! ¡Aleluya!

5. La aurora eterna ya despuntará;
   Las huestes fieles llegarán al Rey,
   Cantando alegres a la Trinidad:
   ¡Aleluya! ¡Aleluya! Amén.

William W. How. Tr., F.J. Pagura.

151. OH JUVENTUD, QUE ALABAS AL SEÑOR

1. Oh juventud, que alabas al Señor,
   Con voz de júbilo y devoción.
   Tu nombre, oh Cristo, hemos de alabar.
   ¡Aleluya! ¡Aleluya!

2. Oh juventud, que sirves al Señor,
   Con fe, con gozo y constante amor.
   Tu nombre, oh Cristo, hemos de anunciar.
   ¡Aleluya! ¡Aleluya!

3. Oh juventud, que marchas por la fe,
   Siguiendo a Cristo lograrás vencer.
   Consagra hoy tus dones al Señor.
   ¡Aleluya! ¡Aleluya!

4. Oye, oh Dios, mi humilde oración.
   Mi vida es tuya, tómala, Señor.
   Mis pasos guía hacia tu mansión.
   ¡Aleluya! ¡Aleluya!

5. Oh juventud, triunfante llegarás.
   Dios ha guardado para ti lugar.
   Tú has cumplido con valor la misión.
   ¡Aleluya! ¡Aleluya!

Rubén Giménez

152. SEÑOR JEHOVA, OMNIPOTENTE DIOS

1. Señor Jehová, omnipotente Dios,
   Tú que los astros riges con poder,
   Oye clemente nuestra humilde voz,
   Nuestra canción hoy dígnate atender.

2. Eterno Padre, nuestro corazón,
   A ti profesa un inefable amor;
   Hazte presente en tu pueblo hoy;
   Tiéndenos, pues, tu brazo protector.

3. A nuestra patria da tu bendición;
   Enséñanos tus leyes a guardar;
   Alumbra la conciencia y la razón;
   Domina siempre tú en todo hogar.

4. Defiéndenos del enemigo cruel;
   Concede a nuestras faltas corrección;
   Nuestro servicio sea siempre fiel;
   Rodéanos de tu gran protección. Amén.

Daniel C. Roberts. Es traducción.

153. LA CREACION

1. Dios ha hecho todo lo que el ojo ve;
   Cada cosa de este mundo terrenal.
   Todo árbol y las plantas son de él,
   Las estrellas y el manto celestial.

CORO

   "¡Sea ya la luz!" ordenó Jehová
   Con su fuerte voz, y la luz fue ya.
   Hoy el buen Jesús, nuestro Redentor,
   Brinda al mundo luz con excelso amor.

2. A su imagen Dios formó al hombre Adán,
   Luego hizo una mujer tomada de él;
   Y los colocó en el Jardín de Edén,
   Donde habían de seguirle siempre fiel.

3. El perfecto gozo había en el Edén,
   Ellos se gozaban al andar con Dios.
   Comunión completa había allá también
   Al oír de Jehová la tierna voz.

José Juan Naula Yupanqui. ©1978 Singspiration, Inc. Todos los derechos reservados. Usado con permiso.

154. EL MUNDO ENTERO ES DEL PADRE

1. El mundo entero es del Padre celestial;
   Su alabanza en la creación escucho resonar.
   ¡De Dios el mundo es! ¡Qué grato es recordar
   Que en el autor de tanto bien podemos descansar!

2. El mundo entero es del Padre celestial;
   El pájaro, la luz, la flor proclaman su bondad.
   ¡De Dios el mundo es! El fruto de su acción
   Se muestra con esplendidez en toda la expansión.

3. El mundo entero es del Padre celestial;
   Y nada habrá de detener su triunfo sobre el mal.
   ¡De Dios el mundo es! Confiada mi alma está,
   Pues Dios en Cristo, nuestro Rey, por siempre
       reinará.

Maltbie D. Babcock. Tr., F.J. Pagura.

155. ALCEMOS NUESTRA VOZ

1. Alcemos nuestra voz al Rey y Creador,
   Y al Cordero que murió: a Cristo el Salvador.
   Cantemos de su amor, poder y majestad.
   Cantemos todos a una voz por la eternidad.

2. Su sangre derramó, y al Padre nos unió.
   Desconocidos éramos, mas Dios nos recibió.
   Su sangre carmesí salvó al pecador;
   El sacrificio se cumplió, incomparable amor.

3. Loores dad al Rey, Cordero de la cruz.
   Los redimidos cantarán por siempre al Rey Jesús.
   Loor al gran Yo Soy, los santos cantarán.
   Digno el Cordero, el Rey Jesús, su nombre
   alabarán. Amén.

Joseph C. Macaulay. ©1957 Hope Publishing Company. Todos
los derechos reservados. Amparado por los derechos de copyright
internacional. Tr., Leslie Gómez C. Usado con permiso.

156. SIEMPRE AMANECE

1. Siempre amanece como al principio.
   Aves que cantan siempre se ven.
   Todo hermoso cuando amanece.
   Demos con gozo gloria a Dios.

2. Cae la lluvia sobre la hierba
   Como al principio de la creación.
   ¡Dios es loado! Pues nos ha dado,
   Con el rocío, su bendición.

3. Suya es la aurora, suyo es el día,
   Todo perfecto Dios lo creó;
   Una alabanza siempre elevemos,
   Cada mañana al Creador.

Eleanor Farjeon. Usado con permiso de David Higham Associates,
Ltd., London. Tr., Tony Arango.

157. ¿HAS HALLADO EN CRISTO?

1. ¿Has hallado en Cristo plena salvación
   Por la sangre que Cristo vertió?
   ¿Toda mancha lava de tu corazón?
   ¿Eres limpio en la sangre eficaz?

CORO

   ¿Eres limpio en la sangre,
   En la sangre de Cristo Jesús?
   ¿Es tu corazón más blanco que la nieve?
   ¿Eres limpio en la sangre eficaz?

2. ¿Vives siempre al lado de tu Salvador
   Por la sangre que él derramó?
   ¿Del pecado eres siempre vencedor?
   ¿Eres limpio en la sangre eficaz?

3. ¿Tendrás ropa blanca al venir Jesús?
   ¿Eres limpio en la fuente de amor?
   ¿Estás listo para la mansión de luz?
   ¿Eres limpio en la sangre eficaz?

4. Cristo ofrece hoy pureza y poder,
   ¡Oh, acude a la cruz del Señor!
   El la fuente es que limpiará tu ser,
   ¡Oh, acepta su sangre eficaz!

Elisha A. Hoffman. Tr., H.W. Cragin.

158. REY DE REYES

1. Solitarios pastores en vigilia están,
   Nada ven que merezca canciones;
   Pero el ángel proclama:"Nació un Salvador",
   Y el cielo da eco a sus voces.

CORO

   ¡Hosanna! ¡Hosanna! La creación canta,
   La esperanza del hombre nació.
   Aunque el mundo parezca estar sin control:
   De reyes, él es Rey; de todos, Señor.

2. En sus tumbas las grandes figuras están,
   Que con él vanas pugnas libraron;
   Mas su amor compasivo a todos venció,
   Y hoy sus voces al cielo proclaman.

3. Y al sonar las trompetas el cielo arderá,
   Nuestro Dios juzgará al indeciso;
   El cristiano, sin miedo, tendrá un Salvador,
   Gloria a Dios, al Señor Jesucristo.

Gloria y William J. Gaither; Ronn Huff. Tr., Sid D. Guillén.
©1971 William J. Gaither. Todos los derechos reservados. Amparado
por los derechos de copyright internacional. Esta traducción usada
con el permiso especial del publicador.

159. ROCA DE LA ETERNIDAD

1. Roca de la eternidad, fuiste abierta tú por mí;
   Sé mi escondedero fiel, paz encuentro sólo en ti:
   Rico, limpio manantial, en el cual lavado fui.

2. Aunque sea siempre fiel, aunque llore sin cesar,
   Del pecado no podré justificación lograr;
   Sólo en ti teniendo fe sobre el mal podré triunfar.

3. Mientras haya de vivir, y al instante de expirar;
   Cuando vaya a responder en tu augusto tribunal,
   Sé mi escondedero fiel, Roca de la eternidad.
                                        Amén.

Augustus M. Toplady. Tr., T.M. Westrup.

160. ¿QUE ME PUEDE DAR PERDON?

1. ¿Qué me puede dar perdón? Sólo de Jesús la
     sangre,
   ¿Y un nuevo corazón? Sólo de Jesús la sangre.

CORO

   Precioso es el raudal, que limpia todo mal;
   No hay otro manantial, sólo de Jesús la sangre.

2. Fue el rescate eficaz, sólo de Jesús la sangre;
   Trajo santidad y paz, sólo de Jesús la sangre.

3. Veo para mi salud, sólo de Jesús la sangre,
   Tiene de sanar virtud, sólo de Jesús la sangre.

4. Cantaré junto a sus pies, sólo de Jesús la sangre.
   El Cordero digno es, sólo de Jesús la sangre.

Robert Lowry. Tr., H.W. Cragin.

161. BENDITO DIOS

1. Descendió de gloria Cristo Salvador,
   Para rescatar al mundo pecador.
   Vino a este mundo, con toda humildad,
   Cristo el Salvador mostrando su bondad.

CORO

Bendito Dios, Cristo Jesús;
Que vino a darnos gloriosa luz.
Gloria a él, aleluyas mil,
Nos ha traído a su redíl.

2. En el plan divino de la redención,
   Fuimos elegidos para salvación.
   Antes que formara toda su creación,
   Dios quiso librarme de condenación.

3. El Amado Hijo Glorioso Jesús,
   Derramó su sangre en la cruenta cruz.
   Y fue sepultado; ya resucito.
   Vive eternamente; Dios le ensalzó.

Raul R. Solís. ©1978 Casa Bautista de Publicaciones. Todos
los derechos reservados. Amparado por los derechos de copyright
internacional.

162. TODOS LOS QUE TENGAN SED

1. Todos los que tengan sed beberán, beberán;
   Vengan cuantos pobres hay: comerán, comerán.
   No malgasten el haber; compren verdadero pan.
   Si a Jesús acuden hoy, gozarán, gozarán.

2. Si le prestan atención, les dará, les dará
   De su amor el sumo bien, eternal, eternal:
   Con el músico David, Rey, Maestro, Capitán,
   De las huestes que al Edén llevará, llevará.

3. Como baja bienhechor sin volver, sin volver,
   Riego que las nubes dan, ha de ser, ha de ser
   La palabra del Señor, productivo, pleno bien,
   Vencedora al fin será por la fe, por la fe.

T. M. Westrup

163. TODOS LOS QUE TENGAN SED

La música de este himno se canta con la misma
letra del himno anterior, el 162.

164. AMIGO HALLE

1. Amigo hallé que no tiene igual;
   Jamás faltó su amor.
   Me libertó de mi grave mal:
   Salvarte puede, pecador.

CORO

   ¡Salvo por su poder! ¡Vida con él tener!
   ¡Es la canción de mi corazón, porque salvo soy!

2. De día en día su protección
   Me da potente y fiel;
   Ya no me espanta la tentación;
   Mi senda sigo fiado en él.

3. En gran miseria Jesús me halló,
   Y se apiadó de mí;
   "Por ti", me dijo, "he muerto yo;
   Hay vida eterna para ti."

Jack P. Scholfield. Tr., Ernesto Barocio.

165. JESUS ES LA LUZ DEL MUNDO

1. El mundo perdido en pecado se vio:
   ¡Jesús es la luz del mundo!
   Mas en las tinieblas la gloria brilló,
   ¡Jesús es la luz del mundo!

CORO

   ¡Ven a la luz; no debes perder
   Gozo perfecto al amanecer!
   Yo ciego fui, mas ya puedo ver,
   ¡Jesús es la luz del mundo!

2. La noche se cambia en día con él:
   ¡Jesús es la luz del mundo!
   Y andamos en luz tras un Guía tan fiel,
   ¡Jesús es la luz del mundo!

3. ¡Oh ciegos y presos del lóbrego error!
   ¡Jesús es la luz del mundo!
   El manda lavaros y ver su fulgor,
   ¡Jesús es la luz del mundo!

4. Ni soles ni lunas el cielo tendrá,
   ¡Jesús es la luz del mundo!
   La luz de su rostro lo iluminará,
   ¡Jesús es la luz del mundo!

P.P. Bliss. Tr., H.C. Thompson.

166. CARIÑOSO SALVADOR

1. Cariñoso Salvador, huyo de la tempestad
   A tu seno protector, fiándome de tu bondad.
   Sálvame, Señor Jesús, de la furia del turbión;
   Hasta el puerto de salud, guía tú mi embarcación.

2. Otro asilo no he de hallar, indefenso acudo a ti;
   Voy en mi necesidad, porque mi peligro vi.
   Solamente, tú, Señor, puedes dar consuelo y luz;
   A librarme del temor corro a ti, mi buen Jesús.

3. Cristo, encuentro todo en ti, y no necesito más;
   Débil, me pusiste en pie; triste, tu amor me das;
   Al enfermo das salud; guías tierno al que no ve;
   Con amor y gratitud tu bondad ensalzaré. Amén.

Charles Wesley. Tr., T.M. Westrup.

167. CARIÑOSO SALVADOR

La música de este himno se canta con la misma
letra del himno anterior, el 166.

168. SALVANTE AMOR

1. De los cielos a un pesebre, su riqueza abandonó,
   Y el Hijo de Dios nos rescató.
   De las calles celestiales, a brutal y dura cruz,
   Vino Cristo y con su sangre vida dio.

CORO

Salvante amor, amor que nunca cesa,
Salvante amor, amor tan inmortal.
Lo cantará mi alma por los siglos,
Radiante unida al coro celestial.

2. Lejos del amante Padre, a este mundo se acercó,
   Y a la muerte fue Cristo el Señor;
   Yo, perdido, él encontróme, con su sangre me
      lavó,
   Y me dio la paz que el mundo rechazó.

169. LEVANTADO FUE JESUS

1. Levantado fue Jesús en la vergonzosa cruz
   Para darme la salud:
   ¡Aleluya! ¡Gloria a Cristo!

2. Soy indigno pecador, él es justo Salvador,
   Dio su vida en mi favor:
   ¡Aleluya! ¡Gloria a Cristo!

3. Por mis culpas yo me vi en peligro de morir,
   Mas Jesús murió por mí:
   ¡Aleluya! ¡Gloria a Cristo!

Philip P. Bliss. Tr., Enrique Turrall.

170. ¿QUIERES SER SALVO DE TODA MALDAD?

1. ¿Quieres ser salvo de toda maldad?
   Tan sólo hay poder en mi Jesús.
   ¿Quieres vivir y gozar santidad?
   Tan sólo hay poder en Jesús.

CORO

   Hay poder, sí, sin igual poder,
   En Jesús quien murió;
   Hay poder, sí, sin igual poder,
   En la sangre que él vertió.

2. ¿Quieres ser libre de orgullo y pasión?
   Tan sólo hay poder en mi Jesús.
   ¿Quieres vencer toda cruel tentación?
   Tan sólo hay poder en Jesús.

3. ¿Quieres servir a tu Rey y Señor?
   Tan sólo hay poder en mi Jesús.
   Ven, y ser salvo podrás en su amor,
   Tan sólo hay poder en Jesús.

Lewis E. Jones. Tr., D.A. Mata.

171. LA CRUZ SOLO ME GUIARA

1. Al Calvario solo Jesús ascendió
   Llevando pesada cruz,
   Y al morir en ella al mortal dejó
   Un fanal de gloriosa luz.

La cruz sólo me guiará,
La cruz sólo me guiará;
A mi hogar de paz y eterno amor,
La cruz sólo me guiará.

2. En la cruz el alma tan sólo hallará
   La fuente de inspiración;
   Nada grande y digno en el mundo habrá
   Que en la cruz no halle aprobación.

3. Yo por ella voy a mi hogar celestial,
   El rumbo marcando está;
   En mi oscura vida será el fanal
   Y a su luz mi alma siempre irá.

Jessie B. Pounds. Tr., Vicente Mendoza.

172. MI CULPA EL LLEVO

1. Cansado y triste vine al Salvador,
   Mi culpa él llevó, mi culpa él llevó;
   Mi eterna dicha hallé en su amor,
   Mi culpa él llevó.
   Mi culpa él llevó, mi culpa él llevó,
   Alegre siempre cantaré.
   Al Señor gozoso alabaré, porque él me salvó.

2. Borrados todos mis pecados son,
   Mi culpa él llevó, mi culpa él llevó;
   A él feliz elevo mi canción,
   Mi culpa él llevó.
   Mi culpa él llevó, mi culpa él llevó,

Alegre siempre cantaré.
Al Señor gozoso alabaré, porque él me salvó.

3. Ya vivo libre de condenación,
   Mi culpa él llevó, mi culpa él llevó;
   Su dulce paz tengo en mi corazón,
   Mi culpa él llevó.
   Mi culpa él llevó, mi culpa él llevó,
   Alegre siempre cantaré.
   Al Señor gozoso alabaré, porque él me salvó.

4. Si vienes hoy a Cristo, pecador,
   Tu culpa llevará, tu culpa llevará;
   Perdón tendrás si acudes al Señor,
   Tu culpa llevará.
   Tu culpa llevará, tu culpa llevará,
   Y limpiará tu corazón;
   Y dirás feliz en tu canción: "Mi culpa él llevó."

H.C. Ball

173. TANTO AL MUNDO DIOS AMO

1. Tanto al mundo Dios amó
   Que a su Hijo nos envió,
   Y todo aquel que crea en él
   Vida eterna obtendrá.

2. No quiere ver al pecador
   En su pecado perecer.
   En su palabra enseña él
   Cómo esa vida alcanzar.

3. Cristo el objeto de la fe,
   Se encarnó y muerto fue;
   Los que confiando en él están,
   Fuerte cimiento en él tendrán. Amén.

Paul Gerhardt. Tr. al inglés, August Crull; tr. al castellano, Luden A. Gutiérrez. ©1978 Casa Bautista de Publicaciones.

174. CON ALMA Y VOZ TE ALABARE

1. Con alma y voz te alabaré y yo tus glorias
   cantaré;
   Adoro yo tu majestad, te alabaré por tu verdad.
   Verdad y gracia sólo son en tu palabra
   bendición,
   En tu palabra bendición.

2. Clamé a ti por mi salud; me dio tu ley, poder,
   virtud.
   Los reyes prez a ti darán, pues tu palabra
   escucharán.
   Y cantarán con dulce son las glorias de tu
   salvación,
   Las glorias de tu salvación.

3. Señor, que en luz y gloria estás, tu reino es de
   santa paz;
   Los malos no verán el bien, mas tú al piadoso
   das sostén.
   En toda mi tribulación me das, Señor,
   consolación,
   Me das, Señor, consolación.

4. Tu diestra fiel extenderás; a mi adversario
   vencerás;
   Tu obra en mi corazón tendrá de ti la
   perfección.
   Merced y gracia hay en ti; memoria ten, Señor,
   de mí,
   Memoria ten, Señor, de mí.

Juan N. de los Santos

175. POR SU MISERICORDIA

1. Por su misericordia, a Cristo cantaré;
   Con mi copa rebosando yo le bendeciré;
   Cordero de Dios santo: ¡Su vida entregó!
   Por mí pagó gran precio; su sangre me compró.

2. Por su misericordia, no me avergonzaré
   De la historia redentora que a todos contaré.
   Si vienen duras pruebas no hay nada que temer:
   Entonaré ese canto con gozo y con placer.

3. Por su misericordia, con gozo al cielo voy,
   Hacia aquel hogar glorioso que mi alma
   anhela hoy.
   Mas cuando yo llegare a ver la gran mansión,
   Entonaré por siempre a Cristo mi canción.

Fanny J. Crosby. Adap., Margaret Clarkson.
Tr., Leslie Gómez C. © 1978 Casa Bautista de Publicaciones.
Todos los derechos reservados. Amparado por los derechos de
copyright internacional.

176. AÑOS MI ALMA EN VANIDAD VIVIO

1. Años mi alma en vanidad vivió,
   Ignorando a quien por mí sufrió,
   Oh que en el Calvario sucumbió,
   El Salvador.

CORO

   Mi alma allí divina gracia halló;
   Dios allí perdón y paz me dio;
   Del pecado allí me libertó el Salvador.

2. Por la Biblia miro que pequé,
   Y su ley divina quebranté;
   Mi alma entonces contempló con fe
   Al Salvador.

3. En la cruz su amor Dios demostró
   Y de gracia al hombre revistió
   Cuando por nosotros se entregó
   El Salvador.

4. Toda mi alma a Cristo ya entregué,
   Hoy le quiero y sirvo como a Rey,
   Por los siglos siempre cantaré
   Al Salvador.

William R. Newell. Tr., George P. Simmonds.

177. GRANDE AMOR, SUBLIME, ETERNO

1. Grande amor, sublime, eterno,
   Más profundo es que la mar;
   Y más alto que los cielos,
   Insondable es y sin par.

CORO

   El me abrirá la puerta y así entrar podré.
   Redención él ha comprado y perdón me da
      por fe.

2. Grande amor, sublime, eterno,
   En la cruenta cruz murió
   Mi bendito Jesucristo;
   Mi castigo así llevó.

3. Grande amor, sublime, eterno,
   Soy indigno pecador,
   Mas el Hijo incomparable
   Dio su vida en mi favor.

Frederick A. Blom. Tr. al inglés, Nathaniel Carlson;
tr. al castellano, Jorge Sánchez y Robert C. Savage.
Tr.©1978 Singspiration, Inc. Todos los derechos reservados.
Usado con permiso.

178. VIDA ABUNDANTE

CORO

   Vida abundante Jesús ofrece,
   Vida triunfante de día en día;
   El es la fuente de vida eterna que brota
      siempre en mi corazón.

1. En la cruz murió mi Jesús;
   Con su muerte vida me dio;
   Por su gracia me transformó
   Y la vida abundante me concedió.

2. La mujer que fue y tocó
   El vestido del Señor;
   Por su fe salud recibió
   Y la vida abundante Jesús le dio.

3. En la cruz pidió el malhechor
   De su alma la salvación;
   Vida eterna pudo alcanzar,
   Pues la vida abundante Jesús le dio.

179. AL QUE EN BUSCA DE LA LUZ

1. Al que en busca de la luz vague ciego y con temor,
   Lo recibe el buen Jesús en los brazos de su amor.

CORO

   Volveremos a cantar: Cristo acoge al pecador;
   Claro hacedlo resonar: Cristo acoge al pecador.

2. A sus pies descansarás; ejercita en él la fe.
   Y con él recibe paz; a Jesús, tu amigo, vé.

3. Hazlo, pues, y así dirás: "De la pena yo escapé;
   Ya la ley no exige más; en Jesús perdón hallé."

4. Recibirte prometió; Date prisa en acudir.
   Necesitas como yo, vida que él hará vivir.

Erdmann Neumeister. Tr. al inglés, Emma F. Bevan.
Es traducción al castellano, basada en la traducción
de Tomás Westrup.

180. EN UNA CRUZ A CRISTO VI

1. En una cruz a Cristo vi cuando él por mí sufrió;
   Los ojos él fijó en mí cuando él allí murió.

CORO

   ¡Oh cuánto amor el Salvador
   Allí por mí mostró!
   Amor sentí al ver que allí
   Jesús por mí murió.

2. Y su mirada triste allí jamás olvido yo;
   Sentí que me acusaba a mí, mas él jamás me
      habló.

3. Sus males luego mi alma vio, pesares mil sufrí;
   Fue mi maldad que le causó morir allí por mí.

4. Y luego Cristo así me habló: "Ya perdonado
      estás;
   Mi corazón por ti sangró y en mí vivir podrás".

John Newton. Tr., George P. Simmonds. ©1978
Casa Bautista de Publicaciones. Todos los derechos reservados.
Amparado por los derechos de copyright internacional.

181. TEN MISERICORDIA DE MI

Mi Dios en su Palabra me habla así:
"Tendré misericordia de quien tendré".
Yo acepto sus promesas por la fe,
Oferta que yo aprovecharé.
Ten misericordia de mí,
Misericordia de mí,
Misericordia de mí, oh Señor.
Padre, compadécete hoy;
En mi aflicción ten piedad.
¡Oh compadécete ya!

Rafael Cuna. ©1978 Casa Bautista de Publicaciones. Todos
los derechos reservados. Amparado por los derechos de
copyright internacional.

182. JESUS ME INCLUYE A MI

1. Salvo y feliz por Jesús ya soy,
   Y por mi senda cantando voy;
   Sí, soy feliz, pues seguro estoy,
   Que Jesús me incluye a mí.

CORO

Jesús me incluye a mí, oh sí, me incluye a mí;
En su tierno llamamiento él me incluye a mí.
Jesús me incluye a mí; oh sí, me incluye a mí;
En su tierno llamamiento él me incluye a mí.

2. Gozo al leer: "El que tenga sed,
   Venga a la fuente de vida y bien."
   ¡Gozo inefable! muy bien lo sé
   Que Jesús me incluye a mí.

3. Siempre el Espíritu dice: "Ven
   Al que te llama al más alto Edén;"
   En su llamar me hace ver también,
   Que Jesús me incluye a mí.

4. Alma infeliz, ven y encontrarás
   Dicha indecible, consuelo y paz;
   Ven sin tardar y saber podrás
   Que Jesús te incluye a ti.

Johnson Oatman, h. ©1914, renovado 1942 John T. Benson, h.
© extendido. Todos los derechos reservados. Amparado por los
derechos de copyright internacional. Usado con permiso.
Tr., S.D. Athans.

183. GRACIA ADMIRABLE

1. Oh gracia admirable, ¡dulce es!
   ¡Que a mí, pecador, salvó!
   Perdido estaba yo, mas vine a sus pies;
   Fui ciego, visión me dio.

2. La gracia me enseñó a temer;
   Del miedo libre fui.
   ¡Cuán bella esa gracia fue en mi ser,
   La hora en que creí!

3. Peligro, lucha y tentación,
   Por fin los logré pasar;
   La gracia me libró de perdición,
   Y me llevará al hogar.

4. Después de años mil de estar allí,
   En luz como la del sol:
   Podremos cantar por tiempo sin fin
   Las glorias del Señor. Amén.

184. GRACIA ADMIRABLE DEL DIOS DE AMOR

1. ¡Gracia admirable del Dios de amor
   Que excede a todo nuestro pecar!
   Cristo en la cruz por el pecador
   Su vida ha dado. ¡Qué amor sin par!

CORO

   ¡Gracia de Dios, que él nos ofrece en su gran
      bondad!
   ¡Gracia de Dios, que excede a toda mi maldad!

2. Negras las olas de la maldad
   Me amenazaron con perdición;
   Pudo en la gracia de Dios hallar
   Dulce refugio mi corazón.

3. Nunca mi mancha podré limpiar
   Sino en la sangre del buen Jesús;
   En ella, sí, la podré lavar,
   Hoy sin cesar fluye de la cruz.

4. Gracia infinita recibirá
   Todo el que cree en Cristo el Señor;
   Si del pecado cansado estás,
   Ven, gracia ofrece tu Salvador.

185. ALABAD A JEHOVA

Alabad a Jehová, porque él es bueno;
Porque para siempre es su misericordia,
Es su misericordia, es su misericordia.

Salmo 107:1

186. SI CREYERE PUEDE A EL VENIR

1. ¡Oh, qué gozo yo siento en mi corazón,
   No hay más oscuridad!
   Pues Jesús me ha dicho que todo aquel
   Que cree salvo será.

CORO

Si creyere puede a él venir,
Puede a él venir, sí, puede a él venir;
Si creyere puede a él venir;
Jesucristo salvará.

2. Alabado es Cristo el Redentor,
   Su gloria desciende aquí;
   El transforma la vida del pecador,
   Su sangre es eficaz.

3. ¡Qué merced! ¡qué amor el Señor mostró!
   Muriendo en dura cruz,
   Y las puertas abrió el buen Salvador,
   Al gozo celestial.

187. VENGO, JESUS, A TI

1. De mi tristeza y esclavitud,
   Vengo, Jesús, vengo, Jesús.
   A tu alegría y tu virtud,
   Vengo, Jesús, a ti.
   De mi pobreza y enfermedad,
   A tu salud y rica bondad;
   A tu presencia, de mi maldad,
   Vengo, Jesús, a ti.

2. De mi flaqueza y falta de luz,
   Vengo, Jesús, vengo, Jesús.
   Al eminente bien de tu cruz,
   Vengo, Jesús, a ti.
   Del sufrimiento que es terrenal,
   A ti mi médico celestial;
   Para ser libre de todo mal,
   Vengo, Jesús, a ti.

3. De mi soberbia y ansiedad,
   Vengo, Jesús, vengo, Jesús.
   Para morar en tu voluntad,
   Vengo, Jesús, a ti.
   De mi tristeza a tu gran amor,
   A lo del cielo consolador;
   Para por siempre darte loor,
   Vengo, Jesús, a ti.

4. De ese terror que la tumba da,
   Vengo, Jesús, vengo, Jesús.
   A la brillante luz de tu hogar,
   Vengo, Jesús, a ti.
   De la indecible profundidad,
   A tu redil de tranquilidad;
   A ver tu faz por la eternidad,
   Vengo, Jesús, a ti.

William T. Sleeper. Es traducción.

188. 2 CRONICAS 7:14

Si se humillare mi pueblo
Sobre el cual mi nombre es invocado,
Y oraren y buscaren mi rostro,
Y se convirtieren de sus malos caminos,
Entonces oiré desde los cielos.
Perdonaré sus pecados y sanaré su tierra.

Basado en 2 Crónicas 7:14

189. YO ESCUCHO, BUEN JESUS

1. Yo escucho, buen Jesús, tu dulce voz de amor,
   Que desde el árbol de la cruz, invita al pecador.
   Yo soy pecador, nada hay bueno en mí;
   Ser objeto de tu amor deseo, y vengo a ti.

2. Tú ofreces el perdón de toda iniquidad,
   Si el llanto inunda el corazón que acude a tu
     piedad.
   Yo soy pecador, ten de mí piedad.
   Dame llanto de dolor y borra mi maldad.

3. Tú ofreces aumentar la fe del que creyó,
   Y gracia sobre gracia dar a quien en ti esperó.
   Creo en ti, Señor, sólo espero en ti;
   Dame tu infinito amor, pues basta para mí.

Lewis Hartsough. Tr., J.B. Cabrera.

190. SALVADOR, A TI ACUDO

1. Salvador, a ti acudo, Príncipe de amor,
   Sólo en ti hay paz y vida para el pecador.

CORO

   ¡Cristo, Cristo! alzo a ti mi voz;
   ¡Salvador, tu gracia dame, oye mi clamor!

2. Salvación y paz buscando, vengo a tu cruz;
   En tu muerte esperando, ¡sálvame, Jesús!

3. Son tus méritos la fuente de mi salvación;
   En tu sangre yo encuentro vida y perdón.

Fanny J. Crosby. Tr. y adap., H.G. Jackson.

191. ¿QUE HARAS TU CON CRISTO?

1. Ante Pilato Jesús está;
   Todos los suyos huyeron ya;
   Pregunta se oye y ¿qué será?
   ¿Qué harás tú con Cristo?

CORO

   ¿Qué harás tú con Cristo?
   No puedes ser neutral.
   Pronto tendrás que decirte:
   ¿Conmigo qué hará él?

2. Aún hoy a prueba está Jesús.
   Puedes negarlo, dejar la luz;
   Fiel puedes ser, y tomar tu cruz.
   ¿Qué harás tú con Cristo?

3. ¿Quieres tus manos quizás lavar,
   Como Pilato con su pecar?
   ¿O quieres tus culpas confesar?
   ¿Qué harás tú con Cristo?

4. Cristo, te tomo por Salvador,
   Te reconozco por mi Señor,
   Y afirmo gozándome en tu amor,
   ¡Así haré con Cristo!

Albert B. Simpson. Tr., James C. Clifford.

192. SIN CRISTO NO TENGO NADA

1. Sin Cristo no tengo nada;
   Sin Cristo no hay salvación;
   Sin Cristo voy por la vida
   Como un barco sin timón.

CORO

   ¡Cristo, oh Cristo! si has oído su voz,
   Ven, acéptale hoy.
   ¡Oh Cristo, oh Cristo! sin ti, sin ti nada soy.

2. Sin Cristo mi alma está muerta;
   Sin Cristo esclavo yo soy;
   Sin Cristo no hay esperanza,
   Mas con él yo salvo soy.

Mylon R. LeFevre. ©1963 LeFevre Sing Publishing Company.
Todos los derechos reservados. Usado con permiso.
Tr., Tony Arango.

193. VEN, REINA EN MI CORAZON

1. Oh Salvador, yo puedo oír
   Tu invitación de amor.
   Para entregar mi vida a ti
   Cual un fiel seguidor.

CORO

   Rey de mi vida sé, reina en mi corazón.
   Ven, ten posesión, es mi oración.
   Ven, reina en mi corazón.

2. Guía mi ser con tu poder,
   Sin vacilar iré
   Aunque no puedo entender,
   Tu voluntad haré.

3. Lo que yo soy o espero ser,
   Todo entrego a ti.
   Usa mis dones y veré
   Que reinas tú en mí.

B.B. McKinney. ©1952 Broadman Press. Usado con permiso.
Tr., Abel P. Pierson Garza.

194. EL SALVADOR TE ESPERA

1. En tu alma desea Jesús hoy entrar,
   ¿No le quisieras abrir?
   No hay nada en el mundo que te ha de apartar,
   ¿Qué tú le vas a decir?

CORO

   ¡Tanto el Señor te ha esperado a ti,
   Y aún hoy te espera otra vez!
   A ver si la puerta le quieres abrir,
   Quiere él entrar donde estés.

2. Si tú te decides a Cristo venir,
   El parabién te dará;
   Por él tus tinieblas tendrán que salir,
   Y con su luz te guiará.

Ralph Carmichael. Tr., Adolfo Robleto. ©1958 Sacred Songs
(A Division of Word, Inc.). Todos los derechos reservados.
Amparado por los derechos de copyright internacional. Usado con
permiso.

195. VEN, AMIGO, AL DULCE JESUS

1. Ven, amigo, al dulce Jesús,
   Y feliz para siempre serás,
   Pues si tú le buscares con fe,
   Al divino Señor hallarás.

CORO

Ven a él, ven a él,
Que te espera tu buen Salvador;
Ven a él, ven a él,
Que te espera tu buen Salvador.

2. Si cual hijo que necio pecó,
   Vas buscando a sus pies compasión,
   Tierno Amigo en Jesús hallarás,
   Y tendrás en sus brazos perdón.

3. Ovejuela, regresa al redil,
   ¡Al amparo de Cristo el Señor!
   Y en los hombros llevada serás
   Por tan dulce y amante Pastor.

Pedro Castro

196. A JESUCRISTO VEN SIN TARDAR

1. A Jesucristo ven sin tardar,
   Que entre nosotros hoy él está,
   Y te convida con dulce afán,
   Tierno diciendo: "Ven."

CORO

> ¡Oh, cuán grata nuestra reunión
> Cuando allá, Señor, en tu mansión,
> Contigo estemos en comunión
> Gozando eterno bien!

2. Piensa que él solo puede colmar
   Tu triste pecho de gozo y paz;
   Y porque anhela tu bienestar,
   Vuelve a decirte: "Ven."

3. Su voz escucha sin demorar,
   Y grato acepta lo que hoy te da;
   Tal vez mañana no habrá lugar,
   No te detengas: "Ven."

George Frederick Root. Tr., Juan B. Cabrera.

197. VEN HOY AL SALVADOR

1. Ven hoy al Salvador, te invita él a venir.
   Contrito y sin temor, oh, dale tu existir.
   El nos promete paz, amor y salvación,
   Gozo en el mundo aquí, y una eternal mansión.

2. Ven hoy al Salvador, si descarriado estás.
   Tus votos al Señor reanudar podrás.
   Como a la oveja que retorna a su pastor,
   El te recibirá con grande y tierno amor.

3. Ven hoy al Salvador, tu carga a entregar,
   Y sobre él podrás tu ansiedad echar.
   Ven, porque en tu dolor en él encontrarás
   Un fiel consolador, alivio y solaz.

198. CUAN TIERNAMENTE JESUS HOY NOS LLAMA

1. ¡Cuán tiernamente Jesús hoy nos llama!
   Cristo a ti y a mí.
   El nos espera con brazos abiertos;
   Llama a ti y a mí.

CORO

   Venid, venid, si estáis cansados, venid;
   ¡Cuán tiernamente nos está llamando!
   ¡Oh, pecadores, venid!

2. ¿Por qué tememos si está abogando
   Cristo por ti y por mí?
   Sus bendiciones está derramando
   Siempre por ti y por mí.

3. El tiempo vuela, lograrlo conviene,
   Cristo te llama a ti;
   Vienen las sombras y viene la muerte,
   Vienen por ti y por mí.

Will L. Thompson. Tr., Pedro Grado.

199. ¿SABES TU DE CRISTO?

1. ¿Vives cansado y triste? ¿Es grande tu aflicción?
   ¿Tu ser calmar quisiste? ¿Buscas feliz protección?

CORO

> ¿Sabes tú de Cristo? ¿Le conoces ya?
> En su amor bendito salvación y poder te dará.

2. ¿A quién te acercas, dime, cuando te acosa el mal?
   Y cuando tu alma gime, ¿Quién es tu paz
   eternal?

3. En tus desilusiones, tu llanto enjugará;
   En rudas tentaciones tu prez él contestará.

V.B. Ellis y W.F. Lakey. © 1957 y 1976 Lillenas Publishing
Company, U.S.A. Tr. H.T. Reza. Poema en castellano ©1978
Lillenas Publishing Company, U.S.A. Todos los derechos reservados.
Usado con permiso.

200. TODO AQUEL QUE OYE

1. Todo aquel que oye vaya a proclamar:
   Salvación de gracia lléguese a aceptar,
   Al perdido mundo débese anunciar;
   Vé al Salvador Jesús.

CORO

El que tiene fe debe procurar
Estas buenas nuevas siempre anunciar:
Que Jesús nos ama y quiere perdonar;
Vé al Salvador Jesús.

2. Todo aquel que quiere vaya sin tardar,
Franca está la puerta y podrá entrar;
Cristo es el camino al celestial hogar;
Vé al Salvador Jesús.

3. Firme es la promesa, oye, pecador;
¿Quieres tú la vida? Mira al Salvador.
El a todos llama con divino amor;
Vé al Salvador Jesús.

Philip B. Bliss. Tr., Stuart E. McNair.

201. HAY LUGAR EN LA CRUZ

1. La cruz en que Cristo murió
Es refugio de paz y de amor,
Es manantial de gracia eternal,
Profundo y sublime que limpia de mal.

CORO

Lugar hallarás allí, lugar hallarás allí;
Millones habrá, mas hay un lugar;
En la cruz hallarás lugar.

2. Aunque haya millones allí
Que lavó su raudal carmesí,
El Salvador ofrece perdón
A todo el que quiera gozar salvación.

3. La mano de mi Redentor,
   No se acorta ni pierde valor,
   En tentación o dura aflicción,
   Su sangre bendita promete perdón.

202. VEN AL SEÑOR JESUS

1. Tú, si del mal perdón buscas hallar,
   Ven al Señor Jesús;
   El en la cruz murió por vida dar,
   Ven al Señor Jesús.

CORO

   Ven al Señor Jesús, ven al Señor Jesús,
   Pues sólo él podrá salvación dar,
   Ven al Señor Jesús.

2. Al asediar Satán con el temor,
   Ven al Señor Jesús;
   Con su poder serás un vencedor;
   Ven al Señor Jesús.

3. Largo es el caminar, cansado estás;
   Ven al Señor Jesús;
   El da amor, consuelo, vida y paz;
   Ven al Señor Jesús.

4. No temas al caer la obscuridad,
   Ven al Señor Jesús;
   El en la noche da seguridad;
   V.en al Señor Jesús.

203. ALGUIEN ESTA A MI PUERTA

1. Alguien está a mi puerta,
   Paciente quiere entrar;
   Quiere morar en mi alma,
   Todo mi ser salvar.

CORO

   La voz de Cristo oigo, abro mi puerta hoy;
   No quiero que te alejes, entra en mi corazón.

2. De mis pecados tan negros
   ¿Quién me libertará?
   El que se encuentra a mi puerta,
   Solo me salvará.

3. Mi corazón yo te abro,
   Entra, oh Salvador;
   Mora en mi ser para siempre,
   Sé tú mi Rey, Señor.

204. ESCUCHA, AMIGO, AL SEÑOR

1. Escucha, amigo, al Señor pues él te da perdón;
   Te invita hoy tu Redentor, en él hay salvación.

CORO

   Ven a Cristo, ven a Cristo, ven a Emanuel;
   Y la vida, vida eterna, hallarás en él.

2. Por redimirte, el Salvador su sangre derramó;
   Y en la cruz, con cruel dolor, tu redención obró.

3. Camino cierto es Jesús, ven y feliz serás,
   Irás a la mansión de luz, descanso hallarás.

4. Ven con el santo pueblo fiel, dejando todo mal;
   Así la paz de Dios tendrás, y gloria inmortal.

John H. Stockton. Tr., H.G. Jackson.

205. LA BONDADOSA INVITACION

1. La bondadosa invitación acepta de tu Salvador;
   No cierres, no, tu corazón;
   ¡Oh sé salvo hoy!

CORO

   Sí, sé salvo hoy; sí, sé salvo hoy.
   Ven al Señor y sé salvo hoy.

2. Tal vez un día ya la luz tus ojos no podrán mirar;
   Oh ven, amigo, a Jesús,
   ¡Oh sé salvo hoy!

3. Con cuánto amor te llama: "Ven", el que por ti
en la cruz murió.
¿Por qué rebelde has de ser?
¡Oh sé salvo hoy!

4. Jesús recibe al pecador que en fe le implora el
perdón;
Y él te ofrece salvación.
¡Oh sé salvo hoy!

Elizabeth Reed. Tr., Ernesto Barocio.

206. VEN, AMIGO, A JESUS

1. Ven, amigo, a Jesús, pues él murió por ti;
Recibirás la luz que quiere darte a ti.
Mi buen Jesús murió y él te dará el perdón;
Abre tu corazón y dulce paz tendrás.

CORO

Día fatal vendrá cuando no habrá lugar;
La puerta se abre hoy, y tú podrás entrar.
Mas gracia ya no habrá, pues la desprecias hoy;
Acepta, pecador, la salvación de Dios.

2. Las manos del Señor se abren hoy para ti;
Ven y confía en él, y tú serás feliz.
Tus penas pon en Dios, pues él las llevará;
Y no tendrás pesar, sino consolación.

Juan M. Isáis. ©1960 Juan M. Isáis. Usado con permiso.

207. MI AMOR Y VIDA

1. Mi amor y vida doy a ti,
   Jesús, quien en la cruz por mí
   Vertiste sangre carmesí,
   Mi Dios y Salvador.

CORO

   Mi amor y vida doy a ti,
   Quien fuiste a la cruz por mí;
   Mi amor y vida doy a ti,
   Jesús, mi Salvador.

2. Que tú me salvas, esto sé;
   He puesto en ti mi humilde fe;
   Feliz entonces viviré
   Contigo, mi Jesús.

3. Tú, quien moriste en la cruz,
   Concédeme, Señor Jesús,
   Que siempre ande en tu luz,
   En fiel consagración.

Ralph E. Hudson. Es traducción.

208. CON VOZ BENIGNA TE LLAMA

1. Con voz benigna te llama Jesús,
   Invitación de puro amor.
   ¿Por qué le dejas en vano llamar?
   ¿Sordo serás, pecador?

Hoy te convida; hoy te convida,
Voz bendecida, benigna convídate hoy.

2. A los cansados convida Jesús;
Con compasión mira el dolor.
Dale tu carga, te bendecirá;
Te ayudará el Señor.

3. Siempre aguardando se encuentra a Jesús:
¡Tanto esperar!, ¡con tanto amor!
Ven a sus plantas con tu aflicción,
Tu tentación, tu dolor.

Fanny J. Crosby. Tr., T.M. Westrup.

209. ¿TE SIENTES CASI RESUELTO YA?

1. ¿Te sientes casi resuelto ya?
¿Te falta poco para creer?
Pues ¿por qué dices a Jesucristo:
"Hoy no, mañana te seguiré?"

2. ¿Te sientes casi resuelto ya?
Pues vence el casi, a Cristo ven;
Pues hoy es tiempo, pero mañana
Bastante tarde pudiera ser.

3. El "casi" nunca te servirá
En la presencia del justo Juez.
¡Ay del que muere casi creyendo!
¡Completamente perdido está!

P.P. Bliss. Tr., Pedro Castro.

210. TENDRAS QUE RENACER

1. Un hombre de noche llegó a Jesús,
   Buscando la senda de vida y luz,
   Y Cristo le dijo: "Si a Dios quieres ver,
   Tendrás que renacer."

CORO

   ¡Tendrás que renacer! ¡Tendrás que renacer!
   De cierto, de cierto te digo a ti:
   "¡Tendrás que renacer!"

2. Y tú si quisieras al cielo llegar,
   Y con los benditos allí descansar;
   Si vida eterna quisieras tener,
   Tendrás que renacer.

3. Jamás, oh mortal, debes tú desechar
   Palabras que Cristo dignóse hablar;
   Porque si no quieres el alma perder,
   Tendrás que renacer.

4. Amigos han ido con Cristo a morar,
   A quienes quisieras un día encontrar,
   Hoy este mensaje pues debes creer:
   Tendrás que renacer.

William T. Sleeper. Tr., Jaime Clifford.

211. TAL COMO SOY

1. Tal como soy, de pecador,
   Sin más confianza que tu amor,
   Ya que me llamas, vengo a ti;
   Cordero de Dios, heme aquí.

2. Tal como soy, buscando paz
   En mi desgracia y mal tenaz,
   Conflicto grande siento en mí;
   Cordero de Dios, heme aquí.

3. Tal como soy, me acogerás;
   Perdón, alivio me darás;
   Pues tu promesa ya creí;
   Cordero de Dios, heme aquí.

4. Tal como soy, tu compasión
   Vencido ha toda oposición;
   Ya pertenezco sólo a ti;
   Cordero de Dios, heme aquí.

Charlotte Elliott. Tr., T.M. Westrup.

212. ¿QUE DEBO HACER?

1. "¿Qué debo hacer? ", temblando preguntó
   En la prisión el hombre;
   Y fue así que Pablo respondió:
   "Pon tu fe en el Señor."

CORO

Creed en Jesús el Señor,
Creed en Jesús el Señor.
Creed en Jesús el Señor
Y salvos seréis.

2. "¿Qué debo hacer?", cansada alma infiel:
Por fe regresa a Cristo;
Tendrás perdón y paz completa en él,
Jesucristo salvará.

3. Por ti en la cruz su sangre derramó,
La fuente de pureza.
Su inmenso amor Jesús te demostró,
Ven y acéptale por fe.

Avis B. Christiansen. ©1920. Renovado 1948 Hope Publishing
Company. Todos los derechos reservados. Usado con permiso.
Tr., Pablo Filós.

213. TU AMARAS A CRISTO

1. Tú que vagas en las tinieblas,
Lejos de Cristo y de su amor;
Ven y ve cuán amante es Cristo,
Ven, contempla a tu Salvador.

¡Oh, cuánto tú amarás a Cristo,
Al mirar la gloria del Señor!
Su corazón fue quebrantado
En la cruz por ti, por mí.

2. Ven, acepta perdón completo,
   La paz y gozo del Salvador;
   Alma triste, Jesús te llama,
   El te espera con grande amor.

3. Este amor tan sublime y tierno,
   Y tan profundo en su plenitud;
   Brota libre del pecho herido
   De Jesús, quien nos da salud.

4. Y por siglos interminables,
   Han de quedar en el corazón
   Sus mercedes inescrutables,
   Que nos brindan su bendición.

Eban E. Rexford. Tr., H. C. Ball.

214. PON TUS OJOS EN CRISTO

1. ¡Oh alma cansada y turbada!
   ¿Sin luz en tu senda andarás?
   Al Salvador mira y vive;
   Del mundo la luz es su faz.

Pon tus ojos en Cristo,
Tan lleno de gracia y amor,
Y lo terrenal sin valor será
A la luz del glorioso Señor.

2. De muerte a vida eterna
   Te llama el Salvador fiel.
   En ti no domine el pecado;
   Hay siempre victoria en él.

3. Jamás faltará su promesa;
   El dijo: "Contigo estoy."
   Al mundo perdido vé pronto
   Y anuncia la salvación hoy.

215. SU YUGO ES FACIL

1. Jesús el Señor es mi buen Pastor,
   Pues me hace recostar
   En verdes pastos de amor,
   Podré yo descansar.

CORO

Su yugo es fácil, su carga también,
Dios gracia da, me ayudará;
Seguridad me da Emanuel,
Jesús, mi eterno bien.

2. Si ando en valle de mortandad,
   El mal yo no temeré;
   Pues va conmigo en verdad,
   Mi Salvador y Rey.

3. Muy débil yo soy, mas a Cristo voy,
   Revíveme, buen Jesús;
   En sombra yo jamás estoy,
   Tú eres clara luz.

216. ES JESUS MI AMANTE GUIA

1. Si Jesús es quien me guía, ¿cómo más podré temer?
   ¿Dudaré de su porfía si mi herencia en él tendré?
   Tierna paz en él ya gozo, suyo soy ya por la fe;
   En la lucha o el reposo en su amparo confiaré.
   En la lucha o el reposo en su amparo confiaré.

2. Es Jesús mi amante guía, mi esperanza, mi solaz;
   Mi consuelo es en el día, y en la noche grata paz.
   Mi poder en la flaqueza, mi maná, mi libertad;
   Es mi amparo en la tristeza; suple mi necesidad.
   Es mi amparo en la tristeza; suple mi necesidad.

3. Es Jesús mi amante guía, de mi ser, consolación;
   De lo que antes carecía él me imparte en profusión.
   En la gloria me promete divinal seguridad;
   El será mi brazo fuerte, guía por la eternidad.
   El será mi brazo fuerte, guía por la eternidad.

217. CORAZONES SIEMPRE ALEGRES

1. Corazones siempre alegres, rebosando gratitud;
   Somos los que a Dios amamos, redimida juventud.

CORO

   Siempre alegres vamos todos, llenos de felicidad.
   Hermosísimo el camino hacia la eternidad.
   Hermosísimo el camino hacia la eternidad.

2. Dios nos guía de la mano, nos ampara su poder;
   Es su brazo poderoso, que nos quiere defender.

3. Si nos viera desmayados en nuestra debilidad,
   Con su gracia nos anima, nos levanta su bondad.

4. En sus fuerzas llevaremos aún con gozo nuestra
       cruz;
   Luego con él cantaremos en la gloria de su luz.

Autor anónimo. Tr., C. Ihlow.

218. SEGUIRE DO EL ME GUIE

1. Seguiré do él me guíe, mi Pastor amante y fiel,
   Y un futuro esplendoroso sé que yo tendré con él.
   Como oveja solitaria que con él anhela estar,
   Por la noche en sus brazos, el descanso me dará.

2. Semejante es al viento nuestra vida diaria aquí;
   ¿Nos guiará a pastos verdes o a desiertos por ahí?
   Como oveja en desamparo y la noche alrededor,
   Yo te pido que me ayudes a seguirte, mi Pastor.

3. Aunque oscuro esté el camino; aunque azote el
    frío cruel;
    Aunque subas las montañas, te dará su amparo fiel.
    Al Pastor la oveja espera que la venga a proteger,
    Hasta el fin de la jornada, pues no quiere perecer.

219. OH DIOS, SOCORRO EN EL AYER

1. Oh Dios, socorro en el ayer
   Y hoy nuestro defensor.
   Ampáranos con tu poder
   Y tu eternal amor.

2. Antes que toda la creación
   Hiciera oír tu voz,
   Vivías tú en perfección
   Eternamente, oh Dios.

3. En ti mil años sombras son,
   De un pasado ayer;
   Y en ti se encuentra la razón
   De cuanto tiene ser.

4. Oh Dios, refugio del mortal
   En tiempos de dolor,
   En ti la dicha sin igual
   Encuentra el pecador.

5. Oh Dios, socorro en el ayer
   Y hoy nuestro defensor,
   Ampáranos con tu poder
   Y tu eternal amor. Amén.

Isaac Watts. Tr., Adolfo Robleto.

220. EL QUE HABITA AL ABRIGO DE DIOS

1. El que habita al abrigo de Dios
   Morará bajo sombras de amor;
   Sobre él no vendrá ningún mal
   Y en sus alas feliz vivirá.

CORO

   Oh, yo quiero habitar al abrigo de Dios;
   Sólo allí encontraré paz y profundo amor.
   Mi delicia es con él comunión disfrutar
   Y por siempre su nombre alabar.

2. El que habita al abrigo de Dios
   Ciertamente muy feliz será;
   Angeles guardarán su salud
   Y sus pies nunca resbalarán.

3. El que habita al abrigo de Dios
   Para siempre seguro estará;
   Caerán mil y diez mil por doquier,
   Mas a él no vendrá mortandad.

221. SEÑOR JESUS, LA LUZ DEL SOL SE FUE

1. Señor Jesús, la luz del sol se fue;
   La noche cierra; tú conmigo sé.
   No hay otro amparo, ten pues, compasión,
   Y al desvalido da consolación.

2. Veloz se va la vida con su afán;
   Su gloria, sus ensueños pasarán.
   Mudanza y muerte veo en derredor;
   Conmigo sé, bendito Salvador.

3. Siempre tu gracia yo he menester;
   ¿Quién otro puede al tentador vencer?
   Tan sólo en ti mi guía encontraré;
   En sombra y sol, Señor, conmigo sé.

4. Cuando mis ojos ya no tengan luz,
   Yo quiero ver la gloria de tu cruz;
   Pasen las sombras, triunfe al fin la fe:
   Jesús, conmigo en vida y muerte sé. Amén.

Henry F. Lyte. Tr., Tomás M. Westrup.

222. MARAVILLOSO ES

1. Qué grandiosa es la puesta del sol
   Admirable cual amanecer,
   Pero es más grandioso y conmovedor
   El amor que me tiene el Señor.

Maravilloso es, maravilloso es
Cuando pienso que Dios me ama a mí.
Maravilloso es, maravilloso es
Cuando pienso que Dios me ama a mí.

2. Maravilla de un sol que se oculta;
   Maravilla aurora que vi.
   Maravilla que en mi alma resulta hoy
   Cuando pienso que Dios me ama a mí.

3. Qué grandioso el verano copioso;
   Los cielos, la luna y el sol,
   Pero es más grandioso y conmovedor
   El amor que me tiene el Señor.

George Beverly Shea. ©1956 Chancel Music, Inc.
Tr., Salomón Mussiett C. ©1978 Chancel Music, Inc. Todos
los derechos reservados. Amparado por los derechos de
copyright internacional. Usado con permiso.

223. A SOLAS AL HUERTO YO VOY

1. A solas al huerto yo voy,
   Cuando duerme aún la floresta;
   Y en quietud y paz con Jesús estoy
   Oyendo absorto allí su voz.

CORO

El conmigo está, puedo oír su voz,
Y que suyo, dice, seré;
Y el encanto que hallo en él allí,
Con nadie tener podré.

2. Tan dulce es la voz del Señor,
   Que las aves guardan silencio;
   Y tan sólo se oye su voz de amor,
   Que inmensa paz al alma da.

3. Con él encantado yo estoy,
   Aunque en torno llegue la noche;
   Mas me ordena ir, y a escuchar yo voy,
   Su voz doquier la pena esté.

C. Austin Miles. Tr., Vicente Mendoza. ©1912 Hall-Mack Co. © renovado 1940 The Rodeheaver Co., dueño. Usado con permiso.

224. NUESTRA ESPERANZA ESTA EN EL SEÑOR

1. Nuestra esperanza está en el Señor,
   Nuestro refugio en su amor.
   Y su dominio por siempre será
   Eterno y justo; ¡no cesará!
   Hacia el futuro sin temor,
   Todos confiando en el Señor.

2. Tribulaciones no habrán de cesar,
   Pero en sus brazos hemos de estar.
   No nos desesperemos al ver
   A Satanás: Dios le ha de vencer.
   Hacia el futuro sin temor,
   Pues conocemos al Señor.

3. Su voz destina a cada nación,
   Mas por su gracia hay remisión.
   Tras la congoja en él hay quietud;
   El es quien da la vida y salud.
   Dios nos dará la libertad;
   Su reino es por la eternidad. Amén.

225. ¡OH PASTOR DIVINO ESCUCHA!

1. ¡Oh Pastor divino escucha! de tu pueblo el orar;
   Como ovejas, congregados, te venimos a buscar.
   Cristo llega, Cristo llega
   Tu rebaño a apacentar, tu rebaño a apacentar.

2. Guía al triste y fatigado al aprisco del Señor.
   Cría al tierno corderito a tu lado, buen Pastor,
   Con los pastos, con los pastos
   De celeste y dulce amor, de celeste y dulce amor.

3. ¡Oh Jesús, escucha el ruego y esta humilde
      petición!
   Ven a henchir a tu rebaño de sincera devoción.
   Cantaremos, cantaremos
   Tu benigna protección, tu benigna protección.
                                        Amén.

William Williams. Es traducción.

226. SE TU MI VISION

1. Oh Dios, de mi alma, sé tú mi visión,
   Nada te aparte de mi corazón.
   Noche y día pienso yo en ti,
   Y tu presencia es luz para mí.

2. Sabiduría, sé tú de mi ser,
   Quiero a tu lado mi senda correr;
   Como tu hijo tenme, Señor,
   Siempre morando en un mismo amor.

3. Sé mi escudo, mi espada en la lid,
   Mi única gloria, mi dicha sin fin;
   Del alma amparo, mi torreón;
   A las alturas condúceme, Dios.

4. Riquezas vanas no anhelo, Señor,
   Ni el vano halago de la adulación;
   Tú eres mi herencia, tú mi porción,
   Rey de los cielos, tesoro mejor. Amén.

Letra, irlandés antiguo. Tr. al inglés, Mary Byrne;
metrificado, Eleanor Hull. Letra usada con permiso de
Chatto & Windus, Ltd. Tr. al castellano, F.J. Pagura.

227. ME GUIA EL

1. Me guía él, con cuánto amor,
   Me guía siempre mi Señor;
   En todo tiempo puedo ver
   Con cuánto amor me guía él.

Me guía él, me guía él,
Con cuánto amor me guía él;
No abrigo dudas ni temor,
Pues me conduce el buen Pastor.

2. En el abismo del dolor
   O donde intenso brilla el sol,
   En dulce paz o en lucha cruel,
   Con gran bondad me guía él.

3. La mano quiero yo tomar
   De Cristo; nunca vacilar,
   Cumpliendo con fidelidad
   Su sabia y santa voluntad.

4. Y la carrera al terminar,
   El alba eterna al vislumbrar,
   No habrá ni dudas ni temor,
   Pues me guiará mi buen Pastor.

Joseph H. Gilmore. Tr., Epigmenio Velasco.

228. ME CONDUJO EL SALVADOR

1. Un día el mundo dejaré
   Y a las mansiones llegaré.
   Sé que al entrar yo cantaré:
   "Me condujo el Salvador."

CORO

Me condujo el Salvador paso a paso con amor,
A los santos y a los ángeles diré al descansar:
"Me condujo el Salvador."

2. Si puedo recordar allí
   El recorrido hecho aquí,
   Yo seguiré cantando así:
   "Me condujo el Salvador."

3. Ya que hasta aquí me encaminó
   Y cada paso dirigió,
   Pues seguiré cantando yo:
   "Me condujo el Salvador."

John W. Peterson. Tr., Marjorie J. de Caudill. ©1954
Singspiration, Inc. Tr. ©1978 Singspiration, Inc. Todos los
derechos reservados. Usado con permiso.

229. TE CUIDARA EL SEÑOR

1. Nunca desmayes cuando hay afán; te cuidará el
   Señor.
   Sus fuertes alas te cubrirán; te cuidará el Señor.

CORO

Te cuidará el Señor: no te verás solo jamás;
Velando está su amor: te cuidará el Señor.

2. Cuando flaqueare tu corazón te cuidará el Señor.
   En tus conflictos y tentación te cuidará el Señor.

3. De sus riquezas él te dará; te cuidará el Señor.
   Jamás sus bienes te negará; te cuidará el Señor.

4. Que pruebas vengan, no importa, no; te cuidará el
      Señor.
   Tus cargas todas en Cristo pon; te cuidará el Señor.

Civilla D. Martin. Tr., Ernesto Barocio.

230. GRANDE ES TU FIDELIDAD

1. Oh Dios eterno, tu misericordia
   Ni una sombra de duda tendrá;
   Tu compasión y bondad nunca fallan
   Y por los siglos el mismo serás.

CORO

   ¡Oh, tu fidelidad! ¡Oh, tu fidelidad!
   Cada momento la veo en mí.
   Nada me falta, pues todo provees,
   ¡Grande, Señor, es tu fidelidad!

2. La noche oscura, el sol y la luna,
   Las estaciones del año también,
   Unen su canto cual fieles criaturas,
   Porque eres bueno, por siempre eres fiel.

3. Tú me perdonas, me impartes el gozo,
   Tierno me guías por sendas de paz;
   Eres mi fuerza, mi fe, mi reposo,
   Y por los siglos mi Padre serás.

Thomas O. Chisholm. Tr., H.T. Reza. ©1923. Renovado
1951. Hope Publishing Co., dueño. Todos los derechos reservados.
Usado con permiso.

231. MIS OJOS A LOS MONTES AL REDOR

1. Mis ojos a los montes al redor levantaré;
   ¿De dónde, pues, socorro salvador alcanzaré?
   De Dios, el cual mi ayuda preparó;
   De Dios, quien cielos, tierra y mar formó.

2. Con él tu pie no puede resbalar: te sostendrá.
   El que te vela siempre sin cesar te guardará.
   No duerme Dios; él te protege fiel;
   Así guardó al pueblo de Israel.

3. En Jehová, tu eterno Guardador, sombra hallarás;
   De todo mal Jehová tu Defensor te amparará.
   El sol de día mal no te ha de hacer,
   Ni mal la luna en su anochecer.

4. A tu alma Dios, tu Rey, preservará de todo mal;
   Tu entrada y tu salida guardará el Eternal.
   El a quien adoramos en verdad
   Nos guardará por toda eternidad.

D.S. Campbell. Tr., George P. Simmonds. © 1978 Casa Bautista
de Publicaciones. Todos los derechos reservados. Amparado por los
derechos de copyright internacional.

232. PASTOREANOS, JESUS AMANTE

1. Pastoréanos, Jesús amante, cuida, ¡oh Señor!, tu
        grey;
   Tu sustento placentero dale al redil, y justa ley.
   Alta ciencia, providencia, tuyas para nuestro bien;
   Bendecido, Rey ungido, a santificarnos ven.

2. Tu misión divina es a tus hijos dar salud y santidad;
   A pesar de ser tan pecadores, no nos has de
   desechar.
   Comunicas dotes ricas al que implora tu perdón;
   Salvadora luz, que mora en el nuevo corazón.

Autor anónimo. Tr., T.M. Westrup.

233. HIJOS DEL PADRE CELESTIAL

1. Nuestro Padre celestial a sus hijos los protege;
   Ni los pájaros ni estrellas, han tenido tal albergue.

2. Dios los cuida y alimenta, y cual plantas que
   florecen,
   El los guarda presuroso, y en sus brazos los recoge.

3. Dios su gracia les otorga; sus tristezas él conoce;
   No se olvidará de ellos, ni en la vida ni en la
   muerte.

4. Y aunque pasen muchos siglos, Dios a ellos no
   abandona;
   Su propósito es amar; los preservará en la gloria.
                                                    Amén.

Caroline V. Sandell-Berg. Tr. al inglés, Ernst W. Olson; tr. al castellano, Salomón Mussiett C. ©1978 Casa Bautista de Publicaciones. Todos los derechos reservados. Amparado por los derechos de copyright internacional.

234. ALMA, BENDICE AL SEÑOR

1. Alma, bendice al Señor, Rey potente de gloria;
   De sus mercedes esté viva en ti la memoria.
   ¡Oh, despertad, arpa y salterio! Entonad
   Himnos de honor y victoria.

2. Alma, bendice al Señor que a los cielos gobierna,
   Y te conduce paciente con mano paterna;
   Te perdonó, de todo mal te libró,
   Porque su gracia es eterna.

3. Alma, bendice al Señor, de tu vida es la fuente
   Que te creó, y en salud te sostiene clemente;
   Tu defensor en todo trance y dolor;
   Su diestra es omnipotente.

4. Alma, bendice al Señor y su amor infinito;
   Con todo el pueblo de Dios su alabanza repito:
   Dios, mi salud, de todo bien, plenitud.
   ¡Seas por siempre bendito! Amén.

Joachim Neander. Tr., Fritz Fliedner.

235. ELEVEMOS AL CREADOR

1. Elevemos al Creador nuestros himnos de loor,
   Pues los campos visitó con su rica bendición.
   Ya la siega terminó, la cosecha se guardó;
   El invierno llegará, pero nada faltará.

2. Este mundo es de Dios, el eterno Sembrador,
   Y en su mies han de crecer hasta el fin el mal y el
      bien;
   Todo grano brotará, flor y espiga crecerá;
   Padre, Dios, queremos ser cual semilla de tu mies.

3. Ven, Señor, a recoger la cosecha de tu haber;
   Junta al pueblo en tu alfolí, tenlo siempre unido a
      ti.
   Libre ya de su pecar y sin penas que pasar;
   Ven, levanta, oh Señor, la cosecha de tu amor.

Henry Alford. Tr., J.R. de Balloch.

236. CUANDO COMBATIDO POR LA ADVERSIDAD

1. Cuando combatido por la adversidad
   Creas ya perdida tu felicidad,
   Mira lo que el cielo para ti guardó,
   Cuenta las riquezas que el Señor te dio.

   CORO

   ¡Bendiciones, cuántas tienes ya!
   Bendiciones, Dios te manda más;
   Bendiciones, te sorprenderás
   Cuando veas lo que Dios por ti hará.

2. ¿Andas agobiado por algún pesar?
   ¿Duro te parece esa cruz llevar?
   Cuenta las promesas del Señor Jesús,
   Y de las tinieblas nacerá la luz.

3. Cuando de otros veas la prosperidad
   Y tus pies te lleven tras de su maldad,
   Cuenta las riquezas que tendrás por fe,
   Donde el polvo es oro que hollará tu pie.

Johnson Oatman, h. Tr., autor anónimo.

237. ¡GLORIA A DIOS!

1. ¡Gloria a Dios! porque su gracia
   En nosotros abundó,
   Y su fiel misericordia
   En nosotros se mostró.

2. ¡Gloria a Dios! pues él no mira
   Nuestra horrible iniquidad;
   Bondadoso nos reviste
   De justicia y santidad.

3. ¡Gloria a Dios! a quien complace
   Escuchar nuestra oración;
   Y recibe nuestros cantos,
   Nuestra humilde adoración.

4. ¡Gloria a Dios! que en abundancia
   Bendiciones hoy nos da;
   Si esto él hace aquí en la tierra,
   En los cielos ¿qué no hará?

Juan Bautista Cabrera

238. AL TRONO MAJESTUOSO

1. Al trono majestuoso del Dios de potestad,
   Humildes vuestra frente, naciones inclinad.
   El es el ser supremo, de todo es el Señor,
   Y nada al fin resiste a Dios el Hacedor.

2. Del polvo de la tierra su mano nos formó,
   Y nos donó la vida su aliento creador;
   Después, al vernos ciegos, caídos en error,
   Cual padre al hijo amado salud nos proveyó.

3. La gratitud sincera nos dictará el cantar,
   Y en tiernos dulces sones al cielo subirá;
   Con los celestes himnos cantados a Jehová,
   La armónica alabanza doquier resonará.

4. Señor, a tu Palabra sujeto el mundo está,
   Y del mortal perecen la astucia y la maldad;
   Después de haber cesado los siglos de correr,
   Tu amor, verdad y gloria han de permanecer.

Isaac Watts. Tr., Juan B. Cabrera; adap., Alfred Ostrom.

239. DE BOCA Y CORAZON

1. De boca y corazón load al Dios del cielo,
   Pues dionos bendición, salud, paz y consuelo.
   Tan sólo a su bondad debemos nuestro ser;
   Su santa voluntad nos guía por doquier.

2. ¡Oh Padre celestial!, ven, danos este día
Un corazón filial y lleno de alegría.
Consérvanos la paz; tu brazo protector
Nos lleve a ver tu faz en tu ciudad, Señor.

3. Dios Padre, Creador, con gozo te adoramos.
Dios Hijo, Redentor, tu salvación cantamos.
Dios Santificador, te honramos en verdad.
Te ensalza nuestra voz, bendita Trinidad. Amén.

Martin Rinkart. Tr., Fritz Fliedner.

240. EN TU SANTO TEMPLO

1. En tu santo templo, lugar de fe:
Todos te buscamos, oh Dios, do tu rostro esté.
Que tu Santo Espíritu venga al corazón.
Oh Dios, bendice hoy aquí con tu santo amor.
Oh Dios, bendice hoy aquí con tu santo amor.

2. En tu santo templo, a ti loor,
Te alabamos con los himnos llenos de fervor.
Parte el pan de vida, Maestro y Salvador,
Y en el día del Señor gloria sea a ti.
Y en este día del Señor gloria sea a ti.

3. En tu santo templo, tu voluntad,
La buscamos con denuedo, pues queremos, sí,
Dar amor de ti, Dios, en nuestra vida aquí.
Tu imagen graba hoy, Señor, en el corazón.
Oh graba hoy, Señor, tu faz en el corazón.

B.B. McKinney. Tr., Daniel Díaz R. ©1940 en *Broadman Hymnal.* Renovado 1968 Broadman Press. Todos los derechos reservados.

241. IGLESIA DE CRISTO

1. Iglesia de Cristo, tu santa misión
   Es dar el mensaje de paz y perdón.
   No calles, derrama torrentes de luz,
   Mostrando a los pueblos a Cristo Jesús.

2. Iglesia de Cristo, tendrás el poder
   Que puedas gloriosa victoria traer;
   Serás invencible si al ir contra el mal,
   Tan sólo obedeces al Rey celestial.

3. Iglesia de Cristo, no temas que el mal
   Tus puertas derrumbe con odio mortal;
   Jesús es tu jefe, tu amparo será,
   Y en él tu victoria segura estará. Amén.

242. TU REINO AMO, ¡OH DIOS!

1. Tu reino amo, ¡oh Dios! tu casa de oración,
   Y al pueblo que en Jesús halló completa
   redención.

2. Tu iglesia, mi Señor; su templo y adoración,
   La grey que guiando siempre vas con sabia
   dirección.

3. Por ella mi oración, mis lágrimas de amor,
   Y mis cuidados y mi afán por ella son, Señor.

4. Un gozo sin igual me causa en ella estar;
   Por siempre allí tu comunión anhelo disfrutar.

5. Yo sé que durará, mi Dios, cual tu verdad;
   Y victoriosa llegará a la eternidad.

Timothy Dwight. Tr., E. Velasco.

243. BENDIGAMOS AL SEÑOR

1. Bendigamos al Señor que nos une en caridad;
   Y nos nutre con su amor en el pan de la unidad.

2. Conservemos la unidad que el Maestro nos mandó,
   Donde hay guerra, que haya paz, donde hay odio,
      que haya amor.

3. Al que vive en el dolor y al que sufre soledad,
   Entreguemos nuestro amor y consuelo fraternal.

4. El Señor que nos llamó a vivir en unidad,
   Nos congregue con su amor en feliz eternidad.
                                                    Amén.

244. ADORAR, TRABAJAR, TESTIFICAR

1. Servid hoy al Maestro, las nuevas esparcid;
   Iglesia del Dios vivo, a predicar salid.
   Creación del Padre eres en Cristo el Salvador;
   Poder te da el Espíritu y también amor.

2. Haz tuyo el plan de Cristo: Vé, busca al pecador;
   Rescata a los esclavos, pero hazlo con valor.
   Amar a los humildes; al que en dolor, calmar;
   Las cargas de los otros tú debes aliviar.

3. De Cristo sé el cuerpo, Jesús cabeza es;
   Sé una carta abierta que el mundo pueda ver.
   De Cristo sé el templo, el fundamento es él;
   Sé tú el altar de Cristo do le adores fiel.

4. Cabeza de la iglesia, ven, danos tu pensar;
   Queremos que nos guíes tu obra a realizar.
   Los dones de tu gracia impártenos, Señor;
   Y que vivamos juntos, con todos en amor. Amén.

Henry Lyle Lambdin. ©1969 The Hymn Society of America.
Usado con permiso. Tr., Daniel Díaz R. Poema en castellano
©1978 Casa Bautista de Publicaciones. Todos los derechos reservados.
Amparado por los derechos de copyright internacional.

245. TESTIFICANDO EN EL BAUTISMO

1. Oh Jesús, hoy vengo a ti para bautizarme aquí,
   Dando testimonio así de mi salvación.

CORO

   Oh, Señor, por tu bondad cumplo hoy tu
      voluntad
   De ser bautizado, sí, porque creo en ti.

2. En el símbolo exterior significa con fervor
   La experiencia interior que me une a ti.

3. Ya el agua sepultó al viejo hombre que pecó,
   Y la vida nueva yo gozo en el Señor.

4. Mientras en el mundo esté, oh Jesús, mi
   escudo sé,
   Y yo fiel te seguiré con profundo amor.

246. SOY EN TU NOMBRE BAUTIZADO

1. Soy en tu nombre bautizado,
   ¡Oh Dios, bendita Trinidad!
   Entre los tuyos, hoy te clamo,
   Que me concedas un lugar.
   Muerto al pecado, more hoy
   En mí tu Espíritu, Señor.

2. Padre de amor, me has recibido,
   Tu hijo y heredero soy;
   El fruto de cuanto has sufrido
   Yo lo comparto, mi Señor.
   Oh Santo Espíritu, serás
   Conmigo en toda adversidad.

3. Hoy con temor te he prometido,
   Sólo obediencia y fiel amor,
   Ya que tu Espíritu ha querido
   Hacerme tuyo, mi Señor.
   Con la armadura de la fe,
   Contra el pecado lucharé.

4. Tu pacto, oh Dios, seguramente,
   Toda la vida ha de durar;
   No me abandones para siempre
   Si lo llegara a quebrantar.
   Sé que a menudo te ofendí,
   Perdón y paz yo busco en ti. Amén.

Johann J. Rambach. Tr. al inglés, Catherine Winkworth; tr. al castellano, J. Burghi.

247. EN LAS AGUAS DE LA MUERTE

1. En las aguas de la muerte sumergido fue Jesús;
   Mas su amor no fue apagado por sus penas en
      la cruz;
   Levantóse de la tumba, las cadenas sacudió,
   Y triunfante y victorioso a los cielos él subió;
   Y triunfante y victorioso a los cielos él subió.

CORO

   Salvo soy, salvo soy;
   En las aguas del bautismo hoy confieso yo mi fe;
   Salvo soy, salvo soy;
   Y deseo consagrarme al Señor, que me salvó.

2. En las aguas del bautismo hoy confieso yo mi fe:
   Jesucristo me ha salvado y por Cristo viviré;
   Desde hoy yo para el mundo y el pecado muerto
      estoy;
   Y deseo consagrarme al Señor, que me salvó;
   Y deseo consagrarme al Señor, que me salvó.

3. Yo, que estoy crucificado, ¿Cómo ya podré
   pecar?
   Yo, que estoy resucitado, otra vida he de llevar.
   Pues, no reine ya en nosotros el pecado
   engañador;
   Presentemos nuestros cuerpos a servir a nuestro
   Dios;
   Presentemos nuestros cuerpos a servir a nuestro
   Dios.

Enrique Turrall

248. PAN TU ERES, OH SEÑOR

1. Pan tú eres, oh Señor, para mi bien;
   Roto en pedazos fuiste tú por mí.
   ¡Cuán grande amor se vio por cada quien,
   Al permitirte Dios sufrir así!

2. Me inclino en oración, en gratitud,
   Por provisión que nunca merecí.
   Recibe mi cantar como actitud
   De adoración sincera ante ti.

3. La copa de dolor, bebiste allí;
   Cual hiel y azotes son mis males, sí;
   Pero tu amor cundió y en mi lugar
   Vertiste sangre allí para salvar.

4. Y ahora al recordar tu obra de amor,
   Todo mi ser se llena de loor.
   Recibe esta expresión de adoración,
   Al comtemplarte en recordación. Amén.

Guillermo Blair

249. ¡OH PAN DEL CIELO, DULCE BIEN!

1. ¡Oh pan del cielo, dulce bien,
   Más excelente que el maná!
   Si el alma busca tu sostén, eternamente vivirá.
   Si el alma busca tu sostén, eternamente vivirá.

2. ¡Oh nuevo pacto del Señor,
   En santa copa de salud!
   Reconciliado, el pecador, se acerca a Dios por
       tu virtud.
   Reconciliado, el pecador, se acerca a Dios por
       tu virtud.

3. Hambrienta el alma, vengo a ti,
   Señor Jesús, con viva fe;
   Tu mesa es franca para mí, y en humildad me
       acercaré.
   Tu mesa es franca para mí, y en humildad me
       acercaré.

4. Sé tú, Señor, pan celestial
   Que al alma nutre y da vigor;
   Y en vida y gozo inmortal diré las glorias de
       tu amor.
   Y en vida y gozo inmortal diré las glorias de
       tu amor.

Himno latino, autor anónimo. Tr., Juan B. Cabrera.

250. EN MEMORIA DE MI

1. En memoria de mí, pan comed.
   En memoria de mí, bebed.
   En memoria de mí, a Dios pedid;
   por su voluntad rogad.

2. En memoria de mí, predicad.
   En memoria de mí, bien haced.
   En memoria de mí, la puerta abrid,
   dejad al hermano entrar, la puerta abrid.
   Pan comed, mi cuerpo es,
   La copa el pacto es.
   La sangre preciosa y mi cuerpo recordaréis,
   recordad.

3. En memoria de mí, siempre orad.
   En memoria de mí, siempre amad.
   En memoria de mí, a Dios buscad,
   de corazón recordad.

Ragan Courtney. ©1972 y 1975 Broadman Press. Todos los
derechos reservados. Tr., Rafael Enrique Urdaneta M.
© 1978 Broadman Press. Todos los derechos reservados. Amparado
por los derechos de copyright internacional. Usado con permiso.

251. TU SANGRE CARMESI

1. Son tu sangre carmesí y tu cuerpo roto seña,
   Cristo, de tu amor por mí:
   Sean como eterno emblema.

CORO

Te entregaste tú por mí:
Hoy, Señor, me entrego a ti.

2. Por tu muerte vivo yo, pues viniste a rescatarme;
Dios así su amor mostró:
Dio a su Hijo por salvarme.

3. Las espinas en tu sien, las heridas en tus manos
Hablan de tu amor y bien,
Que por gracia ya reclamo.

4. Cristo, toma el corazón que por fe yo quiero
darte;
De mi amor es la expresión
Por tu gracia en perdonarme.

252. OBEDIENTE A TU MANDATO

1. Obediente a tu mandato participa hoy tu grey
De la cena; y con gozo la recibe nuestra fe;
Tu dolor en el Calvario y tu pena y gran amor
Anunciamos en tu nombre, amantísimo Señor.

2. Recordamos la tristeza que afligió tu corazón,
Y la copa de amargura que por todo pecador,
En el Gólgota tomaste, despreciando tu dolor;
Te pedimos que, fervientes, te sigamos con valor.

3. Gracias, oh Jesús, te damos los que unidos en
   tu amor,
   Gracias mil, pues disfrutamos tu clemencia y tu
   favor.
   Tuya fue la cruz, mas nuestra es la dicha y es la
   paz,
   Tuya sea hoy la gloria, tuya por siempre jamás.

James Montgomery. Tr., M.N. Hutchinson.

253. CARA A CARA YO TE MIRO AQUI

1. Cara a cara yo te miro aquí
   Como ser inefable de amor;
   Quiero asir con mi mano tu gran don,
   Y todo mi cansancio en ti dejar.

2. Comer quisiera de ese pan de Dios;
   Beber contigo el vino real de Dios.
   Y despreciando el terrenal dolor,
   Gustar la dulce calma del perdón.

3. No tengo ayuda sino sólo a ti;
   Sólo tu brazo es fuerte para mí;
   Este es propicio, bástame en verdad;
   Mi fuerza está sólo en tu poder.

4. Mío el pecado, tuya la equidad;
   Mía la culpa, tuyo el perdón.
   He aquí el refugio, he aquí mi paz,
   Tu sangre, mi justicia, mi Señor. Amén.

Horatius Bonar. Tr., Dante L. Pinto C.

254. TU CENA, OH DIOS

1. Tu cena, oh Dios, servida está.
   La copa, y el roto pan
   Nos hacen recordar, Jesús,
   Tu muerte cruenta en dura cruz.

2. Tu sacrificio y muerte cruel
   Corona hiciste de laurel,
   Pues fue la prueba de tu amor.
   Hoy te adoramos, oh Señor.

3. Presente estás en comunión
   En nuestro propio corazón,
   Y en este culto eres tan real
   Que tu virtud brota a raudal.

4. De cada cual muy cerca estás,
   Pues te sentimos más y más.
   Tu gracia danos, oh Señor,
   Y viviremos en tu amor.

Joseph F. Green. ©1961, 1964 Broadman Press. Todos los derechos reservados. Tr., Agustín Ruiz V. ©1978 Broadman Press. Todos los derechos reservados. Amparado por los derechos de copyright internacional. Usado con permiso.

255. ARDAN NUESTROS CORAZONES

1. ¡Ardan nuestros corazones adorando al Salvador!
   Y en amor ferviente unidos, ¡busquen paz en el
   Señor!
   De su cuerpo somos miembros, de su luz reflejo
   fiel:
   Entre hermanos es Maestro, suyos somos, nuestro
   es él.

2. ¡Renovad el santo pacto, y acercaos al Señor,
   Prometed a quien os salva fe, lealtad y puro amor!
   Y si un día vacilara vuestra parte en esa unión,
   A Jesús clamad, oh fieles, por firmeza y por fervor.

3. Oh, Amor, tú has ordenado que arda nuestro
   corazón;
   Vivifica nuestras almas, líbralas de confusión.
   ¡Prende tú la llama viva del amor que así unirá
   A los hijos que ha engendrado nuestro Padre
   celestial!

4. La unidad de Dios y el Hijo sea nuestra unión aquí;
   Nadie pueda separado de esta comunión vivir.
   Y seamos en la tierra, de Jesús el resplandor,
   Los testigos ante el mundo del eterno Salvador.
   Amén.

Nicolaus L. von Zinzendorf. Tr. al inglés, Frederick W. Foster;
tr. al castellano, J.A. Soggin.

256. AMEMONOS, HERMANOS

1. Amémonos, hermanos, con tierno y puro amor;
   Un solo cuerpo somos, y nuestro Padre es Dios.
   Amémonos, hermanos, lo quiere el Salvador,
   Quien su preciosa sangre por todos derramó.

2. Amémonos, hermanos, en dulce comunión;
   Y paz, afecto y gracia dará el Consolador.
   Amémonos, hermanos, y en nuestra santa unión
   No existan asperezas ni discordante voz.

3. Amémonos, hermanos, y al mundo pecador
   Mostremos cómo viven los que salvados son.
   Amémonos, hermanos, con todo el corazón;
   Lo ordena el Dios y Padre; su ley es ley de amor.
   Amén.

Juan Bautista Cabrera

257. DESPUES DE HABER OIDO TU PALABRA

1. Después, Señor, de haber tenido aquí
   De tu palabra la bendita luz,
   A nuestro hogar condúcenos y allí
   De todos cuida, ¡buen pastor Jesús!

2. En nuestras almas graba con poder
   Tu fiel palabra, cada exhortación;
   Y que tu ley pudiendo comprender,
   Contigo estemos en mayor unión.

3. Danos tu paz, la senda al transitar
   De alegrías, pruebas o dolor,
   Y cuando al fin podamos descansar,
   Nos cubra el manto de tu inmenso amor.
                                    Amén.

John Ellerton. Tr., Vicente Mendoza.

258. POR LOS LAZOS DEL SANTO AMOR

1. Por los lazos del santo amor
   Somos uno en el Señor.
   Nuestro espíritu está unido a él,
   Por los lazos del amor.

2. De este amor, con feliz canción
   Hoy cantemos de corazón,
   Y que el mundo vea que somos uno en él,
   Por los lazos del amor.

Otis Skillings. Tr., Marjorie J. de Caudill. ©1971 y 1975
Lillenas Publishing Company, U.S.A. Todos los derechos reservados.
Usado con permiso.

259. DULCE ESPIRITU

1. Hay un dulce espíritu aquí,
   Y yo sé que es el Espíritu del Señor.
   Cada rostro expresa el gozo, sí,
   Pues sentimos la presencia del Salvador.

CORO

> Santo Espíritu, fiel, celestial,
> Quédate aquí, y llénanos de tu amor.
> Y por tus obras te damos hoy loor;
> Y sin dudar yo sé que nueva vida en ti
> Tendremos siempre aquí.

2. Bendiciones puedes recibir,
   Si le entregas fiel tu vida a tu Salvador.
   Eres tú dichoso al decir:
   "A Jesús con fe yo siempre le seguiré".

Doris Akers. Tr., Adolfo Robleto. ©1962 Manna Music, Inc. Todos los derechos reservados. Usado con permiso.

260. SAGRADO ES EL AMOR

1. Sagrado es el amor que nos ha unido aquí,
   A los que oímos del Señor la fiel palabra, sí.

2. A nuestro Padre Dios, rogamos con fervor,
   Alúmbrenos la misma luz, nos una el mismo amor.

3. Nos vamos a ausentar, mas nuestra firme unión
   Jamás podráse quebrantar por la separación.

4. Concédenos, Señor, la gracia y bendición
   Del Padre, Hijo Redentor y del Consolador. Amén.

John Fawcett. Es traducción.

261. UN MANDAMIENTO NUEVO

1. Un mandamiento nuevo os doy:
   Que os améis unos a otros;
   Un mandamiento nuevo os doy:
   Que os améis unos a otros;
   Como yo os he amado, como yo os he amado,
   Que os améis también vosotros.
   Como yo os he amado, como yo os he amado,
   Que os améis también vosotros.

2. Amémonos de corazón y de labios no fingidos
   Amémonos de corazón y de labios no fingidos
   Para cuando Cristo venga,
   Para cuando Cristo venga estemos apercibidos.
   Para cuando Cristo venga,
   Para cuando Cristo venga estemos apercibidos.

3. ¿Cómo puedo yo orar resentido con mi hermano?
   ¿Cómo puedo yo orar resentido con mi hermano?
   Dios no escucha la oración,
   Dios no escucha la oración
   Si no estoy reconciliado.
   Dios no escucha la oración,
   Dios no escucha la oración
   Si no estoy reconciliado.

262. DIOS OS GUARDE EN SU SANTO AMOR

1. Dios os guarde en su santo amor;
   Con sus alas él os cubra,
   Y él os dé maná que nutra;
   Dios os guarde en su santo amor.

2. Dios os guarde en su santo amor,
   Si algún riesgo os acomete,
   Que en sus brazos os encuentre;
   Dios os guarde en su santo amor.

3. Dios os guarde en su santo amor;
   Que de Cristo, la bandera,
   Cubra vuestra vida entera:
   Dios os guarde en su santo amor.

4. Dios os guarde en su santo amor,
   Hasta el día que lleguemos
   A la Patria do estaremos
   Reunidos en paz y amor. Amén.

Jeremiah E. Rankin. Tr., P. Aguirre de la Barrera.
Usado con permiso.

263. MANDANOS LLUVIAS DE BENDICION

1. Mándanos lluvias de bendición,
   Es la plegaria del corazón;
   Lluvias de gracia y de salvación,
   Avívanos, oh Señor.

CORO

   Avívanos, oh Señor, llenándonos de tu amor,
   Colmándonos de fervor; ven, hazlo primero en mí.

2. Mándanos lluvias de santo amor
   Para poder guiar al pecador
   Hasta los pies del buen Redentor;
   Avívanos, oh Señor.

3. Mándanos lluvias de santidad
   Para vencer toda la maldad;
   Sólo buscamos tu voluntad,
   Avívanos, oh Señor.

4. Mándanos lluvias de tu poder,
   Gracia divina que llena el ser,
   Para, Señor, tu ley comprender,
   Avívanos, oh Señor.

264. CERCA, MAS CERCA

1. Cerca, más cerca, ¡oh Dios, de ti!
   Cerca yo quiero mi vida llevar;
   Cerca, más cerca, ¡oh Dios, de ti!
   Cerca a tu gracia que puede salvar,
   Cerca a tu gracia que puede salvar.

2. Cerca, más cerca, cuál pobre soy,
   Nada, Señor, yo te puedo ofrecer;
   Sólo mi ser contrito te doy,
   Pueda contigo la paz obtener,
   Pueda contigo la paz obtener.

3. Cerca, más cerca, Señor de ti,
   Quiero ser tuyo dejando el pecar;
   Goces y pompas vanas aquí,
   Todo, Señor, pronto quiero dejar,
   Todo, Señor, pronto quiero dejar.

4. Cerca, más cerca, mientras el ser,
   Aliente vida y busque tu paz;
   Y cuando al cielo pueda ascender,
   Ya para siempre conmigo estarás,
   Ya para siempre conmigo estarás.

Leila N. Morris. Tr., Vicente Mendoza.

265. LLUVIAS DE GRACIA

1. Dios nos ha dado promesa: lluvias de gracia
   enviaré;
   Dones que os den fortaleza; gran bendición os
   daré.

CORO

Lluvias de gracia, lluvias pedimos, Señor.
Mándanos lluvias copiosas, lluvias del Consolador.

2. Cristo nos dio la promesa del santo Consolador,
   Dándonos paz y pureza, para su gloria y honor.

3. Muestra, Señor, al creyente todo tu amor y poder;
   Tú eres de gracia la fuente, llena de paz nuestro
   ser.

4. Obra en tus siervos piadosos celo, virtud y valor,
   Dándonos dones preciosos, dones del Consolador.

Daniel W. Whittle. Es traducción.

266. DIOS DE GRACIA, DIOS DE GLORIA

1. Dios de gracia, Dios de gloria, danos presto tu
   poder;
   A tu amada iglesia adorna con un nuevo florecer.
   Danos luz y valentía
   En la hora del deber, en la hora del deber.

2. Hoy las fuerzas del maligno nos acosan sin cesar;
   De temor y duda, Cristo puede al alma resguardar.
   Danos luz y valentía
   Para nunca desmayar, para nunca desmayar.

3. Nuestros odios inhumanos cura con tu inmenso
   amor;
   Líbranos de goces vanos, sin conciencia o sin valor.
   Danos luz y valentía
   Frente a toda tentación, frente a toda tentación.

4. Guíanos por las más altas rutas de la santidad;
   Proclamando para el alma verdadera libertad.
   Danos luz y valentía
   Y firmeza en tu verdad, y firmeza en tu verdad.
                                                    Amén.

Harry Emerson Fosdick. Usado con permiso de Elinor F. Downs.
Tr. F.J. Pagura.

267. VEN, AVIVA MI ALMA CON PODER

1. Rindo a ti, Señor, mi pobre ser;
   Quiero hoy tu vida poseer,
   Más de tu divino amor tener,
   Oh, ven y aviva mi alma con poder.

CORO

   Ven, aviva mi alma con poder,
   Ven, aviva mi alma con poder.
   Tu poder divino llene hoy mi ser,
   Oh, ven y aviva mi alma con poder.

2. En tu voluntad tendré placer;
   Heme aquí, Señor, quiero vencer.
   Solamente en ti podré crecer,
   Oh, ven y aviva mi alma con poder.

3. Borra el vil pecado de mi ser,
   Toda escoria haz desvanecer,
   Tu abundante gracia quiero ver,
   Oh, ven y aviva mi alma con poder.

B.B. McKinney.©1925. Renovado 1952 Broadman Press.
Tr., Abel P. Pierson Garza.©1978 Broadman Press. Todos
los derechos reservados. Amparado por los derechos de
copyright internacional. Usado con permiso.

268. EL FUEGO SANTO

1. Oh Salvador, que el Fuego Santo
   Ardiera en cada corazón;
   Oye, pues anhelamos tanto
   Rendirte honor y adoración.

2. Oh purifica al pueblo tuyo
   Que te honre en perfecta unión;
   Que tu mandato sea suyo:
   A otros llevar tu salvación.

3. Tú eres la Fuente de agua viva;
   Tu aliento puede vida dar.
   Tu Llama Santa purifica,
   Nada la puede sofocar.

4. Que en armoniosa unión podamos
   En tu gran Reino trabajar,
   Hasta que al fin tu faz veamos
   Por todo el mundo iluminar.

Georg F. Fickert. Tr. al inglés, Esther Bergen.
Tr. al castellano, George P. Simmonds. ©1978
Casa Bautista de Publicaciones. Todos los derechos
reservados. Amparado por los derechos de copyright
internacional.

269. A TU IGLESIA, OH DIOS, DA VIDA

1. A tu iglesia, oh Dios, da vida,
   Tu poder en ella esté,
   Y cultiva en nuestras almas
   Por tu obra mucha fe.
   Renovamos nuestros votos
   De vivir, Señor, por ti;
   Nos libertan tu palabra y tu sangre carmesí.

2. Que tu iglesia fiel testigo
   Sea siempre de tu amor,
   Proclamando tu palabra,
   De este mundo alrededor.
   En los pueblos y ciudades
   Do hay gente con pesar,
   Y a todos tus verdades les queremos anunciar.

3. Haznos siervos muy conscientes
   Que podamos comprender,
   Que a todos nos hiciste
   Con tu mano de poder.
   Y haz que seamos compasivos
   De la gente en su sufrir,
   Pues sirviendo con cariño tu bondad podrán
      sentir.

4. Desafíanos, oh Padre,
   Al trabajo que hay que hacer,
   Pues tu iglesia, obediente
   Al Señor habrá de ser.
   Conocemos nuestra meta,
   Que es luchar con fe y amor,
   Porque Cristo sea siempre de este mundo el
      Señor.

270. CORONA A NUESTRO SALVADOR

1. Corona a nuestro Salvador, dulzura celestial;
   Sus labios fluyen rico amor
   Y gracia divinal, y gracia divinal.

2. En todo el mundo pecador no tiene Cristo igual,
   Y nunca ha visto superior
   La corte celestial, la corte celestial.

3. Me vio sumido en males mil, él pronto me
      auxilió;
   Por mí cargó la cruz tan vil,
   Mis penas él llevó, mis penas él llevó.

4. Me ha dado de su plenitud la gracia, rico don;
   Mi vida y alma en gratitud,
   Señor, ya tuyas son, Señor, ya tuyas son.

Samuel Stennett. Tr., George P. Simmonds. ©1967, renovado, George P. Simmonds. Todos los derechos reservados. Usado con permiso.

271. AVIVANOS, SEÑOR

1. Avívanos, Señor; sintamos el poder
   Del Santo Espíritu de Dios en todo nuestro ser.

CORO

   Avívanos, Señor, con nueva bendición;
   Inflama el fuego de tu amor en cada corazón.

2. Avívanos, Señor; tenemos sed de ti.
   La lluvia de tu bendición derrama ahora aquí.

3. Avívanos, Señor; despierta más amor,
   Más celo y fe en tu pueblo aquí, en bien del
   pecador.

Albert Midlane. Adap., Fanny J. Crosby. Tr., Enrique
S. Turrall.

272. TU OBRA AVIVA, OH DIOS

1. Tu obra aviva, oh Dios, tu brazo fuerza dé;
   Los muertos oigan ya tu voz, y da a tu pueblo fe

CORO

   Aviva, Señor; derrama lluvias hoy.
   La gloria tuya toda es, y el gozo es de tu mies.

2. Tu obra aviva, oh Dios, que no haya más dormir,
   Queremos ir de ti en pos y tu poder sentir.

3. Tu obra aviva, oh Dios: tu nombre excelso es.
   Y el fuego de tu santa voz nos queme otra vez.

Albert Midlane. Tr., Daniel Díaz R. ©1978 Casa Bautista de
Publicaciones. Todos los derechos reservados. Amparado por los
derechos de copyright internacional.

273. VIDA NUEVA EN JESUS

1. Jesús el Hijo eterno del mal te librará,
   Pureza y vida nueva con gozo te dará.

¡Bendita vida nueva en Jesús!
Será tu Salvador y Rey, si crees en él.

2. Por fe en Jesucristo tendrás la redención;
Tu Dios se ha revelado en la encarnación.

3. Su amor incontenible alcanza a todo aquel
Que a Cristo confesare y rinde todo a él.

4. Testigos de su causa, dispuestos a sufrir;
A Cristo reflejamos en nuestro fiel vivir.

274. VEN TU, ¡OH REY ETERNO!

1. Ven tú, ¡oh Rey eterno! La marcha suena ya;
Al campo de combate tu voz nos enviará;
Tu gracia, al prepararnos, nos fortalecerá,
Y en entusiasmo santo un himno vibrará.

2. Ven tú, ¡oh Rey eterno! El mal a combatir;
En medio de la lucha tu paz haznos sentir;
Pues no con las espadas ni con el dardo vil,
Mas con amor y gracia tu reino ha de venir.

3. Ven tú, ¡oh Rey eterno! Marchamos sin temor;
Doquier tu rostro alumbra hay júbilo y valor.
Tu cruz nos ilumina; ampáranos tu amor,
Y celestial corona aguarda al vencedor.

Ernest W. Shurtleff. Tr., A. Archilla.

275. LO DEBES COMPARTIR

1. Con una sola chispa se enciende un fuego,
   Y los de alrededor caliéntanse muy luego;
   Así es el amor de Dios, esto al experimentar,
   Y este amor hay que esparcir:
   Lo debes compartir.

2. Las matas al brotar en bella primavera;
   Las aves al cantar, las flores al abrirse
   Nos hablan del amor de Dios, y esto al
     experimentar,
   A todos lo has de repetir:
   Lo debes compartir.

3. Deseo para ti, mi amigo, este gozo;
   Confía en Dios así, y hallarás reposo;
   De las montañas gritaré, el gran mensaje de amor,
   Que a todos hay que repetir:
   Lo debes compartir.
   De las montañas gritaré, el gran mensaje de amor,
   Que a todos hay que repetir:
   Lo debes compartir.

Kurt Kaiser. ©1969 Lexicon Music, Inc. ASCAP.
Tr., Marjorie J. de Caudill. Todos los derechos reservados.
Amparado por los derechos de copyright internacional. Usado
con permiso especial.

276. EL MUNDO ES DEL SEÑOR

1. El mundo es del Señor: su obra comenzó;
   Millones de almas oirán la voz del Salvador.
   Por Cristo el Redentor iremos sin tardar;
   Constríñenos su santo amor que salva al pecador.

CORO

   Ofrendad y orad. Fieles sed en testificar:
   Los millones que en el mundo están vendrán
      al Salvador.

2. El mundo es del Señor: su muerte nos salvó;
   Millones en pecado vil, en él tendrán salud.
   Mas nunca escucharán las nuevas de solaz;
   Sin nuestra ofrenda de amor jamás verán su luz.

3. El mundo es del Señor: sus siervos por doquier
   Proclaman su mensaje fiel, "Salud al pecador."
   Si yo no puedo ir sus nuevas a esparcir,
   Testigo fiel aquí seré, por ellos oraré.

277. ORIENTE NI OCCIDENTE

1. Oriente ni occidente hay en Cristo y su bondad,
   Incluida en su amor está la entera humanidad.

2. En Dios los fieles al Señor su comunión tendrán,
   Y con los lazos de su amor al mundo ligarán.

3. ¡De razas no haya distinción, obreros de la fe!
   El que cual hijo sirve a Dios, hermano nuestro es.

4. Oriente y occidente en él se encuentran; y su
     amor
   Unió a las almas por la fe en santa comunión.

John Oxenham. Tr., J.R. de Balloch.

278. LAS NUEVAS DAD

1. En Belén Jesús nació,
   Las nuevas dad, las nuevas dad;
   Para nuestro bien vivió,
   Las nuevas dad, las nuevas dad.

CORO

Presto decid, presto decid
Nuevas de amor: llegó Jesús;
Las nuevas dad, las nuevas dad.
A todos hoy las nuevas dad.

2. Hombre fue el Señor Jesús,
   Las nuevas dad, las nuevas dad;
   Vino a darnos vida y luz,
   Las nuevas dad, las nuevas dad.

3. El resucitó y subió,
   Las nuevas dad, las nuevas dad;
   Vivirá el que creyó,
   Las nuevas dad, las nuevas dad.

4. Cristo vive en el mundo aún,
   Las nuevas dad, las nuevas dad;
   El, la fuente es de salud,
   Las nuevas dad, las nuevas dad.

279. OH, RUEGOTE, SEÑOR, ME ENSEÑES

1. Oh, ruégote, Señor Jesús,
   Que tú me enseñes siempre a hablar
   Con eco vivo de tu voz
   A los que vagan sin tu paz.

2. Enséñame, Señor Jesús;
   Y haz que pueda yo enseñar
   Palabra tuya, pura luz,
   Que al alma hambrienta vida da.

3. Oh, lléname, Señor Jesús,
   De gracia y de tu gran poder;
   Y así yo pueda alrededor
   Tu santa influencia derramar.

4. Ocúpame, Señor Jesús,
   Tal como quieras y doquier;
   Que al fin la gloria de tu faz
   En tu presencia pueda ver. Amén.

Frances R. Havergal. Tr., J.R. de Balloch.

280. LEJOS ESTAN VIVIENDO EN EL PECADO

1. Lejos están viviendo en el pecado
   Millones de almas en la perdición:
   ¿Quién con valor al mundo ha proclamado
   De Jesucristo la gran salvación?

CORO

"Me es dada toda autoridad,
Me es dada toda autoridad:
Id a predicar al mundo el evangelio,
Yo estoy con vosotros siempre."

2. Ved cómo están las puertas ya abiertas
   Para que entréis por ellas con valor;
   Con vuestras fuerzas en unión y alertas,
   El evangelio dad al pecador.

3. "¿Por qué morir?", la voz de Dios os llama;
   "¿Por qué morir?" al mundo preguntad.
   Cristo murió, pues él a todos ama;
   La vida eterna ahora anunciad.

4. Y llegará el día cuando el mundo
   Gloria dará en triunfos al Señor;
   La salvación dará un placer profundo:
   Cristo es el Rey y nuestro Salvador.

James McGranahan. Tr., Pablo Filós. ©1978 Casa Bautista de Publicaciones. Todos los derechos reservados. Amparado por los derechos de copyright internacional.

281. ¡OH ALZAD VUESTROS OJOS!

1. Miles hay en lejanas regiones
   Que por sendas oscuras hoy van.
   El Señor aún anhela salvarles:
   Vé, tú pues, la semilla a sembrar.

CORO

   ¡Oh alzad vuestros ojos a los campos!
   La bendita Palabra sembrad.
   De amor y de fe inflamados,
   Ricos frutos Jehová os dará.

2. ¿Cuántos hay que se van a la muerte
   Sin saber esta nueva eternal?
   Vida, fuerza, talentos y bienes
   Dios os brinda, ¡salid y luchad!

3. Pronto el día se irá para siempre
   Y la magna ocasión pasará.
   Presto id, el mensaje es urgente,
   Que el Señor con poder os guiará.

282. AMA A TUS PROJIMOS

1. Ama a tus prójimos, piensa en sus almas,
   Diles la historia del buen Salvador;
   Cuida del huérfano, hazte su amigo;
   Cristo es Padre y fiel Salvador.

CORO

   Habla al incrédulo, mira el peligro;
   Dios le perdonará, Dios le amará.

2. Aunque recházanle, tiene paciencia
   Hasta que puédales dar la salud;
   Venle los ángeles cerca del trono;
   Vigilaránles con solicitud.

3. Habla a tus prójimos, Cristo te ayuda;
   Dios, fortaleza, gustoso dará;
   El te bendecirá en tus esfuerzos,
   A gloria eterna él te llevará.

Fanny J. Crosby. Tr., P.H. Goldsmith.

283. ENVIAME, SEÑOR

1. Señor Jesús, me entrego a ti,
   Me entrego en verdad;
   Tu Espíritu me reveló
   La gran necesidad.

CORO

   Envía, envíame, Señor.
   La mies es mucha y grande la labor;
   Mas constreñido por tu amor
   Quiero servirte, buen Salvador.

2. Amigos quieren impedir
   Que yo me entregue hoy,
   Mas Cristo su promesa da,
   "Contigo siempre estoy."

3. Ningún placer jamás habrá
   Mayor que proclamar
   El evangelio de su amor:
   El mundo por salvar.

Wilda de Savage. ©1942. Renovado 1970 Wilda de Savage.
Asignado a Singspiration, Inc. Tr., Juan J. Cristiansen.
Tr. ©1955 Singspiration, Inc. Todos los derechos reservados.
Usado con permiso.

284. LA HISTORIA DE CRISTO DIREMOS

1. La historia de Cristo diremos,
   Que dará al mundo la luz,
   La paz y el perdón anunciamos,
   Comprados en cruenta cruz,
   Comprados en cruenta cruz.

CORO

Nos quitó toda sombra densa,
Alejó nuestra oscuridad,
El nos salvó, nuestra paz compró,
Nos dio luz y libertad.

2. La historia de Cristo cantemos,
   Melodías dulces cantad.
   Un tono alegre tendremos,
   De Cristo en Navidad,
   De Cristo en Navidad.

3. La historia de Cristo daremos,
   Al mortal que va sin su amor:
   "Que Dios dio a su Hijo", diremos,
   "Y hallamos en él favor,
   Hallamos en él favor."

4. A Jesús todos confesaremos,
   El nos dio su gran salvación,
   Por él al Señor dirigimos,
   Con fe toda oración,
   Con fe toda oración.

H. Ernest Nichol. Tr., Enrique Sánchez.

285. ID Y DAD LAS NUEVAS

1. "Id y dad las nuevas": Dios a su Hijo dio.
   De una virgen vino; gracia él mostró.
   El por mi pecado muerto fue en la cruz,
   Pero un día en gloria ha de volver Jesús.

2. "Id y dad las nuevas", orden es de Dios;
   Por el mundo entero oigase su voz.
   No busquéis conflictos; nunca claudiquéis,
   Pues si así vencieréis, corona allá tendréis.

3. "Id y dad las nuevas" por el mundo aquí;
   Cristo es quien os dice: "Yo os escogí".
   Sin dudar, haciendo fiel su voluntad,
   De Jesús, las nuevas, al mundo hoy llevad.

Bo Baker. ©1964 Richard D. Baker. Todos los derechos reservados. Usado con permiso. Tr., Adolfo Robleto. ©1978 Casa Bautista de Publicaciones. Todos los derechos reservados. Amparado por los derechos de copyright internacional.

286. SALGAMOS, FIELES, A ANUNCIAR

1. Salgamos, fieles, a anunciar de Dios la salvación.
   ¡Su reino viene, llega ya con cántico triunfal!
   De Dios brindemos la salud que Cristo predicó,
   Su gran poder transformador levanta al que cayó.

2. Salgamos hoy a proclamar: los pies benditos son
   De los que al mundo anuncian paz. Cual Cristo el
     Salvador,
   Proclamaremos libertad por toda la extensión;
   Marchemos con valor y fe, que Dios guiando está.

3. El alba enciende su arrebol al paso de Jesús,
   Que espera nuestra decisión, ¿y quién irá tras él?
   Feliz aquel que recibió de Dios la comisión;
   Y cumple cual obrero fiel de Dios la voluntad.

4. De Dios hablemos la verdad, henchidos de su luz;
   Salgamos todos a anunciar la gloria de la cruz.
   Movidos por divino afán glorioso es trabajar;
   La mies dorada, ¡a segar! ¡Jesús delante va! Amén.

G.V. de Rodríguez

287. ENVIAME A MI

1. Dios de poder, oh Dios de luz, oh Santo Espíritu,
   Haz que tu iglesia firme esté sirviendo por doquier.
   A quien rebelde es aun hoy hacerlo pueda Rey,
     Señor;
   Y a quienes vea sucumbir, envíame a mí.

2. Tu santo fuego enciende en mí y da poder, y así
   Tu santa luz haré brillar y sombras disipar.
   Cuando otros sientan gran pesar si pierden algo
     terrenal,
   Ganancia es morir por ti. Envíame a mí.

3. Haz, oh Señor, que pueda yo ser digno portador
   Del santo amor que al hombre das, hoy y en la
     eternidad.
   Que sea esta mi canción: mis culpas él por mí
     sufrió.
   Y al ver su cruz, exclamé así: envíame a mí.

288. HAZ ARDER MI ALMA

1. Haz arder mi alma en tu ley, Señor,
   Y tu voz divina pueda yo escuchar;
   Muchos en tinieblas siguen el error,
   Quiero con tu gracia hoy testificar.

CORO

   Haz arder mi alma, hazla arder, oh Dios;
   Hazme un testigo de tu salvación.
   Muchos en tinieblas claman por tu voz:
   Haz arder mi alma con tu compasión.

2. Haz arder mi alma por el pecador,
   Tu pasión yo sienta para trabajar.
   Llena hoy mi vida con tu santo amor
   Y seré obediente a tu voluntad.

3. Haz arder mi alma en virtudes hoy,
   Pues errante andaba en mi necedad;
   Nada es importante más que tú, Señor,
   Hazme fiel testigo de tu gran verdad.

289. DE SU ALTO SOLIO CELESTIAL

1. De su alto solio celestial
   Cristo al mundo atento ve:
   Las obras todas del mortal
   En dondequiera el hombre esté.

2. ¿Oh quién podrá permanecer
   En la presencia de su luz?
   El que obras buenas suele hacer
   Según la orden de Jesús.

3. El hombre que buscó su faz,
   Con él por siempre vivirá;
   De él tendrá perfecta paz,
   Y gracia y luz de él tendrá.

4. Jesús nos da sostén muy fiel,
   Y nuestra gran seguridad;
   Se salvará quien fía en él
   Hoy y por la eternidad. Amén.

Juan N. de los Santos

290. CANTA A DIOS CON ALEGRIA

1. Canta a Dios con alegría el mensaje del Señor,
   De la verdadera vida que nos da con tanto amor.
   Cada historia de la Biblia nos relata su poder;
   Démosle nuestra alabanza, demos todo nuestro ser.

2. Nuestro Dios, te agradecemos tu sin par revelación;
   Prometemos ser testigos a nuestra generación.
   Tu evangelio anunciaremos a la inmensa
      humanidad;
   Tu palabra llevaremos al hacer tu voluntad.

3. Cristo nos dejó un mandato en su hora de triunfar,
   Y nos pide todavía ir al mundo y predicar.
   Que los hombres todos sepan de Jesús y su
      bondad,
   Que su amor sincero y puro quiere darles libertad.

Georgia Harkness. ©1966 The Hymn Society of America.
Tr., Jorge Sedaca. ©1978 Casa Bautista de Publicaciones. Todos
los derechos reservados. Amparado por los derechos de copyright
internacional.

291. JEHOVA ES MI LUZ Y MI SALVACION

1. Jehová es mi luz y mi salud;
   ¿De quien pudiera yo temer?
   ¿Por qué vivir en la inquietud
   Si es él la fuerza de mi ser?

2. Si alzare el enemigo cruel
   De guerra campo contra mí:
   Temer no debo porque en él
   Defensa firme siempre vi.

3. El en su tienda me dará
   La más segura protección,
   Y en alta roca me pondrá,
   A salvo así de destrucción.

4. Mi frente entonces alzaré,
   Del enemigo libre ya;
   Y en cantos mil que entonaré
   Mi gratitud se mostrará.

Vicente Mendoza

292. ¡OH CRISTO DE INFINITO AMOR!

1. ¡Oh Cristo de infinito amor!
   Que por traer de Dios la luz
   A toda raza y nación
   Tu vida diste en una cruz;
   ¡De nuevo muestra tu poder,
   Que libre al hombre puede hacer!

2. Los muros de los pueblos son
   Tan sólo ruinas del ayer;
   Las puertas se abren para dar
   Entrada a un nuevo amanecer.
   ¡Enséñanos a proclamar
   Tu amor, por cielo, tierra y mar!

3. Oímos la palpitación
   De nueva vida, que al surgir,
   Cadenas crueles de opresión
   Potente quiere destruir.
   ¡De tu Palabra hay sed, Señor,
   Por todo el mundo en derredor!

4. Paciente, en medio del error,
   Tu Espíritu velando está,
   Y quiere guiarnos a la luz
   De tu justicia y tu verdad.
   ¡Enciende en nuestro corazón,
   Para servirte, más pasión! Amén.

Frank Mason North. Tr. y adap., F.J. Pagura.

293. MIL GRACIAS POR TU ORDEN

1. Mil gracias por tu orden que siempre es igual:
   Decir el evangelio que sana todo mal.
   Que todos los esfuerzos de hoy tu obra hacer,
   Conduzcan a los hombres a Cristo obedecer.

2. Por los que hoy predican tu amor tan santo y fiel,
   El evangelio santo que anuncia a Emanuel:
   Pedimos los bendigas, también al que oíra,
   Que sepan que la gloria abierta ya está.

3. A tus maestros dales sabiduría y luz,
   Y con entendimiento nos hablen de Jesús.
   Que así los hombres todos más hambre sentirán:
   Viniendo a Jesucristo quien es el vivo pan.

4. Cumpliendo tu mandato de ir a predicar,
   Que las generaciones se quieran congregar.
   Y nuestro gran esfuerzo reflejará tu amor,
   Y así los reinos todos serán del Salvador.

Ernest K. Emurian. ©1968 Ernest K. Emurian. Usado con permiso.
Tr., Daniel Díaz R.

294. VAMOS A SEMBRAR

1. En la madrugada el santo evangelio
   Sembraremos siempre con amor y fe;
   Al pasar el tiempo, luego las gavillas
   Hemos de llevar al Dueño de la mies.

CORO

   Vamos a sembrar, vamos a sembrar,
   Vamos a sembrar semilla del amor;
   Luego al cosechar, luego al cosechar,
   Las gavillas llevaremos al Señor.

2. Aunque haga sol y aunque haga sombra,
   Siempre sembraremos con gran devoción;
   Y allá veremos fruto del trabajo:
   Almas disfrutando eterna redención.

3. Mucho es el trabajo de sembrar la tierra
   Con el evangelio de la salvación;
   Para los obreros fieles Dios promete
   Que recibirán eterno galardón.

Knowles Shaw. Tr. H.C. Ball y George P. Simmonds.
©Copyright 1979, Cánticos Escogidos. Todos los derechos
reservados. Usado con permiso.

295. ASI OS MANDO YO

1. Al mundo id, a realizar la obra,
   Id a servir en medio del dolor;
   Desprecio habrá y burlas y congojas,
   "Mas hay que ir", nos dice el Señor.

2. Al mundo id, cumplid vuestros ideales,
   Y renunciad al goce terrenal;
   A trabajar do reinan las maldades,
   Os ruego ir en actitud leal.

3. Al mundo id, con soledad y ansias,
   Sintiendo hambre en vuestro corazón;
   Sin más hogar, ni amigos ni familia:
   Yo os daré mi amor y bendición.

4. Al mundo id, de odio y rencillas,
   Do ciegos hay, porque no quieren ver,
   Y allí gastad humildes vuestras vidas,
   Que el Calvario vuestro ha de ser.
   Como el Padre me envió, os envío yo.

E. Margaret Clarkson. Tr., Adolfo Robleto. Tr. ©1978
Singspiration, Inc. Todos los derechos reservados. Usado con permiso.

296. SEÑOR, TU ME LLAMAS

1. Señor, tú me llamas por mi nombre desde lejos;
   Por mi nombre cada día tú me llamas.
   Señor, tú me ofreces una vida santa y limpia;
   Una vida sin pecado, sin maldad.

Señor, nada tengo para darte;
Solamente te ofrezco mi vida para que la uses tú.
Señor, hazme hoy un siervo útil
Que anuncie el mensaje, el mensaje de la cruz.

2. Señor, tú me llamas por mi nombre desde lejos,
Por mi nombre cada día tú me llamas.
Señor, yo acudo a tu llamado a cada instante,
Pues mi gozo es servirte más y más.

3. Señor, tú me llamas por mi nombre desde lejos;
Por mi nombre cada día tú me llamas.

297. CRISTO ES MI CANCION

1. Cristo es mi canción que al mundo canto hoy
Con fiel amor;
Al que llorando está porque muy triste va,
Jesús le sanará de su dolor.

2. Cristo es mi canción que al mundo canto hoy
Con oración;
Al hombre malo y vil que gime en gran sufrir,
Lo vino a redimir el Salvador.

3. Cristo es mi canción que al mundo canto hoy
Con otros, sí;
Unidos en amor luchamos con valor,
Llevando del Señor su cruz aquí.

4. Cristo es mi canción que al mundo canto hoy
   Con gran placer;
   Las almas que sin luz se acercan a Jesús,
   La vida por su cruz podrán tener.

298. YO IRE DE LA TIERRA HASTA EL FIN

1. Escucho llantos de dolor, de niños el clamor,
   Que hacen llorar; guerras mil contemplo por
      doquier;
   Y veo que la humanidad no ama el vivir;
   Gentes sin la plenitud del gozo del Señor.

CORO

   Yo iré; yo iré de la tierra hasta el fin,
   Llevaré tu verdad de la tierra hasta el fin.
   Que tu amor y tu paz des a la humanidad;
   Yo iré de la tierra hasta el fin.

2. Veo la desesperación del mundo en derredor;
   Gentes que el amar de Dios no gozan en su ser.
   Hoy sé que debo ministrar a todos por doquier,
   Y gozoso compartir la gracia del Señor.

299. ¡OH MI DIOS, OH REY ETERNO!

1. ¡Oh mi Dios, oh Rey eterno! tu poder se
      extenderá;
   En los cielos y en la tierra para siempre reinarás.
   A sus hijos, a sus hijos Dios la vida eterna da.

2. "Admirable, Consejero, Príncipe de paz", vendrás:
   A los pueblos de la tierra tu evangelio llenará;
   Y las islas, y las islas tu perenne luz verán.

3. Ved la luz que se levanta sobre toda la nación;
   "Id y doctrinad", tú dices, y tus siervos van
      doquier
   Predicando, predicando tu gloriosa salvación.

4. Tú, ¡oh Cristo!, nos ayudas; con tu iglesia siempre
      estás;
   Sólo en ti, Señor, confiamos, no nos dejes
      desmayar;
   Tú diriges, tú diriges, y tu reino triunfará.

300. MI DIOS, SEÑOR DEL MUNDO

1. Une Dios el universo. Base es Jesús, Señor y Rey.
   Testigo singular de fe es mi cantar del corazón.

CORO

   Mi Dios, Señor del mundo,
   Su amor a mi alma otorga,
   Amplio es su poder; rescató mi ser
   Mi Dios, Señor del mundo.

2. Une Dios a los humanos; Cristo resucitó Señor.
   Por gracia dio mi salvación, es mi cantar del
   corazón.

3. Une Dios a los creyentes; mi Dios es de los reyes
   Rey.
   Testigos somos de su amor. Es mi cantar del
   corazón.

301. POR VEREDAS EXTRAVIADAS MAL HALLE

1. Por veredas extraviadas, ¡dulce Salvador!
   Mi alma, en busca de reposo, encontró dolor.

2. Sólo en mi poder confiado, la verdad busqué,
   Y tan sólo error y fraude por mi mal hallé.

3. Tengo sed de vida eterna, quiero en ti beber;
   Lejos yo de tu presencia voy a perecer.

4. A los pies de Jesucristo yo postrado estoy;
   Habla, oh Señor, a mi alma, que tu siervo soy.
   Amén.

Ramón Bon

302. APRISA, ¡SION!

1. Aprisa, *¡Sion!, que tu Señor espera;
   Al mundo entero di que Dios es luz;
   Que el Creador no quiere que se pierda
   Una sola alma, lejos de Jesús.

CORO

    Nuevas proclama de gozo y paz,
    Nuevas de Cristo, salud y libertad.

2. Ve cuántos miles yacen retenidos
   Por el pecado en lóbrega prisión;
   No saben nada de él que ha sufrido
   En vida y cruz por darles redención.

3. A todo pueblo y raza, fiel, proclama
   Que Dios, en quien existen, es amor;
   Que él bajó para salvar sus almas;
   Por darles vida, muerte él sufrió.

4. Tus hijos da, que lleven su palabra;
   Y con tus bienes hazlos proseguir.
   Por ellos tu alma en oración derrama,
   Que todo Cristo te ha de retribuir.

Mary Ann Faulkner de Thomson. Tr., Alejandro
Cativiela. *Joel 2:1. La palabra Sion, como se usa en
el himno, significa el pueblo de Dios.

303. ENTRE EL VAIVEN DE LA CIUDAD

1. Entre el vaivén de la ciudad,
   Más fuerte aún que su rumor;
   En lid de raza y sociedad,
   Tu voz oímos, Salvador.

2. Doquiera impere explotación,
   Falte trabajo, no haya pan;
   En los umbrales del terror,
   Oh Cristo, vémoste llorar.

3. Un vaso de agua puede ser
   Hoy, de tu gracia, la señal;
   Mas ya las gentes quieren ver
   Tu compasiva y santa faz.

4. Salva, oh Cristo, con poder
   A la sufriente humanidad;
   Si con amor lo hiciste ayer,
   Camina y vive en mi ciudad.

5. Hasta que triunfe tu amor
   Y el mundo pueda oír tu voz.
   Y de los cielos, oh Señor,
   Descienda la Ciudad de Dios. Amén.

Frank Mason North. Es traducción.

304. AMOR ES

1. La gente de nuestro tiempo
   No sabe lo que es el amor;
   Que vive perdiendo el tiempo,
   Buscando y sin encontrar.

CORO

Amor es el entregarse en alma y cuerpo a la
   humanidad.
Vivir siempre sirviendo, sin que tú esperes algo
   para ti.

2. En Cristo yo he encontrado
   Ejemplo de paz y de amor.
   La muerte del crucificado
   Me cuenta de su gran amor.

3. Y siempre debes hablar que
   En Cristo hay salvación,
   Llevando este mensaje
   De muerte y resurrección.

305. EN TI, JESUS, DULCE ES PENSAR

1. En ti, Jesús, dulce es pensar; a mi alma trae solaz.
   En ti cuán dulce es descansar, y contemplar tu faz.

2. Jesús, no puede el ser mortal más dulce nombre
   hallar.
   No puede el ángel otro igual al tuyo pronunciar.

3. Dulce esperanza, compasión, y gozo pleno das,
   Al penitente corazón que a ti buscando va.

4. Sólo él que te halla entenderá lo grande de tu
   amor;
   Pues lengua no hay que explicará lo que eres, oh
   Señor.

Autor anónimo. Tr. al inglés, Edward Caswall; tr. al castellano, George P. Simmonds. ©1955 George P. Simmonds. Todos los derechos reservados. Usado con permiso.

306. TIENDE TU MANO

1. Tiende tu mano al que sufre hambre;
   Tiende tu mano al que está en dolor;
   Tiende tu mano al que está destruido,
   A un solitario, con amor.
   Tiende tu mano al que te odia;
   Tiende tu mano aun al extraño;
   Tiende tu mano al necesitado,
   Tiende tu mano con la fe puesta en Dios.

2. Tiende tu mano al hombre que sufre;
   Tiende tu mano al que vive en afán;
   Tiende tu mano aun cuando sufras
   De muchos dolores en tu ser.
   Tiende tu mano y da paz y amor.
   Haz un hogar al desamparado;
   Lleva la cruz al mundo en tinieblas,
   Tiende tu mano con la fe puesta en Dios.

307. MAS CERCA, OH DIOS, DE TI

1. Más cerca, oh Dios, de ti anhelo estar,
   Aunque una acerba cruz háyame de alzar.
   Será mi canto aquí: ¡más cerca, oh Dios de ti!
   ¡Más cerca, oh Dios, de ti, más cerca, sí!

2. Si peregrino soy, y de ansiedad
   Me llena, puesto el sol, la oscuridad,
   Mi sueño aun así ha de llevarme a ti.
   ¡Más cerca, oh Dios, de ti, más cerca, sí!

3. Y luego al despertar, te alabaré;
   De gracias, un altar te levantaré;
   Allí mi corazón eleve su oración.
   ¡Más cerca, oh Dios, de ti, más cerca, sí!
                                     Amén.

Sarah F. Adams. Tr., J.B. Cabrera.

308. DEL SEÑOR EL PUEBLO SOMOS

1. Del Señor el pueblo somos, lo mostramos por su
     amor.
   Somos uno en espíritu, de esperanza la señal.
   Demostremos nuestro cambio que operó el
     Salvador,
   Y gocemos todos juntos de su trono alrededor.

2. Del Señor sus siervos somos, trabajamos para él;
   Su trabajo realizamos obedientes a su ley.
   Hoy seguimos su bandera y actuamos con tesón,
   Ocupados en la obra que reclama fiel acción.

3. Del Señor profeta somos, y anunciamos la verdad;
   La justicia defendemos con limpieza, claridad.
   Y valientes avanzamos a cumplir con el deber,
   Porque así el mundo puede a Jesús bien conocer.

Thomas A. Jackson. ©1975 Broadman Press. Todos los derechos reservados. Tr., Daniel Díaz R. ©1978 Broadman Press. Todos los derechos reservados. Amparado por los derechos de copyright internacional. Usado con permiso.

309. QUIERO SER LEAL

1. Quiero ser leal, por los que en mí confían;
   Por los que me aman, puro quiero ser;
   Fuerza tener, pues mucho ha de sufrirse;
   Tener valor, pues mucho hay que emprender.

2. Quiero de todos ser el fiel amigo;
   Dar olvidando luego lo que di;
   Como soy débil, quiero ser humilde;
   La vista alzar, reír, amar, servir.

3. Dame, Señor, virtud, pureza y fuerza;
   Dame valor, templanza y humildad;
   Dame el amor que da y ayuda y sirve;
   Hazme vivir según tu voluntad. Amén.

310. ME SEREIS SANTOS

"Me seréis santos", dice Dios,
"Pues yo soy santo, santo."
"Me seréis santos", dice Dios,
"Pues yo soy santo, santo."
"Y os santificaréis a Dios, y sed santos,
Pues yo soy santo."
"Y os santificaréis a Dios, y sed santos,
Pues yo soy santo."
"Y con vosotros yo iré y seré tu Dios;
Y con vosotros yo iré,
Y así seréis mi pueblo."
"Me seréis santos", dice Dios,
"Pues yo soy santo, santo."
"Me seréis santos", dice Dios,
"Pues yo soy santo, santo."

311. OH DIOS, MI SOBERANO REY

1. Oh Dios, mi Soberano Rey, a ti daré loor;
   Tu nombre yo ensalzaré, Santísimo Señor.

2. Tus obras evidencias son de infinito amor;
   Y cantan con alegre voz las glorias del Señor.

3. Aquel que busca salvación, en Cristo la hallará;
   A su ferviente petición, él pronto atenderá.

312. TEN COMPASION DE MI

1. Ten compasión de mí, Señor,
   Y muéstrame tu gran amor;
   Haz manifiesta tu bondad,
   Y lávame de mi maldad;
   Mi alma dígnate limpiar,
   Y no me dejes más pecar.

2. Tan sólo contra ti pequé;
   Culpable soy, Señor, lo sé;
   Fue en pecado que nací,
   Y por herencia recibí
   Un obstinado corazón,
   Dispuesto a toda transgresión.

3. Perdona, pues, y lávame,
   Que limpio de maldad seré;
   Y dame un nuevo corazón,
   Mostrándome tu salvación;
   Entonces alzará mi voz
   Eternas glorias a mi Dios. Amén.

Henry G. Jackson

313. LOS QUE ESPERAN EN JEHOVA

1. Los que esperan en Jehová
   Nuevas fuerzas poseerán;
   Caminando sin descansar,
   Nunca se fatigarán.

CORO

Cual las águilas alzarán,
Con el poder de Cristo el Rey;
Fuertes alas para volar,
Los que esperan en Jehová.
Cual las águilas alzarán,
Con el poder de Cristo el Rey;
Fuertes alas para volar,
Los que esperan en Jehová.

2. En los brazos de mi Jesús,
   Hay lugar de consuelo y luz;
   El nos brinda su gozo y paz
   En el sitio de solaz.

Alfredo Colom M. ©1956 Roberto C. Savage. Asignado a Singspiration, Inc. Todos los derechos reservados. Usado con permiso.

314. DIOS, YO QUIERO SER CRISTIANO

1. Dios, yo quiero ser cristiano de corazón, de corazón.
   Dios, yo quiero ser cristiano de corazón.
   De corazón, de corazón,
   Dios, yo quiero ser cristiano de corazón.

2. Dios, yo quiero ser más santo de corazón, de
   corazón.
   Dios, yo quiero ser más santo de corazón.
   De corazón, de corazón,
   Dios, yo quiero ser más santo de corazón.

3. Dios, yo quiero ser más limpio de corazón, de
   corazón.
   Dios, yo quiero ser más limpio de corazón.
   De corazón, de corazón,
   Dios, yo quiero ser más limpio de corazón.

4. Dios, yo quiero amarte siempre de corazón, de
   corazón.
   Dios, yo quiero amarte siempre de corazón.
   De corazón, de corazón,
   Dios, yo quiero amarte siempre de corazón.

Adap., John W. Work, h. y Frederick J. Work. Tr. Arnoldo
Canclini.

315. MAS DE JESUS QUIERO APRENDER

1. Más de Jesús quiero aprender,
   Más de su gracia conocer,
   Más de su amor con que me amó,
   Más de su cruz en que murió.
   Más quiero amarle; más quiero honrarle;
   Más de su salvación gozar,
   Más de su dulce amor gustar.

2. Más de Jesús quisiera hablar,
   Más de su comunión gozar;
   Más de sus dones recibir,
   Más con los otros compartir.
   Más quiero amarle; más quiero honrarle;
   Más de sus dones recibir,
   Más con los otros compartir.

3. Más de Jesús ansío ver,
   Más de su hermoso parecer;
   Más de la gloria de su faz,
   Más de su luz, más de su paz.
   Más quiero amarle; más quiero honrarle;
   Más de la gloria de su faz,
   Más de su luz, más de su paz.

Eliza E. Hewitt. Es traducción.

316. DIOS DE AMOR, TE IMPLORAMOS

1. Dios de amor, humildemente
   Te imploramos con tesón:
   Limpia los motivos nuestros;
   Danos purificación.
   Consagrados a ti, Cristo,
   Te queremos hoy servir;
   Usa para gloria tuya
   Nuestro esfuerzo por instruir.

2. Cuando estemos indecisos
   Y sin luz o dirección,
   Danos tu sabiduría;
   Oye nuestra petición.
   Que vivamos esperando
   Que tu plan indicarás,
   Que las dudas cual las nubes
   Tu luz ahuyentará.

3. Si bendices las lecciones
   Premio grato nos será,
   Pues es nuestro solo anhelo
   Tu gran nombre celebrar;
   Toma nuestras aptitudes,
   Sean para tu loor;
   Que seamos siervos dignos
   En el Reino del Señor.

317. A JESUS PERTENECEMOS

1. A Jesús pertenecemos; nos debemos alegrar:
   Que el gran Dios de cielo y tierra
   El nos crio; sabrá guardar.

2. A Jesús pertenecemos; por nosotros él murió:
   Con el precio de su sangre
   De la muerte nos libró.

3. A Jesús pertenecemos; confiamos siempre en él:
Y su Espíritu nos lleva
Por sus sendas, guía fiel.

4. A Jesús pertenecemos; redimidos por su amor:
Y a Dios Trino y Uno damos
Gloria, bendición y honor.

J. B. Cabrera

318. QUIERO SEGUIR

1. Quiero seguir de Cristo en pos
Porque él me guía fiel;
Y a los que están sin fe, sin Dios,
Llevarlos quiero a él.

CORO
Quiero seguirle por doquier,
Siempre le he de servir;
Y a los perdidos quiero ver
Por fe a él venir.

2. El santo amor me inspira a mí
Al buen Jesús llevar:
A los que están sufriendo aquí
En noches de pecar.

3. El llanto oí del mundo cruel;
Yo tengo que ayudar.
Y en el servicio serle fiel
A quien vino a salvar.

Oswald J. Smith. Tr., Daniel Díaz R. ©1978 Casa Bautista de Publicaciones. Todos los derechos reservados. Amparado por los derechos de copyright internacional.

319. DULCE COMUNION

1. ¡Dulce comunión la que gozo ya
   En los brazos de mi Salvador!
   ¡Qué gran bendición en su paz me da!
   ¡Oh! yo siento en mí su tierno amor.

CORO

Libre, salvo, del pecado y del temor,
Libre, salvo, en los brazos de mi Salvador.

2. ¡Cuán dulce es vivir, cuán dulce es gozar
   En los brazos de mi Salvador!
   Allí quiero ir y con él morar,
   Siendo objeto de su tierno amor.

3. No hay que temer, ni que desconfiar,
   En los brazos de mi Salvador.
   Por su gran poder él me guardará
   De los lazos del engañador.

Elisha A. Hoffman. Tr., Pedro Grado.

320. LA PAZ, EL DON DE MI DIOS

1. Por Cristo la paz hecha fue:
   Muriendo mi deuda pagó.
   Acepto ya su obra por fe;
   ¡Hay paz en mi corazón!

319. DULCE COMUNIÓN

CORO

¡Paz, paz!, sí, paz; don que recibo de Dios.
¡Qué maravillosa es la paz,
La paz, el don de mi Dios!

2. En mi corazón tengo paz;
   Sirviendo fielmente a mi Rey;
   Es fácil su yugo llevar
   Y es justa su santa ley.

3. Si en él permanezco y soy fiel,
   No habrá tentación ni dolor,
   Ni prueba que me haga perder
   La paz de mi corazón.

Peter P. Bilhorn. Tr. estrofas, Ernesto Barocio;
coro, Stuart E. McNair.

321. SATISFECHO ESTOY

1. En mi sed siempre he buscado
   Una fuente do beber;
   Y esperaba que esas aguas
   Me calmaran mi honda sed.

CORO

¡Aleluya! Lo he encontrado, a Jesús,
   quien me ama a mí.
Satisfecho me ha dejado; por su sangre
   salvo fui.

2. En mi hambre yo comía
   Sin mis fuerzas aumentar;
   Lo mejor siempre quería
   Sin poderlo alcanzar.

3. Pobre fui, y las riquezas
   Yo buscaba con afán;
   Mas el mundo sus tristezas
   Me ofreció en vez de pan.

4. Fuente viva de agua pura,
   Pan de vida y todo aquí;
   Y riqueza bien segura:
   Jesucristo es para mí.

322. HABLADME MAS DE CRISTO

1. Quiero que habléis de aquel gran amor
   Que en el Calvario Dios nos mostró;
   Quiero que habléis del buen Salvador,
   ¡Habladme más de Cristo!

CORO

   Quiero escuchar la historia fiel
   De mi Jesús, mi Salvador;
   Quiero vivir tan sólo por él,
   ¡Habladme más de Cristo!

2. Cuando me asalte la tentación
   Y que sus redes tienda a mi pie,
   Quiero tener en él protección,
   ¡Habladme más de Cristo!

3. Cuando en la lucha falte la fe
   Y el alma sienta desfallecer,
   Quiero saber que ayuda tendré,
   ¡Habladme más de Cristo!

J.M. Black. Tr., Vicente Mendoza.

323. EN JESUCRISTO, EL REY DE PAZ

1. En Jesucristo, el Rey de paz,
   En horas negras de tempestad,
   Hallan las almas dulce solaz,
   Grato consuelo, felicidad.

CORO

Gloria cantemos al Redentor
Que por nosotros vino a morir;
Y que la gracia del Salvador
Siempre proteja nuestro vivir.

2. En nuestras luchas, en el dolor,
   En tristes horas de tentación,
   Cristo nos llena de su vigor,
   Y da aliento al corazón.

3. Cuando luchamos llenos de fe
   Y no queremos desfallecer,
   Cristo nos dice: "Siempre os daré
   Gracia divina, santo poder."

Fanny J. Crosby. Tr., E.A. Monfort Díaz.

324. UN ETERNO Y GRANDE AMOR

1. Un eterno y grande amor he podido conocer,
   Por la gracia del Señor que me lo hace
   comprender.
   ¡Oh qué sueño arrobador! siento dulce calma y
   paz.
   Para siempre es su amor; mío es él, no pido más.
   Para siempre es su amor; mío es él, no pido más.

2. Más azul el cielo está, tiene el campo más verdor,
   Pero esto no verá el que no ama al Salvador.
   Aves con más dulce voz, plantas bellas del vergel
   Me hablan del amor de Dios: suyo soy, y mío es él.
   Me hablan del amor de Dios: suyo soy, y mío es él.

3. Las alarmas y el terror no me pueden ya alcanzar:
   En los brazos del Señor puedo ahora descansar.
   Ojalá que siempre aquí, fiando en este amigo fiel,
   Yo me acuerde que es así: suyo soy, y mío es él.
   Yo me acuerde que es así: suyo soy, y mío es él.

4. Para siempre suyo soy; nada de él me apartará.
   Ya feliz con él yo voy; de su amor me llenará.
   Cielo y tierra pasarán, más veré su dulce faz;
   Gozo y luz se acabarán; suyo soy, no pido más.
   Gozo y luz se acabarán; suyo soy, no pido más.

George W. Robinson. ©usado con permiso de Marshall, Morgan y Scott. Tr., Marjorie J. de Caudill.

325. YO SE A QUIEN HE CREIDO

1. No sé por qué la gracia del Señor
   Me hizo conocer;
   Ni sé por qué su salvación me dio
   Y salvo soy por él.

CORO

   Mas yo sé a quién he creído,
   Y es poderoso para guardárme
   Y en ese día glorioso iré a morar con él.

2. No sé por qué la gracia del Señor
   En mí por fe se demostró;
   Ni sé por qué si sólo creo en él,
   La paz encontraré.

3. No sé por qué el Espíritu de Dios
   Convence de pecar;
   Ni sé por qué revela al pecador,
   Cuán negra es la maldad.

4. No sé la hora en que el Señor vendrá;
   De día o en oscuridad;
   ¿Será en el valle o en el mar,
   Que mi Jesús vendrá?

Daniel W. Whittle. Tr., Salomón Mussiett C. ©1978 Casa Bautista de Publicaciones. Todos los derechos reservados. Amparado por los derechos de copyright internacional.

326. ESCOGIDO FUI DE DIOS

1. Escogido fui de Dios en el Amado.
   En lugares celestiales su bendición me dio.
   Antes de la creación el plan fue hecho
   Por su santa voluntad.

CORO

   Escondido en Cristo estoy, nadie me apartará;
   Y las fuerzas de este mundo no me podrán dañar.
   Vivo y ando en esta vida con seguridad,
   Porque me escogió mi Dios.

2. Tengo un sello que el Espíritu me ha dado.
   Cuando mi confianza puse sólo en mi Salvador;
   Prenda que el Señor me dio de vida eterna,
   Escogido fui de Dios.

3. Me escogió para alabanza de su gloria,
   Y sentóme en las alturas con Cristo mi Señor.
   Grande fue mi admiración al ver su gracia,
   Cuando me escogió mi Dios.

Victor Garrido. ©1958 Robert C. Savage. Asignado a Sinspiration, Inc. ©1978 Singspiration, Inc. Todos los derechos reservados. Usado con permiso.

327. SEGURIDAD

1. Aun cuando cruja la tierra en temblores,
   El gran amor de Dios firme está.
   Su paz ofrece al que sufre dolores,
   Pues su promesa él cumplirá.

2. Y si la paz se la mira turbada
   Y grandes cambios infunden temor,
   Dios siempre vése inmóvil, pues nada
   Podrá a su pueblo causarle pavor.

3. Poder nos da en los graves peligros,
   Su ayuda es fiel siempre que hay frustración;
   El fuerte es para darnos alivio,
   Y en las tormentas nos da protección.

4. Y tus mandatos, oh Dios, conocemos;
   Ven, pues, ayúdanos con tu poder;
   Y mientras vuelves, Señor, ya sabemos
   Que en tu esperanza podremos crecer. Amén.

Lina Sandell. Tr. al inglés, E. Lincoln Pearson, estrofas 1 y 4, alt.; Bryan Jeffery Leech, estrofas 2 y 3. ©1950, 1973 Covenant Press. Tr. al castellano, Adolfo Robleto. ©1978 Casa Bautista de Publicaciones. Todos los derechos reservados. Amparado por los derechos de copyright internacional.

328. EL PROFUNDO AMOR DE CRISTO

1. El profundo amor de Cristo es inmenso, sin igual;
   Cual océano sus ondas en mí fluyen, gran caudal.
   Me rodea y protege la corriente de su amor,
   Siempre guiando, impulsando hacia el celestial
       hogar.

2. El profundo amor de Cristo digno es de loor y
      prez;
   ¡Cuánto ama, siempre ama, nunca cambia, puro es!
   ¡Cuánto ama a sus hijos, por salvarlos él murió!
   Intercede en el cielo por aquellos que compró.

3. El profundo amor de Cristo, grande, sin
      comparación,
   Es refugio de descanso, es mar de gran bendición.
   El profundo amor de Cristo es un cielo para mí;
   Me levanta hasta la gloria, pues me atrae hacia allí.

S. Trevor Francis. © Pickering y Inglis, Ltd., Glasgow. Tr., Ellen de
Eck. ©1966 Christian Publications, Inc., dueño.

329. EL REY DE AMOR ES MI PASTOR

1. El Rey de amor es mi pastor, su amor es verdadero;
   Su amparo no me faltará, pues yo soy su cordero.

2. Me lleva al fresco manantial, y a buenos pastos
      guía;
   No temeré yo ningún mal, si mi pastor me cuida.

3. Perverso y necio me aparté por valles peligrosos;
   Me halló, me trajo a su redil en hombros poderosos.

4. En valle oscuro no tendré temor si Dios me guía;
   Su vara y su cayado son cual luz al alma mía.

5. Ha puesto mesa para mí, ungióme con aceite,
   Mi copa rebosando está; su amor es mi deleite.

6. Misericordia, gracia y paz tú das al alma mía,
   Y en tus mansiones moraré, Señor, por largos días.

Henry William Baker. Tr., Frieda M. Hoh.

330. ALCANCE SALVACION

1. De paz inundada mi senda ya esté,
   O cúbrala un mar de aflicción,
   Mi suerte cualquiera que sea, diré:
   Alcancé, alcancé salvación.

CORO

   Alcancé salvación.
   Alcancé, alcancé salvación.

2. Ya venga la prueba o me tiente Satán,
   No amenguan mi fe ni mi amor;
   Pues Cristo comprende mis luchas, mi afán
   Y su sangre vertió en mi favor.

3. Feliz yo me siento al saber que Jesús,
   Libróme de yugo opresor;
   Quitó mi pecado, clavólo en la cruz:
   Gloria demos al buen Salvador.

4. La fe tornaráse en gran realidad
   Al irse la niebla veloz;
   Desciende Jesús con su gran majestad,
   ¡Aleluya! Estoy bien con mi Dios.

Horatio G. Spafford. Tr., Pedro Grado.

331. TODAS LAS PROMESAS DEL SEÑOR

1. Todas las promesas del Señor Jesús,
   Son apoyo poderoso de mi fe;
   Mientras viva aquí cercado de su luz,
   Siempre en sus promesas confiaré.

CORO

   Grandes, fieles,
   Las promesas que el Señor Jesús ha dado,
   Grandes, fieles,
   En ellas para siempre confiaré.

2. Todas sus promesas para el hombre fiel,
   El Señor en sus bondades cumplirá,
   Y confiado sé que para siempre en él,
   Paz eterna mi alma gozará.

3. Todas las promesas del Señor serán,
   Gozo y fuerza en nuestra vida terrenal;
   Ellas en la dura lid nos sostendrán,
   Y triunfar podremos sobre el mal.

R. Kelso Carter. Tr., Vicente Mendoza.

332. CONFIO YO EN CRISTO

1. Confío yo en Cristo, que en la cruz murió;
   Y por su muerte, listo, voy a la gloria yo.
   Con sangre tan valiosa mis culpas lava él,
   La derramó copiosa el santo Emanuel.

2. Me cubre tu justicia de plena perfección;
   Tú eres mi delicia, mi eterna salvación.
   Jesús, en ti descanso, reposo tú me das;
   Con calma yo avanzo al cielo, donde estás.

3. Venir a ti me invitas a disfrutar, Señor,
   Delicias infinitas y celestial amor.
   Espero yo mirarte, oír tu dulce voz;
   Espero alabarte, ¡mi Salvador, mi Dios!

Elizabeth C. Clephane. Tr. en Estrella de Belén.

333. CRISTO, FIEL TE QUIERO SER

1. Cristo, fiel te quiero ser,
   Dame el poder, dame el poder;
   Yo contigo quiero andar,
   Sin vacilar, sin vacilar.

CORO

En tus pasos quiero seguir,
Cerca de ti, cerca de ti,
Y si encuentro pruebas aquí,
Dame confianza en ti.

2. Con Jesús yo quiero hablar,
   Sólo con él, sólo con él;
   Paz y gozo yo tendré,
   Al serle fiel, al serle fiel.

3. Dame ardiente corazón,
   Lleno de amor, lleno de amor;
   Y tu Espíritu, Señor,
   Como Guiador, como Guiador.

4. Cada día quiero cumplir
   Tu voluntad, tu voluntad;
   Y servirte a ti, Señor,
   En humildad, en humildad.

334. PAZ CON DIOS BUSQUE GANARLA

1. Paz con Dios busqué ganarla con febril solicitud,
   Mas mis obras meritorias no me dieron la salud.

CORO

   ¡Oh qué paz Jesús me da! Paz que antes ignoré;
   Todo nuevo se tornó, desde que su paz hallé.

2. Lleno estaba yo de dudas, temeroso de morir;
   Hoy en paz, mañana triste, con temor del porvenir.

3. Al final, desesperado, "Ya no puedo", dije yo;
   Y del cielo oí respuesta: "Todo hecho ya quedó."

4. De mis obras, despojado, vi la obra de Jesús;
   Supe que la paz fue hecha por la sangre de su cruz.

F.A. Blackmer. Tr., Stuart E. McNair.

335. MAS BLANCO QUE LA NIEVE

1. Yo quiero ser limpio, bendito Jesús;
   Deseo por siempre andar en tu luz;
   Tan sólo en tu sangre limpieza tendré,
   Lavado y más blanco que nieve seré.
   Más blanco que la nieve seré;
   Lavado en tu sangre y limpio por fe.

2. Que en mi alma no pueda lo impuro quedar,
   Mis manchas, tu sangre las puede quitar.
   Los ídolos todos los desecharé,
   Lavado y más blanco que nieve seré.
   Más blanco que la nieve seré;
   Lavado en tu sangre y limpio por fe.

3. Tú, Cristo, me ayudas mi ofrenda a dar
   Con fe y humildad en tu santo altar.
   Te entrego mi vida y así por la fe
   Lavado y más blanco que nieve seré.
   Más blanco que la nieve seré;
   Lavado en tu sangre y limpio por fe.

4. Por esta pureza doy gracias a ti,
   Pues santificado por tu gracia fui;
   Limpieza tu sangre me trajo, yo sé;
   Lavado y más blanco que nieve quedé.
   Más blanco que la nieve quedé;
   Lavado en tu sangre, soy limpio por fe.

James Nicholson. Tr., H.W. Cragin.

336. YO TE SEGUIRE

1. Puedo oír la voz de Cristo. Yo le seguiré.
   Hoy me llama con ternura; no demoraré.

CORO

   Siempre yo te seguiré, Señor,
   Por tus sendas de amor.
   En tus manos mi futuro está,
   Yo te seguiré, Señor.

2. El me llama a cada hora. Yo le seguiré.
   Y el poder de su presencia siempre sentiré.

3. El me llama cada día. Yo le seguiré.
   El me guía, y el camino nunca perderé.

Margaret y Howard L. Brown. Tr., Marjorie J. de Caudill.
©1935. Renovado 1963 Howard L. Brown, Ross Jungnickel, Inc.
Los derechos de publicación en folio están asignados a Singspiration
Inc. Todos los derechos reservados. Usado con permiso.

337. DESDE EL CIELO CRISTO LLAMA

1. Desde el cielo Cristo llama con benigna voz de
   amor;
   Al acongojado invita: "Ven y sigue a tu Señor."

2. En tristezas y alegrías Cristo llama al corazón,
   Ofreciendo paz, consuelo, gozo eterno y
   redención.

3. Como buen pastor nos guía nuestro amante
   Salvador;
   El nos cuida en su rebaño y nos da su protección.

4. Cristo llama; por su gracia él nos haga oír su voz,
   Que nosotros desde ahora le sirvamos con amor.

Cecil Frances Alexander. Es traducción.

338. ¡OH AMOR QUE EXCEDE A TODOS!

1. ¡Oh amor que excede a todos, don del Padre
   Celestial,
   Pon corona a tus mercedes y entre nos ven a
   morar!
   Eres tú, Jesús bendito, todo amor y compasión;
   Baja al corazón que sufre, tráenos tu salvación.

2. ¡Ven, amor, a cada vida, mueve toda inclinación;
   Guárdanos de mal deseo y de andar en tentación!
   Tú el Alfa y Omega, sé de todo nuestro ser;
   Que tu gracia nos proteja y sostenga nuestra fe.

3. ¡Oh amor, no te separes de la iglesia terrenal;
   Unela estrechamente con el lazo fraternal!
   Perfecciona a cada miembro, ilumina nuestro
   andar,
   Y que el alma se complazca en tu nombre
   proclamar. Amén.

Charles Wesley. Tr., J.R. de Balloch.

339. ¡OH CRISTO!, TU AYUDA QUISIERA TENER

1. ¡Oh Cristo!, tu ayuda quisiera tener
   En todas las luchas que agitan mi ser;
   Tan sólo tú puedes la vida salvar,
   Tú solo la fuerza le puedes prestar.

2. ¡Oh Cristo!, la gloria del mundo busqué,
   Y ansioso mi vida y afán le entregué.
   Y en cambio mi pecho tan sólo encontró
   Torturas sin cuento, que el alma apuró.

3. ¡Oh Cristo!, quisiera llegar a vivir
   De aquellos alientos que tú haces sentir
   Al alma que huyendo del mal tentador,
   Se vuelve anhelante, ¡se vuelve a tu amor!

4. ¡Oh Cristo!, quisiera tus huellas seguir
   Y gracia constante de ti recibir;
   Hallar en mis noches contigo la luz,
   ¡Alivio a mis penas al pie de la cruz!

William R. Featherston. Tr., Vicente Mendoza.

340. SALVADOR, A TI ME ENTREGO

1. Salvador, a ti me entrego y obedezco sólo a ti;
   Mi guiador, mi fortaleza, todo encuentra mi alma
   en ti.

CORO

Yo me entrego a ti, yo me entrego a ti;
Mis flaquezas y pecados, todo traigo a ti.

2. Te confiesa sus delitos mi contrito corazón;
   Oye, Cristo, mi plegaria, yo suplico tu perdón.

3. A tus pies yo deposito por entero hoy mi ser;
   Que tu espíritu me llene y de ti sienta el poder.

4. ¡Oh qué gozo encuentro en Cristo! ¡Cuánta paz
   a mi alma da!
   Yo a su causa me consagro, y su amor, mi amor
   será.

Judson W. Van DeVenter. Tr., A.R. Salas.

341. TU CRUZ LEVANTA Y VEN TRAS MI

1. "Tu cruz hoy toma y ven tras mí,"
   Me dijo el Salvador;
   "Pues yo mi vida di por ti,
   Entrégate a tu Señor."

CORO

   Por donde me guíe iré,
   Por donde me guíe iré.
   Al Cristo que me ama seguiré,
   Por donde me guíe iré.

2. Me atrajo a él con gran bondad;
   Su voluntad busqué;
   Y ahora con seguridad
   Por donde me guíe iré.

3. Aunque en las sombras hay que andar,
   Mi cruz yo llevo aquí,
   O sobre el tempestuoso mar,
   Por donde me guíe a mí.

4. Mi vida y todo lo que soy
   A Cristo ya entregué.
   A mi Señor rendido estoy;
   Por donde me guíe iré.

B.B. McKinney. ©1936. ©Renovado 1964 Broadman Press.
Todos los derechos reservados. Tr., Marjorie J. de Caudill.
©1978 Broadman Press. Todos los derechos reservados.
Amparado por los derechos de copyright internacional. Usado
con permiso.

342. JESUS, YO HE PROMETIDO

1. Jesús, yo he prometido, servirte con amor;
   Concédeme tu gracia, mi amigo y Salvador.
   No temeré la lucha, si tú a mi lado estás,
   Ni perderé el camino, si tú conmigo vas.

2. Estamos en el mundo, y abunda tentación;
   Muy suave es el engaño, y necia la pasión.
   Ven tú, Jesús, más cerca, en mi necesidad.
   Y escuda al alma mía de toda iniquidad.

3. Y si mi mente vaga, ya incierta, ya veloz,
   Concédeme que oiga, Jesús, tu clara voz.
   Anímame si dudo; inspírame también;
   Repréndeme, si temo en todo hacer el bien.

4. Jesús, tú has prometido a todo aquel que va,
   Siguiendo tus pisadas, que al cielo llegará.
   Sosténme en el camino, y al fin, con dulce amor,
   Trasládame a tu gloria, mi amigo y Salvador.
                                                    Amén.

John E. Bode. Tr., Juan B. Cabrera.

343. JESUS, DEL HOMBRE HIJO

1. Jesús, del hombre Hijo, del hombre Redentor;
   Amigo del que sufre, bendito Salvador:
   Permite que te exponga mi triste condición,
   Y ve lo que me falta sabiendo lo que soy.

2. Altivo y poseído de propia estimación,
   Con paso vacilante por tus senderos voy.
   Me falta ser humilde, me falta abnegación,
   Me falta ardiente celo y más consagración.

3. Yo leo tu Palabra, la estudio con ardor,
   Ilustro así mi mente, mas en mi corazón
   No abunda aquella ciencia que da tan sólo Dios;
   Me faltan luz y gracia; ¡Oh, dámelas, Señor!

4. Jesús, del hombre Hijo, bendito Salvador,
   Ya ves cuánto me falta, ya ves cuán pobre soy.
   A tu piedad me entrego, de mí ten compasión;
   Tú puedes darme todo; ¡Oh, dámelo, Señor!
                                      Amén.

Juan Bautista Cabrera

344. SU VOLUNTAD DA GOZO

1. En su creación Dios tiene un plan que reina;
   Los astros por su senda van;
   El traza el curso de los grandes ríos;
   Sé que para mí él tiene un plan.

CORO

   Pondré en las manos de Dios mi ser,
   En sus heridas yo puedo ver
   Promesas en la gloria que puedo tener,
   Si la voluntad del Señor yo quiero hacer.

2. La incontable arena él conoce,
   Las olas guía con poder;
   El viento sus deseos obedece,
   Y las plantas hace florecer.

3. Su voluntad da gozo a la vida,
   Es fuente de la bendición.
   Si llega prueba dura y tan temida,
   El es quien da paz al corazón.

Richard D. Baker. ©1955 Richard D. Baker. Usado con permiso.
Tr., Abel P. Pierson Garza. ©1978 Casa Bautista de Publicaciones.
Todos los derechos reservados. Amparado por los derechos de
copyright internacional.

345. PUEDO OIR TU VOZ

1. Puedo oír tu voz llamando,
   Puedo oír tu voz llamando,
   Puedo oír tu voz llamando,
   Con tu cruz hoy ven en pos de mí.

CORO

   Seguiré do tú me guíes,
   Seguiré do tú me guíes,
   Seguiré do tú me guíes,
   Dondequiera fiel te seguiré.

2. Yo te seguiré en el huerto,
   Yo te seguiré en el huerto,
   Yo te seguiré en el huerto,
   Sufriré contigo, mi Jesús.

3. Sufriré por ti, Maestro,
   Sufriré por ti, Maestro,
   Sufriré por ti, Maestro,
   Moriré contigo, mi Jesús.

4. Me darás la gracia y gloria,
   Me darás la gracia y gloria,
   Me darás la gracia y gloria,
   Y por siempre tú me guiarás.

E.W. Blandy. Es traducción.

346. CRISTO DE TODO ES REY

1. Cristo es mi Dueño, mi Rey y Señor;
   Mi amor y mi gloria es él;
   El me acompaña en paz o en dolor,
   El es mi amigo fiel.

CORO

   Cristo es el Buen Pastor,
   Cristo de todo es Rey:
   De mi pensar y de todo mi amor.
   Cristo de todo es Rey.

2. Santo y bendito es mi Rey Salvador,
   Digno es de gloria y de prez;
   Le doy mi tributo y loor con amor,
   Vida y camino es él.

3. ¿Quieres rendirle tu vida al Señor
   Y siempre andar en su ley?
   Acéptale hoy como tu Salvador,
   Hazle a él tu Rey.

347. TUYO SOY, JESUS

1. Tuyo soy, Jesús, ya tu voz oí,
   Cual mensaje de tu paz;
   Y deseo en alas de fe subir
   Y más cerca estar de ti.

CORO

> Más cerca, cerca de tu cruz
> Llévame, oh Salvador;
> Más cerca, cerca, cerca de tu cruz
> Do salvaste al pecador.

2. A seguirte en pos me consagro hoy,
   Impulsado por tu amor;
   Y mi espíritu, alma y cuerpo doy,
   Por servirte, mi Señor.

3. Del amor divino jamás sabré
   La sublime majestad,
   Hasta que contigo tranquilo esté
   En tu gloria celestial.

Fanny J. Crosby. Tr. adap. de T. M. Westrup

348. CONSAGRAOS, OH CRISTIANOS

1. Consagraos, oh cristianos, al servicio del Señor,
   Y armonice vuestra vida en acuerdos de amor.
   A sus atrios acercaos; vuestros votos renovad;
   Y alejados del pecado, vuestra vida transformad.

2. Vuestro tiempo y talentos, dones son de nuestro
      Dios:
   Para usarlos libremente y anunciar su amor y voz.
   Hoy servid a Jesucristo y ofrendas, diezmos dad;
   Y él bendiga vuestra obra, y os dé siempre su
      bondad.

3. Dios nos manda amar a todos sin ninguna
      distinción.
   Compasión hacia el hermano es su plan de
      redención.
   Jesucristo nos ha dado de su amor, que es divinal,
   Y en la cruz perdón tuvimos, paz y gozo sin igual.

4. Hoy venid con alabanzas los que en Cristo ya
      creéis;
   Adoradle, consagrados, y su amor recibiréis.
   Dadle gloria por su gracia, su Palabra santa y fiel;
   Repetid del evangelio esta historia por doquier.

Eva B. Lloyd. © 1966 Broadman Press. Todos los derechos reservados.
Tr., Pablo Filós. ©1978 Broadman Press. Todos los derechos
reservados. Amparado por los derechos de copyright internacional.
Usado con permiso.

349. HEME AQUI, OH SEÑOR

1. Oh Señor, háblame; oh Señor, guíame,
   Que sólo viva por ti. Oh Señor, háblame;
   Oh Señor, guíame, que sólo viva por ti.

2. Oh Señor, dame fe; oh Señor, guíame,
   Que sólo viva por ti. Oh Señor, dame fe;
   Oh Señor, guíame, que sólo viva por ti.

3. Heme aquí, oh Señor, heme aquí, como soy,
   Que sólo viva por ti. Heme aquí, oh Señor,
   Heme aquí, como soy, que sólo viva por ti.

350. TUYO SOY

1. Yo oí la voz de Cristo con dulzura invitar;
   Nadie más como él ofrece vida eterna y libertad.

CORO

   Tuyo soy, a ti mi todo doy;
   Tuyo soy, sólo de ti, Señor;
   Tuyo soy, ¡oh! dulce Salvador,
   En tu altar, Señor, mi todo doy.

2. Soy indigno y me hizo salvo, me buscó por puro
   amor;
   En la cruz vertió su sangre, hoy testigo suyo soy.

3. Sólo Cristo es la respuesta, él es la felicidad;
   Del mortal lleva las cargas, y le da consuelo y paz.

351. ¿CUANTOS PUEDEN?

1. "¿Cuántos pueden," dijo Cristo, "a la cruz
      conmigo ir?"
   Respondieron los valientes, ya dispuestos a seguir:

CORO

   "¡Oh, sí, podemos seguirte, Señor!
   Haznos más santos, danos tu luz.
   Nos ilumine tu gran resplandor,
   Nos lleve a Dios con lealtad y amor."

2. ¿Cuántos pueden acordarse del ladrón, al
      contemplar
   Que su alma, rescatada, con Jesús se fue a morar?

3. ¿Cuántos pueden en la sombra de la muerte y del
      dolor,
   Entregar con fe el alma, victoriosos, al Señor?

352. YO SOY PEREGRINO

1. Señor, escucha ya, a ti mi ruego va;
   Mi Salvador, bendito sé; tu siervo quiero ser,
      Señor;
   Oír tu voz de amor, seguirte por la fe.

CORO

   Yo soy peregrino, guíame por tu camino.
   Por ti, Maestro divino, seguir tu verdad quiero yo.

2. Cumplir tu voluntad, andar en tu verdad:
   Señor Jesús, me enseñarás; tan sólo quiero en ti
      confiar;
   Tu nombre venerar, y así vivir en paz.

3. Mi pobre corazón feliz consolación
   Espera de su Redentor; perdón y gracia, dulce paz,
   De balde siempre das al triste pecador.

4. ¡Cuán grande es tu amor! Más grande que el terror
   Que puede dar la muerte cruel; me salvarás en tu
      redil,
   Del enemigo vil por tu promesa fiel.

Juan N. de los Santos

353. CONTIGO, CRISTO, QUIERO ANDAR

1. Contigo, Cristo, quiero andar,
   Y en tu servicio trabajar;
   Dime el secreto de saber
   Llevar mi vida con poder.

2. Enséñame cómo alcanzar
   Al que yo debo rescatar;
   Sus pies anhelo encaminar
   En sendas que van a tu hogar.

3. Enséñame paciente a ser;
   Contigo que halle mi placer,
   Que crezca en fuerza espiritual
   Y en fe que venza todo mal.

4. Dame esperanza para que
   Pueda el futuro ver con fe.
   Para poder tu paz gozar,
   Contigo, Cristo, quiero andar. Amén.

Washington Gladden. Tr., George P Simmonds.
©copyright 1978, renovado, George P. Simmonds.
Todos los derechos reservados. Usado con permiso.

354. ¡TENGO UN AMIGO!

1. Tengo un amigo, Cristo el Señor;
   Yo le bendigo con mi loor,
   Porque en el mundo nadie como él
   Es en mi vida paciente y fiel.

CORO

   Cristo, mi amigo, ya tuyo soy;
   ¡Todo rendido, contigo voy!

2. Tengo un refugio que en el turbión
   Del alma es siempre fiel protección;
   Con él seguro yo viviré
   Porque a su amparo caminaré.

3. Tengo un Maestro doquier yo voy
   Y sus senderos siguiendo estoy;
   En las tinieblas jamás iré,
   Porque sus luces y amor tendré.

Robert Harkness. Tr., Vicente Mendoza.

355. ¡OH! AMOR QUE NO ME DEJARAS

1. ¡Oh! amor que no me dejarás,
   Descansa mi alma siempre en ti;
   Es tuya y tú la guardarás,
   Y en lo profundo de tu amor,
   Más rica al fin será.

2. ¡Oh! luz que en mi sendero vas,
   Mi antorcha débil rindo a ti;
   Su luz devuelve el corazón,
   Seguro de encontrar en ti
   Más bello resplandor.

3. ¡Oh! gozo que a buscarme a mí
   Viniste con mortal dolor,
   Tras la tormenta el arco vi,
   Y la mañana, yo lo sé,
   Sin más dolor será.

4. ¡Oh! cruz que miro sin cesar,
   Mi orgullo, gloria y vanidad
   Al polvo dejo, por hallar
   La vida que en su sangre dio
   Jesús, mi Salvador. Amén.

George Matheson. Tr., Vicente Mendoza.

356. LEJOS DE MI PADRE DIOS

1. Lejos de mi Padre Dios por Jesús fui hallado,
   Por su gracia y por su amor fui por él salvado.

CORO

   Es Jesús, el Señor, mi esperanza eterna;
   El me amó y me salvó en su gracia tierna.

2. En Jesús mi Salvador, pongo mi confianza;
   Toda mi necesidad suple en abundancia.

3. Cerca de mi buen Pastor vivo cada día;
   Toda gracia en su Señor halla el alma mía.

Fanny J. Crosby. Tr., Tomás García.

357. ABRE MIS OJOS A LA LUZ

1. Abre mis ojos a la luz, tu rostro quiero ver, Jesús;
   Pon en mi corazón tu bondad, y dame paz y
   santidad,
   Humildemente acudo a ti, porque tu tierna voz oí
   Mi guía sé, Espíritu Consolador.

2. Abre mi oído a tu verdad, yo quiero oír con
   claridad
   Bellas palabras de dulce amor, oh, mi bendito
   Salvador.
   Consagro a ti mi frágil ser; tu voluntad yo quiero
   hacer,
   Llena mi ser, Espíritu Consolador.

3. Abre mis labios para hablar, y a todo el mundo
   proclamar
   Que tú viniste a rescatar al más perdido pecador.
   La mies es mucha, ¡oh Señor! obreros faltan de
   valor;
   Heme aquí, Espíritu Consolador.

4. Abre mi mente para ver más de tu amor y gran
   poder;
   Dame tu gracia para triunfar, y hazme en la lucha,
   vencedor.
   Sé tú mi escondedero fiel, y aumenta mi valor y fe;
   Mi mano ten, Espíritu Consolador.

Clara H. Scott. Tr., S.D. Athans.

358. VIVO POR CRISTO

1. Vivo por Cristo, confiando en su amor,
   Vida me imparte, poder y valor;
   Grande es el gozo que tengo por él,
   Es de mi senda, Jesús, guía fiel.

CORO

   ¡Oh Salvador bendito!, me doy tan sólo a ti,
   Porque tú en el Calvario te diste allí por mí;
   No tengo más, Maestro, yo fiel te serviré;
   A ti me doy, pues tuyo soy,
   De mi alma, eterno Rey.

2. Vivo por Cristo; murió él por mí.
   Siempre servirle mi alma anheló;
   Porque me ha dado tal prueba de amor,
   Yo hoy me rindo por siempre al Señor.

3. Vivo sirviendo, siguiendo al Señor;
   Quiero imitar a mi buen Salvador.
   Busco a las almas hablándoles de él,
   Y es mi deseo ser constante y fiel.

359. HAZ LO QUE QUIERAS

1. Haz lo que quieras de mí, Señor;
   Tú el Alfarero, yo el barro soy;
   Dócil y humilde anhelo ser;
   Pues tu deseo es mi querer.

2. Haz lo que quieras de mí, Señor;
   Mírame y prueba mi corazón;
   Lávame y quita toda maldad
   Para que pueda contigo estar.

3. Haz lo que quieras de mí, Señor;
   Cura mis llagas y mi dolor;
   Tuyo es, ¡oh Cristo!, todo poder;
   Tu mano extiende y sanaré.

4. Haz lo que quieras de mí, Señor;
   Guía mi vida, Señor, aquí;
   De tu potencia llena mi ser,
   Y el mundo a Cristo pueda en mí ver. Amén.

360. TU MUNDO HOY

1. Oh Dios, de todo bien, dador, y de mi vida, autor,
   Acudo a ti a darte honor y a recibir visión
   De lo que es mi día de hoy y así ser lo mejor.
   Ubícame, mi buen Señor, en tu mundo hoy.

2. Ayúdame a mostrar mi fe al hombre en derredor;
   Y guíame a socorrer al pobre en su dolor.
   Así podrá el hombre ver de Cristo su amor;
   Y mi lugar podré yo ver en tu mundo hoy.

3. Oh Dios, mi ser te entrego hoy, y pido en oración
   Que para en tu camino andar me des más fe y
        amor;
   Y cumpla yo tu voluntad, y sirva con fervor;
   Rendido así tendré lugar en tu mundo hoy.

Ed Seabough. ©1966 Broadman Press. Todos los derechos reservados.
Tr., Francisco Almanza G. ©1978 Broadman Press. Todos los
derechos reservados. Amparado por los derechos de copyright
internacional. Usado con permiso.

361. OH, SEÑOR, RECIBEME CUAL SOY

1. Oh Señor, recíbeme cual soy.
   Ya no más, ya no quiero pecar;
   Del pecado me quiero apartar.
   Justifica mi ser, dame tu dulce paz
   Y tu gran bendición.

2. Oh Señor, toma mi corazón
   Y hazlo tuyo por la eternidad.
   Lléname de tu santa bondad,
   Y en mi alma tú pon una nueva canción
   De paz y dulce amor.

3. Pecador, tú que vagas sin Dios,
   Ven ahora y acepta al Señor.
   El te quiere impartir su perdón;
   El te quiere salvar, él te quiere ayudar;
   Hoy acepta el perdón.

Juan M. Isáis. ©1958 Juan M. Isáis. Usado con permiso.

362. ANHELO TRABAJAR POR EL SEÑOR

1. Anhelo trabajar por el Señor,
   Confiando en su palabra y en su amor,
   Quiero yo cantar y orar,
   Y ocupado siempre estar
   En la viña del Señor.

CORO

   Trabajar y orar, en la viña, en la viña del Señor;
   Mi anhelo es orar, y ocupado siempre estar,
   En la viña del Señor.

2. Anhelo cada día trabajar,
   Y esclavos del pecado libertar,
   Conducirlos a Jesús,
   Nuestro guía, nuestra luz,
   En la viña del Señor.

3. Anhelo ser obrero de valor,
   Confiando en el poder del Salvador;
   El que quiera trabajar
   Hallará también lugar
   En la viña del Señor.

Isaías Baltzell. Tr., Pedro Grado.

363. CONSAGRACION

1. A ti consagro completamente,
   Mi ser, mi cuerpo, mi habilidad.
   Toma mi alma, hazme eficiente
   Para ser útil con dignidad.

2. A ti me entrego humildemente,
   Ven, buen Jesús, y mora en mi ser.
   Haz que yo viva siempre consciente
   De tu mensaje y mi deber.

3. Usame siempre do tú designes;
   Tu voluntad será mi pasión.
   Al ir por sendas que tú me asignes,
   Anunciaré tu gran salvación. Amén.

Abel P. Pierson Garza. ©1978 Casa Bautista de Publicaciones.

364. DIA EN DIA

1. Oh mi Dios, yo encuentro cada día
   Tu poder en todo sinsabor;
   Por la fe en tu sabiduría
   Libre soy de pena y temor.
   Tu bondad, Señor, es infinita,
   Tú me das aquello que es mejor;
   Por tu amor alívianse mis quejas
   Y hallo paz en el dolor.

2. Cerca está tu brazo cada día
   Y por él recibo tu favor,
   ¡Oh Señor, mi alma en ti confía,
   Eres tú mi gran Consolador!
   Protección prometes a tus hijos
   Porque son tesoro para ti;
   Hallo en ti constante regocijo,
   Sé que tú velas por mí.

3. Tu poder me ayuda cada día
   A vencer en la tribulación;
   Tengo fe, pues tu promesa es mía;
   Gozaré de tu consolación.
   Si el afán y la aflicción me llegan,
   Estará tu mano junto a mí.
   Y después, en la postrera siega,
   Moraré ya junto a ti. Amén.

Caroline V. Sandell-Berg. Tr. al inglés, A.L. Skoog; tr. al
castellano, Samuel O. Libert.

365. QUE MI VIDA ENTERA ESTE

1. Que mi vida entera esté consagrada a ti, Señor;
   Que a mis manos pueda guiar el impulso de tu
   amor.

CORO

Toma, ¡oh Dios!, mi voluntad,
Y hazla tuya nada más;
Toma, sí, mi corazón,
Y tu trono en él tendrás.

2. Que mis pies tan sólo en pos de lo santo puedan ir;
   Y que a ti, Señor, mi voz se complazca en bendicir.

3. Que mis labios al hablar hablen sólo de tu amor;
   Que mis bienes ocultar no los pueda a ti, Señor.

4. Que mi tiempo todo esté consagrado a tu loor;
   Y mi mente y su poder sean usados en tu honor.

Frances R. Havergal. Tr., Vicente Mendoza.

366. TEN FE EN DIOS

1. Ten fe en Dios cuando estás abatido;
   El ve tu senda y escucha tu voz;
   Nunca jamás andan solos sus hijos;
   Siempre ten fe completa en Dios.

Ten fe en Dios, reinando está;
Ten fe en Dios, pues fiel te guardará;
No fallará, él vencerá,
Siempre ten fe completa en Dios.

2. Ten fe en Dios, y verás que él escucha,
Tus peticiones; él no olvidará.
Pon tu confianza en sus santas promesas,
Siempre ten fe; responderá.

3. Ten fe en Dios cuando sufres dolores;
El ve tus pruebas y desolación;
Y él espera que traigas tus cargas,
Y tengas de él consolación.

4. Ten fe en Dios aunque todo te falle;
En Dios ten fe, pues te socorrerá;
El nunca falla, aunque reinos perezcan,
El reina y siempre reinará.

367. CRISTO, EN TI CONFIO

1. Cristo, en ti confío, mi alma entrego a ti,
Pues perdido estaba y tú viniste a mí.
Nadie hay en el mundo como tú, Señor,
Pues por mí moriste, tierno Salvador.

Cristo, en ti confío, mi alma entrego a ti,
Pues perdido estaba y tú viniste a mí. Amén.

2. Cristo, en ti confío, por tu gran bondad,
   Tu misericordia, tu fidelidad.
   Ciegos y enfermos vieron tu poder;
   Todos fueron limpios, salvos por la fe.

3. Cristo, en ti confío, tú no fallarás;
   Todo el que a ti viene, no rechazarás.
   Fiel es tu promesa, grande es tu amor.
   Ten mi vida entera, ¡Tú eres mi Señor!

368. CRISTO ME AYUDA POR EL A VIVIR

1. Cristo me ayuda por él a vivir,
   Cristo me ayuda por él a morir;
   Hasta que llegue su gloria a ver,
   Cada momento le entrego mi ser.

CORO

Cada momento la vida me da;
Cada momento conmigo él está;
Hasta que llegue su gloria a ver,
Cada momento le entrego mi ser.

2. ¿Siento pesares?, muy cerca él está;
   ¿Siento dolores?, alivio me da;
   ¿Tengo aflicciones?, me muestra su amor,
   Cada momento me cuida el Señor.

3. ¿Tengo amarguras o siento temor?;
   ¿Paso tristezas?, me inspira valor;
   ¿Hallo conflictos o penas aquí?,
   Cada momento se acuerda de mí.

4. ¿Tengo flaquezas o débil estoy?,
   Cristo me dice: "Tu amparo yo soy";
   Cada momento, en tinieblas o luz,
   Siempre conmigo está mi Jesús.

Daniel W. Whittle. Tr., M. González.

369. VEN, ALMA QUE LLORAS

1. Ven, alma que lloras, ven al Salvador;
   En tus tristes horas dile tu dolor.
   Dile de tu duelo; ven tal como estás;
   Habla sin recelo, y no llores más.

2. Toda tu amargura dí al Cristo fiel,
   Y tu pena dura, descarga en él
   En sus brazos fuertes asilo hallarás;
   Ven, porque él es bueno, y no llores más.

3. Al que está cansado muéstrale la cruz;
   Guía al angustiado hacia el buen Jesús;
   La bendita nueva de celeste paz
   A los tristes lleva, y no llores más.

Mary A. Bachelor. Tr., A.L. Empaytaz, adap.

370. CORAZONES SIEMPRE ALEGRES

La música de este himno se canta con la misma letra del himno 217.

371. CUAN FIRME CIMIENTO

1. ¡Cuán firme cimiento se ha dado a la fe,
   De Dios en su eterna palabra de amor!
   ¿Qué más él pudiera en su libro añadir,
   Si todo a sus hijos lo ha dicho el Señor?

2. No temas por nada, contigo yo soy;
   Tu Dios yo soy solo, tu ayuda seré;
   Tu fuerza y firmeza en mi diestra estarán,
   Y en ella sostén y poder te daré.

3. No habrán de anegarte las ondas del mar,
   Si en aguas profundas te ordeno salir;
   Pues siempre contigo en angustias seré,
   Y todas tus penas podré reducir.

4. Al alma que anhele la paz que hay en mí,
   Jamás en sus luchas la habré de dejar;
   Si todo el infierno la quiere perder,
   ¡Yo nunca, no, nunca, la puedo olvidar! Amén.

"K" en *Selection of Hymns* de John Rippon. Tr., Vicente Mendoza.

372. LA MANO DEL SALVADOR

1. Cuando vienen nieblas y oscuridad
   Y no siento el divino amor,
   Viene al corazón gran consolación
   De la mano del Salvador.

CORO

> En la mano del Salvador
> Hay poder tan consolador;
> En la tentación viene bendición
> De la mano del Salvador.

2. Si a dejar a Cristo tentado estoy
   Por el mundo tan tentador,
   Puedo yo vencer por el gran poder
   De la mano del Salvador.

3. Cuando confundido no puedo ver
   El designio de mi Señor,
   Adelante voy, siempre guiado soy
   Por la mano del Salvador.

4. Cuando al fin cercana la muerte esté
   Con poder tan abrumador,
   Paz en mi alma habrá, pues sostén tendrá
   De la mano del Salvador.

Jessie Brown Pounds. ©1913. Renovado 1941, H.P. Morton.
Tr., George P. Simmonds. Letra y traducción asignadas a
Hope Publishing Company. ©1955. Todos los derechos
reservados. Usado con permiso.

373. BUSCAD PRIMERO

1.—2. Buscad primero el reino de Dios
Y su perfecta justicia,
Y lo demás añadido será.
Aleluya, aleluya.

3.—4. No sólo de pan el hombre vivirá,
Sino de toda palabra
Que sale de la boca de Dios.
Aleluya, aleluya.

5.—6. Pedid, pedid y se os dará;
Buscad y hallaréis
Llamad, llamad y la puerta se abrirá.
Aleluya, aleluya.

Se puede cantar "aleluya" como discanto.

Basado en Mateo 6:33.

374. MI DIOS REINANDO ESTA

1. Temores hay y presiones mil,
Y mi camino oscuro va;
Pero es muy cierto que siempre aquí:
Mi Dios reinando está.

CORO

Designios santos los suyos son;
Por él los astros su luz darán,
Y él da a la tierra su protección:
Mi Dios reinando está,
Mi Dios reinando está.

2. Conflictos, guerras por siempre habrá
   Y males muchos habrá doquier;
   Mas Dios, yo sé, que me escucha ya:
   Mi Dios reinando está.

3. Aun cuando tenga yo que luchar,
   En su Palabra confiando estoy.
   Y por su gracia me hará triunfar:
   Mi Dios reinando está.

4. Jesús vendrá por su pueblo, sí,
   Su reino santo poder tendrá;
   Por eso es que hay confianza en mí:
   Mi Dios reinando está.

E. Margaret Clarkson. ©1966 Hope Publishing Co. Todos los
derechos reservados. Amparado por los derechos de copyright
internacional. Usado con permiso. Tr., Daniel Díaz R.

375. ¡SALVE, JESUS, MI ETERNO REDENTOR!

1. ¡Salve, Jesús, mi eterno Redentor!
   En ti confía mi alma, Salvador;
   Sufriste cruenta cruz por mi maldad,
   Para librarnos en tu gran bondad.

2. Omnipotente, tú reinando estás;
   Misericordia y gracia plena das.
   Tu solio en nuestras almas haz; Jesús,
   Llénalas de tu dulce y pura luz.

3. Vida eres, y de ti es el vivir;
   De ti el sostén confiamos recibir;
   Por fe esperamos sólo en tu poder,
   Que en toda prueba nos hará vencer.

4. Otra esperanza no hay para el mortal,
   En su tan corta vida terrenal.
   Tu calma y paz nos guardan del azar,
   Tus fuerzas nos harán perseverar. Amén.

John Calvin. Tr. al inglés, Elizabeth L. Smith; tr. al castellano, George P. Simmonds. ©1978 Casa Bautista de Publicaciones. Todos los derechos reservados. Amparado por los derechos de copyright internacional.

376. DEL AMOR DIVINO

1. Del amor divino, ¿quién me apartará?
   Escondido en Cristo, ¿quién me tocará?
   Si Dios justifica, ¿quién condenará?
   Cristo por mí ruega, ¿quién me acusará?

CORO

   A los que a Dios aman, todo ayuda a bien.
   Esto es mi consuelo, esto es mi sostén.
   A los que a Dios aman, todo ayuda a bien.
   Esto es mi consuelo, esto es mi sostén.

2. Todo lo que pasa en mi vida aquí
   Dios me lo prepara por amor de mí.
   En mis pruebas duras, Dios me es siempre fiel:
   ¿Por qué pues las dudas? Yo descanso en él.

3. Plagas hay y muerte a mi alrededor.
   Ordenó mi suerte el que es Dios de amor.
   Ni una sola flecha me podrá dañar.
   Si él no lo permite, no me alcanzará.

Basado en Romanos 8:28-35. Enrique Turrall.

377. ¡OH CUAN DULCE ES FIAR EN CRISTO!

1. ¡Oh, cuán dulce es fiar en Cristo,
   Y entregarse todo a él;
   Esperar en sus promesas,
   Y en sus sendas serle fiel!

CORO

   Jesucristo, Jesucristo,
   Ya tu amor probaste en mí;
   Jesucristo, Jesucristo,
   Siempre quiero fiar en ti.

2. Es muy dulce fiar en Cristo,
   Y cumplir su voluntad,
   No dudando su palabra,
   Que es la luz y la verdad.

3. Siempre es grato fiar en Cristo,
   Cuando busca el corazón,
   Los tesoros celestiales
   De la paz y del perdón.

4. Siempre en ti confiar yo quiero
   Mi precioso Salvador;
   En la vida y en la muerte
   Protección me dé tu amor.

Louise M.R. Stead. Tr., Vicente Mendoza.

378. REDIMIDO POR CRISTO

1. Comprado por sangre de Cristo,
   Con gozo al cielo yo voy;
   Librado por gracia infinita,
   Ya sé que su hijo yo soy.

CORO (Himno 378):

Lo sé, lo sé,
Comprado por sangre yo soy;
Comprado por sangre de Cristo,
Con gozo al cielo yo voy.

CORO (Himno 444):

Lo sé, lo sé,
Comprado por sangre yo soy;
Lo sé, lo sé,
Con Cristo al cielo yo voy.

2. Soy libre de pena y culpa,
   Su gozo él me hace sentir;
   El llena de gracia mi alma;
   Con él es tan dulce vivir.

3. En Cristo yo siempre medito,
   Y nunca le puedo olvidar;
   Callar sus favores no quiero,
   A Cristo le voy a cantar.

(La cuarta estrofa corresponde únicamente al himno 444)

⌐4. Yo sé que veré la hermosura
   Del Rey que me vino a salvar.
   Ahora me guarda y me guía,
   Y siempre me quiere ayudar.⌐

Fanny J. Crosby. ©1967 Broadman Press. Todos los derechos reservados. Amparado por los derechos de copyright internacional. Tr., J. Ríos y W.C. Brand. Usado con permiso.

379. REFUGIO DE ESTE PECADOR

1. Refugio de este pecador, iré, Jesús, a ti;
   En las riquezas de tu amor, acuérdate de mí.

2. Confieso que culpable soy, confieso que soy vil;
   Por ti, empero, salvo soy, seguro en tu redil.

3. Auxíliame, Señor Jesús, libértame del mal;
   En mí derrama de tu luz, bellísimo raudal.

4. En toda mi necesidad, escucha mi clamor.
   Revísteme de santidad, y cólmame de amor.
   Amén.

Tomás M. Westrup

380. MI FE DESCANSA EN BUEN LUGAR

1. Mi fe descansa en buen lugar, no en una religión;
   Confío en el viviente Rey, pues él murió por mí.

CORO

Y no preciso discutir ni un argumento más:
Me basta que Cristo murió y que él murió por mí.

2. Me basta que él es Salvador, que ya no hay que
   temer.
   Soy pecador, mas voy a él, que no me apartará.

3. Su voz me da seguridad en su Palabra fiel.
   Mi fe descansa en buen lugar, en Cristo mi Señor.

Lidie H. Edmunds. Tr., Arnoldo Canclini. ©1978 Casa Bautista de de Publicaciones. Todos los derechos reservados. Amparado por los derechos de copyright internacional.

381. TE NECESITO YA

1. Te necesito ya, bendito Salvador,
   Me infunde dulce paz tu tierna voz de amor.

CORO

    Te necesito, Cristo, sí, te necesito,
    Con corazón contrito acudo a ti. Amén.

2. Te necesito ya, tú no me dejarás;
   Yo siempre venceré si tú conmigo estás.

3. Te necesito ya, tu santa voluntad,
   Y tus promesas mil en mí cumple en verdad.

4. Te necesito ya, santísimo Señor;
   Tuyo hazme, nada más, bendito Salvador.

Annie S. Hawks. Tr., George P. Simmonds. ©1967,
renovado, George P. Simmonds. Todos los derechos
reservados. Usado con permiso.

382. FE LA VICTORIA ES

1. Soldados del Señor Jesús, pendones levantad;
   Luchad valientes que la luz, muy pronto acabará.
   Al enemigo combatid, con gran celeridad;
   Por fe en Jesús al mundo vil, podréis así ganar.

CORO

    Fe la victoria es, fe la victoria es;
    Fe la victoria es, del mundo vencedora.

2. Su amor pendón es de bondad, su ley, herencia
   fiel;
   La senda de la santidad seguimos por doquier.
   Por fe en Jesús el Salvador, y férvida oración.
   Y me prepara el Salvador, en gloria una mansión.

3. Al que venciere Dios dará, ropaje sin igual;
   Su nombre allá confesará Jesús el Inmortal.
   Nuestra alma por la eternidad, a Dios alabará;
   Pues por la fe y la santidad, al mundo vencerá.

John H. Yates. Tr., H.T. Reza. ©1962 Lillenas Publishing
Company, U.S.A. Todos los derechos reservados. Usado con permiso.

383. NUNCA DESMAYAR

1. Tengo en Dios un grande amor,
   Quiero en él tan sólo fiar;
   Pues así mi corazón
   Nunca puede desmayar.

2. Aunque brame en derredor
   La furiosa tempestad,
   Siempre fiando en el Señor,
   Nunca debo desmayar.

3. Lleva mi alma, buen Pastor,
   Rectamente, con verdad,
   Que al abrigo de tu amor
   Nunca debo desmayar.

4. ¡Oh querido Redentor!,
   No me dejes extraviar;
   Aunque viva en el dolor,
   Nunca quiero desmayar.

384. CUAL PENDON HERMOSO

1. Cual pendón hermoso despleguemos hoy
   La bandera de la cruz,
   La verdad del evangelio de perdón
   Del soldado de Jesús.

CORO

   Adelante, adelante, en pos de nuestro Salvador.
   Nos da gozo y fe nuestro Rey, adelante con valor.

2. Prediquemos siempre lo que dice Dios
   De la sangre de Jesús,
   Cómo limpia del pecado al mortal
   Y le da su plenitud.

3. En el mundo proclamemos con fervor
   Esta historia de la cruz;
   Bendigamos sin cesar al Redentor,
   Quien nos trajo paz y luz.

4. En el cielo nuestro cántico será
   Alabanzas a Jesús;
   Nuestro corazón allí rebosará
   De amor y gratitud.

Daniel W. Whittle. Tr., Enrique Turrall.

385. ABISMADO EN EL PECADO

1. Abismado en el pecado clamaré yo a ti, Señor:
   Mira el llanto y el quebranto de este pobre
   pecador.

2. Dios clemente, omnipotente, líbrame de todo mal,
   Para amarte y alabarte en la patria celestial.

3. Cada día gozaría a tu lado, buen Jesús,
   Adorando y ensalzando al autor de toda luz.

4. Rey del cielo, mi consuelo, mi esperanza y mi
   sostén,
   Sé mi guía, mi alegría en la senda del Edén.

Ramón Bon

386. QUE MI VIDA ENTERA ESTE

1. Que mi vida entera esté consagrada a ti, Señor;
   Que mi tiempo todo esté consagrado a tu loor;
   Que a mis manos pueda guiar el impulso de tu
   amor.
   Que mis pies tan sólo en pos de lo santo puedan ir.

2. Y que a ti, Señor, mi voz se complazca en
   bendecir.
   Que mis labios al hablar hablen sólo de tu amor;
   Que mis bienes ocultar no los pueda a ti, Señor.
   Y mi mente y su poder yo los use en tu honor.

3. Toma, ¡oh Dios!, mi voluntad, y hazla tuya nada
      más;
   Toma, sí, mi corazón, y tu trono en él tendrás.
   Y mi amor a ti lo doy, mi tesoro y lo que soy.
   Todo tuyo quiero ser, sólo en ti permanecer.
                                      Amén.

Frances R. Havergal. Tr., Vicente Mendoza.

387. VIENEN A MI

1. Vienen a mí alertas y buscando
   La verdadera senda del vivir;
   Háblame, oh Dios, y usa tú mis labios,
   Y así sabré qué les podré decir;
   Y así sabré qué les podré decir.

2. Vienen a mí con sus talentos grandes,
   Que les indique lo que deben ser;
   Ruego, Señor, me des sabiduría
   Al indicarles lo que habrán de hacer;
   Al indicarles lo que habrán de hacer.

3. Vienen a mí, cada uno diferente,
   Con sus problemas para resolver;
   Dame, Señor, tu luz y entendimiento
   Que a cada cual ayuda pueda ser;
   Que a cada cual ayuda pueda ser.

4. ¡Vienen a mí!, oh Dios, me siento indigno
   De que en tu Reino tú me des qué hacer;
   Prepárame, Señor, servirte quiero,
   Y ser a todos lo que debo ser;
   Y ser a todos lo que debo ser.

388. NO TENGO TEMOR

1. Cristo está conmigo, ¡qué consolación!
   Su presencia aleja todo mi temor;
   Tengo la promesa de mi Salvador:
   "No te dejaré nunca; siempre contigo estoy."

CORO

   No tengo temor, no tengo temor;
   Jesús me ha prometido: "Siempre contigo estoy."

2. Fuertes enemigos siempre cerca están;
   Cristo está más cerca, guárdame del mal;
   "Ten valor", me dice, "Soy tu defensor;
   No te dejaré nunca; siempre contigo estoy."

3. El que guarda mi alma, nunca se dormirá;
   Si mi pie resbala, él me sostendrá;
   En mi vida diaria es mi protector;
   Cuán fiel es su palabra: "Siempre contigo estoy."

Eliza E. Hewitt. Tr., Enrique Turrall.

389. OBJETO DE MI FE

1. Objeto de mi fe, divino Salvador,
   Propicio sé; Cordero de mi Dios,
   Libre por tu bondad, libre de mi maldad
   Yo quiero ser.

2. Consagra el corazón que ha de pertenecer
   A ti, no más; calmar, fortalecer,
   Gracia comunicar, mi celo acrecentar
   Te dignarás.

3. La senda al recorrer, obscura y de dolor,
   Tú me guiarás; así tendré valor,
   Así podré vivir, así podré morir
   En dulce paz.

4. Pues el camino sé de celestial mansión,
   Luz y solaz; bendito Salvador,
   Tú eres la verdad, vida, confianza, amor,
   Mi eterna paz. Amén.

Ray Palmer. Tr., T.M. Westrup.

390. HABLA, JESUS, A MI ALMA

1. Habla, Jesús, a mi alma, que pueda oír tu voz.
   Habla, Jesús, a mi alma, calma la duda atroz.

CORO

Habla, Jesús, a mi corazón,
Busco en ti todo el ser;
Listo a escuchar tu dulce voz,
Ven, mora en mi corazón.

2. Habla, Jesús, a mi alma, borra mi gran maldad;
   Habla, Jesús, a mi alma, y que hable tu verdad.

3. Habla, Jesús, a mi alma, es tuya nada más.
   Habla, Jesús, a mi alma, y hazla más eficaz.

391. QUIEN QUIERA FUERTE MOSTRARSE

1. Quien quiera frente al mal fuerte mostrarse,
   En el Señor podrá siempre ampararse.
   Y nada ha de encontrar que lo haga abandonar
   Su voluntad de ser un peregrino.

2. Quienes hoy disuadir al fiel intentan,
   Habrán de sucumbir: su fuerza aumentan.
   Al mal ha de vencer con todo su poder,
   Y siempre habrá de ser un peregrino.

3. Puesto que tú, Señor, siempre nos guardas,
   En gloria una mansión, fiel nos preparas.
   No quiero ya volver al mundo y su placer,
   Me esforzaré por ser un peregrino. Amén.

392. A JESUS PREFIERO

1. Cuando cargado y triste esté, Cristo me animará;
   Cuando me agobien problemas mil, siempre me
   ayudará.

CORO

   A Jesús prefiero, amigo y Rey;
   Lo que falta, de él recibiré;
   Lo he probado, y lo encuentro fiel;
   Soy feliz, pues siempre confío en él.

2. Cuando mi barco va a zozobrar en agitado mar,
   No temeré yo la tempestad: él me podrá ayudar.

3. Cuando me acose el tentador, él me defenderá,
   Y como escudo en la lucha cruel, él me protegerá.

James Rowe. Tr., Marjorie J. de Caudill.

393. ¿SOY YO SOLDADO DE JESUS?

1. ¿Soy yo soldado de Jesús? ¿un siervo del Señor?
   ¿Y temeré llevar la cruz sufriendo por su amor?

2. Lucharon otros por la fe con celo y con valor,
   ¿Y yo cobarde negaré a Cristo mi Señor?

3. Es menester que sea fiel, que nunca vuelva atrás;
   Que siga siempre en pos de él: su gracia me dará.

Isaac Watts. Tr., Henry S. Turrall.

394. ¿SOY YO SOLDADO DE JESUS?

1. ¿Soy yo soldado de Jesús? ¿un siervo del Señor?
   ¿Y temeré llevar la cruz sufriendo por su amor?

CORO

   Hablaré por mi Señor, confesaré mi fe;
   Su Espíritu me ayudará, yo testificaré.

2. Lucharon otros por la fe; ¿cobarde yo he de ser?
   Por mi Señor batallaré, confiando en su poder.

3. Es menester que sea fiel, que nunca vuelva atrás,
   Que siga siempre en pos de él: su gracia me dará.

Isaac Watts. Tr., Henry S. Turrall.

395. NO TE DE TEMOR HABLAR POR CRISTO

1. No te dé temor hablar por Cristo,
   Haz que brille en ti su luz.
   Al que te salvó confiesa siempre;
   Todo debes a Jesús.

CORO

   No te dé temor, no te dé temor,
   Nunca, nunca, nunca;
   Es tu amante Salvador,
   Nunca, pues, te dé temor.

2. No te dé temor hacer por Cristo
   Cuanto de tu parte está;
   Obra con amor, con fe y constancia;
   Tus trabajos premiará.

3. No te dé temor sufrir por Cristo,
   Los reproches, o el dolor;
   Sufre con amor tus pruebas todas,
   Cual sufrió tu Salvador.

4. No te dé temor vivir por Cristo
   Esa vida que te da;
   Si tan sólo en él por siempre fiares,
   El con bien te saciará.

William B. Bradbury. Tr., T.M. Westrup.

396. SI FUI MOTIVO DE DOLOR

1. Si fui motivo de dolor, oh Cristo;
   Si por mi causa el débil tropezó;
   Si en tus pisadas caminar no quise,
   Perdón te ruego, mi Señor y Dios.

CORO

   Escucha, oh Dios, mi confesión humilde
   Y líbrame de tentación sutil.
   Preserva siempre mi alma en tu rebaño.
   Perdón te ruego, mi Señor y Dios.

2. Si vana y fútil mi palabra ha sido;
   Si al que sufría en su dolor dejé:
   No me condenes tú por mi pecado;
   Perdón te ruego, mi Señor y Dios.

C.M. Battersby. Tr. adap. de Sara M. de Hall. © 1978
Singspiration, Inc. Todos los derechos reservados. Usado con
permiso.

397. FIRMES Y ADELANTE

1. Firmes y adelante, huestes de la fe,
   Sin temor alguno, que Jesús nos ve.
   Jefe soberano, Cristo al frente va,
   Y la regia enseña tremolando está:

CORO

   Firmes y adelante, huestes de la fe,
   Sin temor alguno, que Jesús nos ve.

2. Muévese potente la iglesia de Dios,
   De los ya gloriosos vamos hoy en pos:
   Somos sólo un cuerpo, y uno es el Señor,
   Una la esperanza, y uno nuestro amor.

3. Tronos y coronas pueden perecer;
   De Jesús la iglesia siempre habrá de ser;
   Nada en contra suya prevalecerá,
   Porque la promesa nunca faltará.

4. Pueblos, vuestras voces a la nuestra unid,
   Y el cantar de triunfo todos repetid:
   Prez, honor y gloria dad a Cristo el Rey:
   Y por las edades cante así su grey.

Sabine Baring-Gould. Tr., Juan B. Cabrera.

398. MIRAD Y VED A NUESTRO DIOS

1. Mirad y ved a nuestro Dios,
   Al victorioso Redentor;
   Su emblema paz, su espada luz,
   Y su bandera el amor.

2. Seguidle, pues, con humildad,
   En santidad de corazón;
   Haced al mundo conocer
   La gloria de su salvación.

3. Oh, levantad la santa cruz
   De Cristo, nuestro Salvador.
   Id, anunciad perdón, salud
   A todo triste pecador.

4. Clamad a Dios sin descansar;
   Orad al dueño de la mies;
   Y por la fe al fin llevad
   Los redimidos a sus pies.

G.J. Schilling. Es traducción.

399. EN LOS NEGOCIOS DEL REY

1. Soy peregrino aquí, mi hogar lejano está
   En la mansión de luz, eterna paz y amor;
   Embajador yo soy del reino celestial
   En los negocios de mi Rey.

Este mensaje fiel oíd, mensaje de su paz y amor;
"Reconciliaos ya," dice el Señor y Rey,
¡Reconciliaos hoy con Dios!

2. Y del pecado vil, arrepentidos ya,
Han de reinar con él los que obedientes son;
Es el mensaje fiel que debo proclamar,
En los negocios de mi Rey.

3. Mi hogar más bello es que el valle de *Sarón,
Gozo y eterna paz habrá por siempre en él,
Y allí Jesús dará eterna habitación,
Es el mensaje de mi Rey.

*Sarón, valle de Palestina. Is. 33:9; 65:10.
E. Taylor Cassel. Tr., Vicente Mendoza. ©1902. Renovado
1930 en International Praise. Asignado a Hope Publishing Co.
Usado con permiso.

400. TU VIDA, ¡OH SALVADOR!

1. Tu vida, ¡oh Salvador!, diste por mí;
Y nada quiero yo negarte a ti.
Rendida mi alma está; servirte ansía ya,
Y algún tributo dar de amor a ti.

2. Al Padre sin cesar ruegas por mí,
Y en mi debilidad confío en ti;
Quiero mi cruz llevar, tu nombre proclamar,
Y cantos entonar de amor a ti.

3. A estar conmigo ven, vive tú en mí;
   Y cada día haré algo por ti:
   Al pobre algún favor, curar algún dolor,
   Y así mostrar tu amor, algo por ti.

4. Cuanto yo tengo y soy lo entrego a ti,
   ¡En gozo o aflicción tuyo hasta el fin!
   Y cuando vea tu faz, en gloria donde estás
   Siempre me dejarás servirte a ti.

Sylvanus Dryden Phelps. Tr., Ernesto Barocio.

401. ESTAD POR CRISTO FIRMES

1. ¡Estad por Cristo firmes! soldados de la cruz;
   Alzad hoy la bandera en nombre de Jesús.
   Es vuestra la victoria con él por capitán,
   Por él serán vencidas las huestes de Satán.

2. ¡Estad por Cristo firmes! hoy llama a la lid;
   Con él, pues, a la lucha, ¡soldados todos, id!
   Probad que sois valientes luchando contra el mal;
   Si es fuerte el enemigo, Jesús es sin igual.

3. ¡Estad por Cristo firmes! las fuerzas son de él.
   El brazo de los hombres por débil no es fiel.
   Vestíos la armadura, velad en oración.
   Deberes y peligros demandan más tesón.

4. ¡Estad por Cristo firmes! bien poco durarán
   La lucha y la batalla; victoria viene ya.
   A todo el que venciere corona se dará;
   Y con el Rey de gloria, por siempre vivirá.

George Duffield, h. Tr., Jaime Clifford.

402. ¡OH DIOS DE AMOR PERFECTO!

1. ¡Oh Dios de amor perfecto! a ti venimos
   Ante tu trono excelso, en oración;
   Concede amor sin término a tus hijos,
   Dales el gozo de tu bendición.

2. Dios de la vida, dales tus virtudes
   De caridad y de profunda fe;
   La fe que dice ante el dolor: "No dudes."
   El noble confiar de la niñez.

3. Concédeles, Señor, amor cumplido;
   Dales tu paz, que calma la ansiedad;
   Haz brillar tras el día ensombrecido
   La aurora nueva de un amor sin par.

4. Bendice a los que unes, Padre bueno,
   Por el eterno y celestial Jesús;
   Dios trino, de perdón y gracia lleno,
   Que al universo inundas con tu luz. Amén.

Dorothy Frances Bloomfield de Gurney. Tr., Angel M.
Merga.

403. PADRE AMOROSO, PRESIDE LA BODA

1. Padre amoroso, preside la boda
   De estos dos seres que juntos aquí,
   Hacen sus votos de amor permanente,
   Frente a los hombres, delante de ti.

2. Unelos en un afecto constante;
   Dales cariño, bondad, comprensión.
   Tengan en todo hermosa armonía;
   Y en las flaquezas se brinden perdón.

3. Al emprender esta nueva jornada;
   Guíalos en el camino del bien.
   Haz que te sirvan, oh Dios de los cielos,
   En tu presencia por siempre, amén. Amén.

404. HOGAR FELIZ, DONDE EL SEÑOR RESIDE

1. Hogar feliz, donde el Señor reside,
   Cual muy amado amigo y Salvador;
   Donde no vienen huéspedes que priven
   A Cristo de su sitio de honor.

2. Hogar feliz, do el uno al otro sirve,
   Y su obra cumple cual fiel servidor;
   Do la tarea más humilde es santa,
   Porque la cumple en nombre del Señor.

3. Hogar feliz, donde a Jesús no olvidan;
   Do abundan gozo, paz, y no hay clamor;
   Do el alma herida pronto está aliviada
   Por el Espíritu consolador.

4. Hogar feliz, aquel que nos espera
   Al fin de nuestra vida terrenal;
   Cristo en la gloria ahora nos prepara
   Un nuevo hogar, sublime, celestial.

405. DANOS UN BELLO HOGAR

1. Danos un bello hogar:
   Donde la Biblia se pueda ver;
   Donde tu amor bienestar nos dé;
   Donde en ti todos tengan fe.
   ¡Danos un bello hogar!
   ¡Danos un bello hogar!

2. Danos un bello hogar:
   Donde el padre es fuerte y fiel;
   Donde no haya el sabor a hiel,
   Donde en su ambiente haya sólo miel.
   ¡Danos un bello hogar!
   ¡Danos un bello hogar!

3. Danos un bello hogar:
   Donde la madre con devoción,
   Sepa mostrarnos tu compasión.
   Donde tú habites con santa unción.
   ¡Danos un bello hogar!
   ¡Danos un bello hogar!

4. Danos un bello hogar:
   Donde los hijos podrán saber
   Cómo Jesús los quiere ver
   A su amparo y así vencer.
   ¡Danos un bello hogar!
   ¡Danos un bello hogar!

406. AMIGO DEL HOGAR

1. Oh Cristo, amigo fiel de cada hogar,
   Que a la mujer quisiste elevar:
   Tú, que a los niños das tu bendición,
   Por nuestras madres oye la oración.

2. Haz que la iglesia, con igual amor
   Guíe a los niños hacia ti, Señor;
   Y cada madre con abnegación
   Críe a sus hijos con tu dirección.

3. Que los hogares se te acerquen más,
   Creciendo siempre en santidad y paz,
   Mirando hacia aquel feliz hogar
   Donde con Cristo vamos a morar. Amén.

407. TU, QUE A LA MUJER HONRASTE

1. Las mujeres tú honraste al ser hijo de mujer;
Fuiste hombre y divino, con el Padre eres Dios.
Haz, Señor, que la mujer se consagre toda a ti.

2. Madre humana tú tuviste; oh Jesús, bendice hoy
A las madres y a los hijos: que se acerquen más a
ti,
Y con fe y gran amor buen servicio den aquí.

3. Tú, Jesús, que en el trabajo con José lo hiciste
bien,
Haz que humildes te sigamos con paciencia en el
dolor.
Y la vida en el hogar en quietud honor te dé.

4. Tú, Señor, que aquí buscaste a las almas con amor;
Tú, que a todos atrajiste, aunque a ti te hicieron
mal:
Nuestra influencia, para bien, en el mundo usa
hoy.

Emily L. Shirreff. Tr., Daniel Díaz R. ©1978 Casa Bautista de
Publicaciones. Todos los derechos reservados. Amparado por los
derechos de copyright internacional.

408. LOOR POR LAS MADRES

1. En tu templo, Padre Dios, elevamos nuestra voz
A tu nombre, dando honor por Jesús, el Salvador.
Damos hoy también loor por las madres y su amor.

2. En eterna gratitud por tu gracia en plenitud,
   Te loamos en canción por la inmensa bendición
   Del constante y puro amor de las madres,
   Dios de amor.

3. Oye, pues, la petición de esta fiel congregación;
   Te rogamos con fervor por las madres, Dios de
   amor;
   Que con tu divino bien coronadas hoy estén.

409. ¡OH QUE AMIGO NOS ES CRISTO!

1. ¡Oh qué amigo nos es Cristo!
   El llevó nuestro dolor,
   Y nos manda que llevemos
   Todo a Dios en oración.
   ¿Vive el hombre desprovisto
   De paz, gozo y santo amor?
   Esto es porque no llevamos
   Todo a Dios en oración.

2. ¿Vives débil y cargado
   De cuidados y temor?
   A Jesús, refugio eterno,
   Dile todo en oración.
   ¿Te desprecian tus amigos?
   Cuéntaselo en oración;
   En sus brazos de amor tierno
   Paz tendrá tu corazón.

3. Jesucristo es nuestro amigo,
   De esto prueba nos mostró,
   Pues sufrió el cruel castigo
   Que el culpable mereció.
   El castigo de su pueblo
   En su muerte él sufrió;
   Cristo es un amigo eterno;
   ¡Sólo en él confío yo!

Joseph Scriven. Tr., Leandro Garza Mora.

410. DEBES ORAR

1. Ven que el Maestro te llama;
   Ven con tu carga y afán;
   Y tus pecados y luchas,
   Si oras a Dios se te irán.

CORO

   Debes orar, a Dios orar;
   Dale tu carga, dale tu afán;
   Espera en él, pues cerca está:
   Una oración dile al Señor.

2. Ven a tu Cristo bendito,
   El es tu buen Salvador;
   Llámale, que él está cerca,
   El te prodiga su amor.

3. Ponte a los pies del Maestro,
   Cumple su fiel voluntad;
   Y con paciencia espera:
   En su poder y verdad.

411. EN EL HUERTO DE ORACION

1. En el huerto de oración hablo con mi Salvador,
   Y yo siento su poder, su poder y gran fervor.
   El entonces me asegura, gozo, paz, consolación.

CORO

   Tengo fe que él me ayuda, en la dura tentación,
   Y por eso yo le busco, en el huerto de oración.

2. Cuando a solas yo estoy abatido de dolor,
   Hablo con mi Salvador en el huerto de oración.
   Y le traigo mis pesares, él me ampara con su amo

3. Ya no tengo más temores, tengo paz, tranquilida
   El Señor de los señores, él me guarda con bondac
   Le rendí mi corazón, en el huerto de oración.

412. GETSEMANI

1. Una noche de luz el divino Jesús
   Fue al huerto de Getsemaní.
   Sus rodillas dobló y entonces oró
   A la sombra de olivos allí.

En tan grata quietud, en tan grata quietud
Se escuchó la oración de dolor:
"Sea hoy en verdad hecha tu voluntad,
Y no como yo quiero, Señor".

2. Y la lucha fue tal que cargó con el mal
   De los hombres en su perdición.
   Y por ellos sufrió cuando al huerto llegó
   A orar con profunda emoción.

3. No oraron con él en el santo vergel
   Los discípulos que él escogió;
   Y al irles a hablar tuvo un hondo pesar,
   Pues dormidos Jesús les miró.

4. Cante yo con loor el divino amor
   De Jesús que intercede por mí.
   Gloria siempre le doy y feliz vivo hoy
   Por el siervo de Getsemaní.

413. ¡OH DULCE, GRATA ORACION!

1. ¡Oh dulce, grata oración!
   Tú del contacto mundanal
   Me elevarás a la mansión
   Del tierno Padre celestial.
   Huyendo yo la tentación
   Y toda influencia terrenal.
   Por Cristo que murió por mí,
   Será mi ruego oído allí.

2. ¡Oh dulce, grata oración!
   A quien escucha con bondad
   Elevas tú mi corazón:
   A Dios que ama con verdad.
   Espero yo su bendición,
   Perfecta paz y santidad,
   Por Cristo que murió por mí,
   Por él que me ha salvado aquí.

3. ¡Oh Padre mío, Dios de amor!
   Escucha tú mi oración.
   ¡Oh Cristo mi fiel Salvador!
   Escucha tú mi oración.
   ¡Espíritu Consolador!
   Escucha tú mi oración.
   Bendíceme, ¡oh Trinidad,
   Que estás en la eternidad!

William Walford. Tr. en *Estrella de Belén.*

414. ¡PIEDAD, OH SANTO DIOS!

1. ¡Piedad, oh santo Dios, piedad!
   Piedad te implora el corazón.
   Oh, lávame de mi maldad
   Y dame gozo, paz, perdón.

2. Mis rebeliones graves son;
   Son todas sólo contra ti;
   Mas crea un nuevo corazón
   Y un nuevo espíritu en mí.

3. No quieres sacrificio, mas
   Que el humillado corazón;
   Mi ofrenda no despreciarás
   Ya que eres todo compasión.

4. Sálvame, Dios, con tu poder,
   Pues mi esperanza es sólo en ti;
   Contrito aguardo tu querer,
   Sé compasivo hacia mí. Amén.

Isaac Watts. Tr., M.N. Hutchinson.

415. NUESTRA ORACION

1. Padre amado, a ti acudimos,
   Atiende a nuestra oración;
   Por los que vagan sin rumbo pedimos,
   Muéstrales hoy tu dirección.
   Tu Hijo es la vida, él es la verdad;
   Un camino hay a la eternidad.
   Por los que vagan sin rumbo pedimos,
   Muéstrales hoy tu dirección.

2. Hijo de Dios, en tu nombre oramos
   Conforme a tu voluntad.
   Oh Salvador, en tus manos ponemos
   A los que buscan la verdad.
   Tú haces oír a los que sordos están;
   Sé con nosotros y a tu voz oirán.
   Oh Salvador, en tus manos ponemos
   A los que buscan la verdad.

3. Santo Espíritu, ayuda a las almas
   A que se acerquen a Jesús.
   Consolador, tú que ahora las llamas
   Dales entendimiento y luz.
   Tú las convencerás de su iniquidad,
   Y tú les limpiarás de toda maldad.
   Consolador, tú que ahora las llamas
   Dales entendimiento y luz.

Leslie Gómez Cordero. ©1978 Casa Bautista de Publicaciones.
Todos los derechos reservados. Amparado por los derechos de
copyright internacional.

416. MI CORAZON ELEVO A TI

1. Mi corazón elevo a ti con reverencia y humildad,
   Y me dispongo a recibir el santo pan de la verdad.

2. Tus sendas quiero yo seguir y de tus pasos ir en
   pos.
   Haz que mi alma pueda oír el claro acento de tu
   voz. Amén.

Gonzalo Báez-Camargo

417. OH PADRE DE LA HUMANIDAD

1. ¡Oh Padre de la humanidad, pedimos tu perdón!
   Renuévanos con tu bondad,
   Y así en pureza y santidad te adore el corazón.

2. Permítenos que al escuchar el eco de tu voz,
   También podamos contestar
   Tal como aquellos junto al mar, siguiendo de ti en
       pos.

3. ¡Oh, danos la serenidad con que venció Jesús!
   Silencio de la eternidad
   Que halló al hacer tu voluntad, muriendo en una
       cruz.

4. Angustias, penas y dolor que pasen pronto haz;
   Y sostenidos por tu amor
   Mostrar logremos, oh Señor, la paz que tú nos das.

5. En tentaciones o ansiedad, tu calma pon, Señor.
   Podamos en serenidad,
   O en la más ruda tempestad oír tu voz de amor.
                                                    Amén.

John G. Whittier. Tr., N. Martínez.

418. DILO A CRISTO

1. Cuando estés cansado y abatido,
   Dílo a Cristo, dílo a Cristo;
   Si te sientes débil, confundido,
   Dílo a Cristo el Señor.
   Dílo a Cristo, dílo a Cristo,

CORO

   El es tu amigo más fiel;
   No hay otro amigo como Cristo
   Dílo tan sólo a él.

2. Cuando estés de tentación cercado,
   Mira a Cristo, mira a Cristo;
   Cuando rugen huestes de pecado,
   Mira a Cristo el Señor.
   Mira a Cristo, mira a Cristo,

3. Si se apartan otros de la senda,
   Sigue a Cristo, sigue a Cristo;
   Si acrecienta en torno la contienda,
   Sigue a Cristo el Señor.
   Sigue a Cristo, sigue a Cristo,

4. Cuando llegue la final jornada,
   Fía en Cristo, fía en Cristo;
   Te dará en el cielo franca entrada,
   Fía en Cristo el Señor.
   Fía en Cristo, fía en Cristo,

Edmund S. Lorenz. Tr. al inglés, Jeremiah E. Rankin.
Es traducción.

419. SOY FELIZ EN EL SERVICIO DEL SEÑOR

1. Soy feliz en el servicio del Señor,
   Muy alegre, tan alegre;
   Tengo paz, contentamiento y amor,
   Al servir al Salvador.

CORO

   Al servir al Salvador, al servirle con amor;
   ¡Cuán alegre yo me siento, al servir a mi Señor!

2. Soy feliz en el servicio del Señor,
   Muy alegre, tan alegre;
   Hoy dedico mis talentos con fervor,
   Serviré al Salvador.

3. Soy feliz en el servicio del Señor,
   Muy alegre, tan alegre;
   En la lucha nunca faltará el valor,
   Que me da el Salvador.

A.H. Ackley. Tr., Enrique Sánchez. ©1912 B.D. Ackley.
© Renovado 1940, The Rodeheaver Co. Usado con permiso.

420. MAS SANTIDAD DAME

1. Más santidad dame, más odio al mal,
   Más calma en las penas, más alto ideal;
   Más fe en mi Maestro, más consagración,
   Más celo en servirle, más grata oración.

2. Más prudente hazme, más sabio en él,
   Más firme en su causa, más fuerte y más fiel;
   Más recto en la vida, más triste al pecar,
   Más humilde hijo, más pronto en amar.

3. Más pureza dame, más fuerza en Jesús,
   Más de su dominio, más paz en la cruz;
   Más rica esperanza, más obras aquí,
   Más ansia del cielo, más gozo allí.

P. P. Bliss. Tr., Stuart E. McNair.

421. YO TE SIRVO

Yo te sirvo porque te amo;
Tú me has dado vida a mí.
No era nada y me buscaste;
Tú me has dado vida a mí.
Vidas hechas pedazos,
Te llevaron al Calvario tan cruel;
Tu amor será mi anhelo,
Tú me has dado vida a mí.

422. PARA ANDAR CON JESUS

1. Para andar con Jesús no hay senda mejor
   Que guardar sus mandatos de amor;
   Obedientes a él siempre habremos de ser,
   Y tendremos de Cristo el poder.

CORO

Obedecer, y confiar en Jesús,
Es la regla marcada para andar en la luz.

2. Cuando vamos así, ¡cómo brilla la luz
En la senda al andar con Jesús!
Su promesa de estar con los suyos es fiel,
Si obedecen y esperan en él.

3. Quien siguiere a Jesús ni una sombra verá,
Si confiado su vida le da;
Ni terrores ni afán, ni ansiedad ni dolor,
Pues lo cuida su amante Señor.

4. Mas sus dones de amor nunca habréis de alcanzar,
Si rendidos no vais a su altar,
Pues su paz y su amor sólo son para aquel
Que a sus leyes divinas es fiel.

John H. Sammis. Tr., Vicente Mendoza.

423. PRONTO LA NOCHE VIENE

1. Pronto la noche viene, tiempo es de trabajar;
Los que lucháis por Cristo no hay que descansar;
Cuando la vida es sueño, gozo, vigor, salud,
Y es la mañana hermosa, de la juventud.

2. Pronto la noche viene, tiempo es de trabajar;
Para salvar al mundo hay que batallar;
Cuando la vida alcanza, toda su esplendidez,
Cuando es el medio día de la madurez.

3. Pronto la noche viene, tiempo es de trabajar;
Si el pecador perece, idlo a rescatar;
Aun a la edad madura, débil y sin salud,
Aun a la misma tarde de la senectud.

4. Pronto la noche viene, ¡listos a trabajar!
¡Listos!, que muchas almas hay que rescatar.
¿Quién de la vida el día puede desperdiciar?
"Viene la noche y nadie puede trabajar."

Annie Louise Coghill. Tr., Epigmenio Velasco.

424. A TI, SEÑOR, NUESTRA CANCION

1. A ti, Señor, nuestra canción de amor y gratitud
Alzamos, pues nos diste hoy tu amor en plenitud.
Nuestro clamor llegue hasta ti cual mística oración,
Pidiendo compartir así con otros, de tu amor.

2. Concédenos llevar, Señor, bondad, consuelo y paz
A los que en penas y dolor tras el pecado van.
Permítenos, oh Dios, sentir sincera compasión
Por los que tienen que vivir en sombras de
opresión.

3. Queremos compartir, Señor, la gracia que nos das,
Con los que van tras el error sin fe, sin luz, sin paz.
A quienes lejos van de ti, concédenos traer,
Y puedan compartir así tu gracia y tu poder.

425. VEN Y DA TUS DIEZMOS

1. Ven y da tus diezmos al Maestro,
   Dale tus riquezas y tu amor.
   Todos tus talentos hoy consagra
   Para gloria del Señor, quien dice:

CORO

   "Fiando, prueba,
   Pruébame si soy tu buen Señor,
   Que abriré las puertas del cielo
   Para dar gran bendición".

2. Si mi fe vacila por las dudas,
   O el poder de Dios no siento más,
   Viene mi Jesús y con ternura
   Vuelve a darme paz; y luego dice:

3. En servicio entrego de mi vida
   Todo lo mejor, sin vacilar.
   A mi Salvador doy mi promesa
   Al oír su dulce voz que dice:

Lida S. Leech. Tr., Abel P. Pierson Garza.
©1923; renovado 1951 Broadman Press. Todos
los derechos reservados. Amparado por los
derechos de copyright internacional. Usado con
permiso.

426. JUNTOS MARCHAMOS

1. Nuestro Dios es quien hizo el bien en nosotros.
   Promete ayudarnos, oh sí, hasta el final.
   Y el nombre de Jesús diremos a otros;
   Unidos marchamos con él.

CORO

   Juntos marchamos; ¡gloria a Dios!
   Juntos marchamos. Se goza el corazón.
   Yo mi parte haré, pues soy hijo de Dios,
   Y juntos marchamos con Dios.

2. Es honroso darnos ayuda amistosa;
   Tan sólo una parte le damos al Señor
   Del dinero, mas hoy la vida daremos,
   Pues juntos marchamos con él.

3. Creceremos juntos en santo amor;
   Pensar en los otros lo siente el corazón.
   Y podemos creer que Dios es lo mejor,
   Pues juntos marchamos con él.

427. MI VIDA DI POR TI

1. Mi vida di por ti, mi sangre derramé,
   La muerte yo sufrí, por gracia te salvé;
   Por ti la muerte yo sufrí, ¿Qué has dado tú por mí?
   Por ti la muerte yo sufrí, ¿Qué has dado tú por mí?

2. Mi celestial mansión, mi trono de esplendor,
   Dejé por rescatar al mundo pecador;
   Sí, todo yo dejé por ti, ¿Qué dejas tú por mí?
   Sí, todo yo dejé por ti, ¿Qué dejas tú por mí?

3. Reproches, aflicción, y angustia yo sufrí,
   La copa amarga fue que yo por ti bebí;
   Insultos yo por ti sufrí, ¿Qué sufres tú por mí?
   Insultos yo por ti sufrí, ¿Qué sufres tú por mí?

4. De mi celeste hogar te traigo el rico don;
   Del Padre, Dios de amor, la plena salvación;
   Mi don de amor te traigo a ti, ¿Qué ofreces tú por
      mí?
   Mi don de amor te traigo a ti, ¿Qué ofreces tú por
      mí?

Frances R. Havergal. Tr., S. D Athans.

428. FIEL MAYORDOMO SERE

1. Vengo rendido a tus pies, Señor;
   Quiero fielmente depositar:
   Diezmos, talentos, mi don de amor;
   Ofrenda grata hoy vengo a dar.

CORO

> Todo buen don viene del Señor;
> ¿Cómo negarlo podré?
> Fiel mayordomo de Cristo seré,
> Y un día, "Fiel siervo," oiré.

2. "Probadme en esto," dice el Señor,
   "Y bendiciones derramaré."
   Fiel a mis votos de fe seré,
   Testigo digno de mi Señor.

3. Si vas conmigo no dudaré;
   En tus promesas yo confiaré.
   De lo que es tuyo yo te daré,
   Y almas preciosas cosecharé.

Berta I. Montero. ©1978 Casa Bautista de Publicaciones. Todos los derechos reservados. Amparado por los derechos de copyright internacional.

429. ¡CUAN GRANDE AMOR!

1. Que Cristo me haya salvado tan malo como yo fui,
   Me deja maravillado, pues él se entregó por mí.

CORO

> ¡Cuán grande amor! ¡Oh grande amor!
> El de Cristo para mí.
> ¡Cuán grande amor! ¡Oh grande amor!
> Pues por él salvado fui.

2. Oró por mí en el huerto: "No se haga mi voluntad".
   Y todo aquel sufrimiento causado fue por mi mal.

3. Por mí se hizo pecado, mis culpas su amor llevó.
   Murió en la cruz olvidado, mas mi alma él rescató.

4. Cuando al final con los santos su gloria
        contemplaré,
   Con gratitud y con cantos por siempre le alabaré.

Charles H. Gabriel. Tr., H.T. Reza.

430. DULCES MELODIAS CANTARE

1. Dulces melodías cantaré, y alabanzas al Señor,
   A su nombre gloria yo daré, por su inefable amor.

CORO

   De Jesús el nombre dulce es para mí,
   Canta el alma mía melodías a mi Rey.

2. Yo vivía en sombras y en dolor, triste, herido,
        pobre y vil,
   Mas la tierna mano del Señor me llevó a su redil.

3. Fuente perennal de gracia hallé al amparo de su
        amor
   Su sonriente faz me imparte fe, esperanza y valor.

4. Aunque por el valle de aflicción tenga que pasar
        aquí,
   Mi Jesús dará su protección, él se acordará de mí.

5. La rosada aurora anuncia ya que Jesús por mí
        vendrá,
   Mi alma alegre con él reinará en la celestial ciudad.

Luther B. Bridgers. ©1910. Renovado 1937 Broadman Press.
Todos los derechos reservados. Usado con permiso. Tr., S.D. Athan:

431. TODAS TUS ANSIAS Y TU PESAR

1. Si hay en tu vida algunas penas,
   Si hay en tu alma algún pesar,
   Trae a la cruz tus ansiedades:
   Todo allí podrás dejar.

CORO

   Todas tus ansias y tu pesar
   Puedes al pie de la cruz dejar.
   Cristo tus cargas podrá llevar:
   Es tu mejor amigo.

2. No hay cual Jesús tan fiel amigo;
   Tus peticiones él oirá;
   Solo en él tendrás descanso;
   Tus oraciones contestará.

3. Ven en seguida; no demores.
   Oye su tierna invitación.
   No hay que temer, él no te engaña,
   Y tendrás paz en tu corazón.

Autor anónimo. Tr., Marjorie J. de Caudill. © 1978 Singspiration, Inc. Todos los derechos reservados. Usado con permiso.

432. FUE SENTADO A LOS PIES DE CRISTO

1. Fue sentado a los pies de Cristo,
   ¡Oh qué día tan feliz!
   Que encontré la paz que buscaba
   Y el perdón de él recibí.

CORO

> Te diré la antigua historia
> De su gracia dulce para mí,
> Y hoy le doy a él toda la gloria
> Por su amor tan grande así.

2. Fue sentado a los pies de Cristo,
   Que descanso hallé con él,
   Y su luz fue como un nuevo día,
   Bendición él diome fiel.

3. Fue sentado a los pies de Cristo,
   Mi pecado confesé;
   Canceló mis negras transgresiones
   Y salvóme por la fe.

Elisha A. Hoffman. Tr., Pablo Filós. ©1978 Casa Bautista de Publicaciones. Todos los derechos reservados. Amparado por los derechos de copyright internacional.

433. HOY, AYER Y POR LOS SIGLOS

1. Dulce y bello es el mensaje de la santa fe:
   Hoy, ayer y por los siglos Cristo el mismo es.
   Todavía él salva y guarda al pobre pecador;
   Da aliento, mucha calma: a Jesús loor,

CORO

> Hoy, ayer y por los siglos Cristo es siempre fiel;
> Cambios hay, mas Cristo siempre permanece fiel.
> ¡Gloria, pues, a él! ¡Gloria, pues, a él!
> Cambios hay, mas Cristo siempre permanece fiel.

2. Quien le dio perdón a Pedro, te perdona a ti.
   A Tomás quitó la duda; él la luz te da.
   Y en su pecho Juan, reposo él halló allí,
   Y también a ti reposo, con amor dará.

3. Quien en la tempestad del mar en aguas caminó,
   Puede hoy también calmar de tu alma la
       tempestad.
   Quien con gran angustia en huerto sí por ti oró,
   El la copa bebe fiel de toda tu ansiedad.

4. Como un día fue a la aldea de Emaús
   Y su gloria mostró después de su resurrección:
   Pronto habremos de admirar el rostro de Jesús
   Para nuestro gozo y paz y fiel consolación.

Albert B. Simpson. Estrofas, tr., Daniel Díaz R.; coro, traductor anónimo. ©1978 Casa Bautista de Publicaciones. Todos los derechos reservados. Amparado por los derechos de copyright internacional.

434. LA GLORIA DE CRISTO

1. La gloria de Cristo el Señor cantaré,
   Pues llena mi vida de gozo y de paz;
   Callar los favores que de él alcancé,
   Mi labio no puede jamás.

CORO

   Es todo bondad para mí
   Con él nada puedo desear,
   Pues todos mis altos deseos aquí,
   Tan sólo él los puede llenar.

2. En horas de angustia conmigo él está,
   Y puedo escuchar su dulcísima voz,
   Que me habla, y su paz inefable me da,
   La paz infinita de Dios.

3. Si a rudos conflictos me mira que voy,
   Me deja hasta el fin a mí solo luchar,
   Mas pronto, si ve que cediendo ya estoy,
   Socorro me viene a prestar.

4. También cuando gozo lo miro llegar,
   Y entonces mi dicha la aumenta el Señor,
   Y llena mi copa, se ve rebosar,
   Con todos sus dones de amor.

Charles H. Gabriel. Tr., Vicente Mendoza.

435. ALELUYA

1. Aleluya, aleluya, aleluya, aleluya,
   Aleluya, aleluya, aleluya, aleluya.

2. Yo te amo, yo te amo, yo te amo, yo te amo,
   Yo te amo, yo te amo, yo te amo, yo te amo.

3. Te alabo, te alabo, te alabo, te alabo,
   Te alabo, te alabo, te alabo, te alabo,

4. El es digno, él es digno, él es digno, él es digno,
   El es digno, él es digno, él es digno, él es digno.

436. YO TENGO UN HIMNO QUE ENTONAR

1. Yo tengo un himno que entonar: Jesús me redimió;
   El vino mi alma a rescatar: Jesús me redimió.

CORO

   Jesús me redimió, yo le glorificaré;
   En Jesús me gozaré;
   Jesús me redimió; a su nombre yo le cantaré.

2. Yo tengo en Cristo mi placer: Jesús me redimió;
   Su voluntad yo quiero hacer: Jesús me redimió.

3. Un testimonio debo dar: Jesús me redimió;
   Sin pena debo yo hablar: Jesús me redimió.

4. Yo tengo listo un hogar: Jesús me redimió;
   Allí feliz podré habitar: Jesús me redimió.

Edwin O. Excell. Tr., Agustín Ruiz V. © 1978 Casa Bautista de
Publicaciones. Todos los derechos reservados. Amparado por los
derechos de copyright internacional.

437. AMOR, AMOR

   Amor, amor, amor, amor;
   Hermanos míos, gozo sí.
   Ama a tu prójimo como a ti mismo.
   Dios es amor.

   Se repite.

438. EL PLACER DE MI ALMA

1. ¿Quién podrá con su presencia impartirme
      bendición?
   Sólo Cristo y su clemencia pueden dar
      consolación.

CORO

   Sólo Cristo satisface mi transido corazón;
   Es el Lirio de los valles y la Rosa de Sarón.

2. Su amor no se limita, es su gracia sin igual;
   Su merced es infinita, más profunda que mi mal.

3. Redención sublime y santa imposible de explicar;
   Que su sangre sacrosanta mi alma pudo rescatar.

4. Cristo suple en abundancia toda mi necesidad;
   Ser de él, es mi ganancia, inefable es su bondad.

Thoro Harris. © 1931. Renovado 1959 Sra. de Harris. Nazarene
Publishing House, U.S.A., dueño. Tr., H.T. Reza. ©1973 Lillenas
Publishing Company, U.S.A. Todos los derechos reservados. Usado
con permiso.

439. QUE LINDO ES CANTAR

1. Qué lindo es cantar. Qué grato es hablar
      Del gran amor de Dios que a su hijo envió.
      Qué dicha es tener la paz y el perdón,
      Y así poder hablar de Cristo el Salvador.

CORO

Con todo amor él entró, y mi corazón transformó.
Jesús el gran Salvador, a él loor.
Con todo amor él entró, y mi corazón transformó.
Jesús el gran Salvador, a él loor.

2. ¿Por qué no alabar a Cristo el Señor?
   Que en una cruz murió, su vida entregó.
   Su amor él nos dio, su paz nos dejó,
   Y así poder hablar de Cristo el Salvador.

3. Mientras viva aquí con Cristo andaré;
   Sus pasos seguiré por siempre hasta el fin.
   Con Cristo estaré, su rostro veré,
   Y así podré cantar su gloria sin igual.

Dina Milován de Carro y José Pistilli. ©1978 Casa Bautista de Publicaciones. Todos los derechos reservados. Amparado por los derechos de copyright internacional.

440. EL CRISTO DE NAZARET

1. En senda alejada yo le conocí
   Al Cristo de Nazaret;
   Fue allí que la carga quitó de mí,
   El Hombre de Nazaret.

CORO

Hombre admirable Cristo es,
Hombre admirable Cristo es.
Yo quiero a Jesús, no hay otro igual:
Este hombre que es de Nazaret.

2. Mi vida ese día rendí yo al Señor,
   Al Cristo de Nazaret;
   Y él siempre a mi lado me da su amor,
   El Hombre de Nazaret.

3. Un himno de gozo él me hace entonar,
   El Cristo de Nazaret;
   Y día tras día yo he de honrar
   Al Hombre de Nazaret.

4. Un día a llevarme al cielo vendrá,
   El Cristo de Nazaret;
   Y mi alma el rostro de él verá,
   Del Hombre de Nazaret.

B.B. McKinney. Tr., Adolfo Robleto. ©1935 Robert H. Coleman, 1978 Broadman Press, dueño. Todos los derechos reservados. Usado con permiso.

441. GOZO, PAZ Y AMOR

1. Yo vengo a ti, mi Salvador,
   Para entregarte todo mi ser.

CORO

   Gozo, paz y amor yo encuentro en ti;
   Gozo, paz y amor tú me das a mí.

2. Tú reinas en mí, y me das poder
   Para transformar al mundo del mal.

3. Hoy yo tengo paz dentro de mi corazón,
   Hallé esta paz en Cristo, mi Dios.

4. Gozo tengo yo, dentro de mi corazón,
   Hallé este gozo en Cristo, mi Dios.

5. Siento el amor, dentro de mi corazón,
   Hallé este amor en Cristo, mi Dios.

442. DIA FELIZ

1. Feliz el día en que escogí servirtc,
   Servirte, mi Señor y Dios;
   Preciso es que mi gozo en ti
   Lo muestre hoy por obra y voz.

CORO

   ¡Soy feliz! ¡Soy feliz!
   Y en su favor me gozaré;
   En libertad y luz me vi
   Cuando triunfó en mí la fe.
   Y el raudal carmesí
   Salud de mi alma enferma fue.

2. ¡Pasó!, mi gran deber cumplí;
   De Cristo soy y mío es él;
   Me atrajo y con placer seguí;
   Su voz conoce todo fiel.

3. Reposa, débil corazón,
   A tus contiendas pon ya fin.
   Hallé más noble posesión,
   Y parte en superior festín.

Philip Doddridge; coro, autor anónimo. Tr., T.M. Westrup.

443. SENTIR MAS GRANDE AMOR

1. Sentir más grande amor por ti, Señor;
   Mi anhelo es mi oración que elevo hoy.
   Dame esta bendición: sentir por ti, Señor,
   Más grande amor, más grande amor.

2. Busqué mundana paz y vil placer;
   No quiero hoy nada más que tuyo ser.
   ¡Oh qué felicidad! sentir por ti, Señor,
   Creciente amor, creciente amor.

3. Tu nombre, yo al morir, invocaré,
   Contigo iré a morar, tu faz veré.
   Y por la eternidad pensando en tu bondad,
   Más te amaré, más te amaré.

Elizabeth Prentiss. Tr., Ernesto Barocio.

444. COMPRADO POR SANGRE DE CRISTO

La música de este himno se canta con la misma
letra del himno 378.

445. HAY UN CANTO ALEGRE

1. Hay un canto alegre en mi corazón;
   Algo bello y celestial;
   Cada día siento la bendición
   De un amor que no tiene igual.

Este amor mi canción será;
Y cantar, mi felicidad.
Para siempre gloria daré al Señor,
Por su amor que no tiene igual.

2. Cuando me encontraba en oscuridad,
   Sin poder una luz hallar;
   El Señor mi alma llenó de paz,
   Por su amor que no tiene igual.

3. Cuando al fin en gloria cantando esté,
   En la luz bella y eternal,
   No me cansaré de cantar loor
   Por su amor que no tiene igual.

446. CRISTO EN TODO ES SEÑOR

1. En mi mañana, en mi ayer,
   Cristo en todo es Señor.
   Dejé mis luchas, soy un nuevo ser,
   Cristo en todo es Señor.

CORO

Rey, es Rey, Rey, Señor,
Cristo en todo es Señor;
De lo que tengo y lo que soy,
Cristo de todo es Señor.

2. En mis conflictos, en mi pensar,
   Cristo en todo es Señor.
   Batallas ganó, el amor por mi paz,
   Cristo en todo es Señor.

3. En mis anhelos, en mi soñar,
   Cristo en todo es Señor.
   Cuando fracaso, él me puede salvar,
   Cristo en todo es Señor.

447. DE JESUS EL NOMBRE GUARDA

1. De Jesús el nombre guarda, heredero del afán;
   Dulce hará tu copa amarga; tus afanes cesarán.

CORO

   Suave luz, manantial, de esperanza, fe y amor;
   Sumo bien, celestial es Jesús el Salvador.

2. De Jesús el nombre estima; que te sirva de
     *broquel:
   Alma débil, combatida, hallarás asilo en él.

3. De Jesús el nombre ensalza, cuyo sin igual poder
   Del pecado nos levanta, y renueva nuestro ser.

*Esta palabra significa defensa o amparo.
Lydia Baxter. Tr., T.M. Westrup.

448. DIOS ES AMOR

De un modo el Dios eterno vivió como un mortal
A fin que el hombre terrenal a Dios pudiera adorar.
Así los dos tuvieron la vida eterna
Y así mostrar su gran amor a la humanidad.
Y por subir al ser humano, tanto bajó el Señor
Y la razón es esta: que Dios es amor.
Dios es amor. Dios es amor.
Vida mortal vivió y así mostró su gran amor.
Dios es amor. Dios es amor.
Vida mortal vivió y así mostró su gran amor.

Timoteo Guerrero. ©1978 Casa Bautista de Publicaciones. Todos los derechos reservados. Amparado por los derechos de copyright internacional.

449. JUNTO A TI, MI BUEN SEÑOR

1. Te preciso, mi Señor, te reclama el corazón;
   Ven y muéstrame tu amor, quiero ser yo también
   bendición.

CORO

Junto a ti, mi buen Señor, quiero andar, mi
   Salvador;
Día a día guíame; óyeme, buen Señor, óyeme.

2. Yo soy débil, mi Señor, dame fortaleza hoy;
   Pues seguro yo estaré, si tú vas junto a mí,
   Salvador.

3. Habla claro, mi Señor, quiero oír tu dulce voz;
   Y saber qué quieres tú, háblame, lléname,
   tómame.

Autor anónimo. Tr.. Arnoldo Canclini.

450. DIOS TE AMA

1. La más sublime nueva es: ¡Dios te ama!
   Su gracia ahora puedes ver: ¡Dios te ama!
   Si en oscuridad tú vas, él tu senda alumbrará;
   En su amor seguro estás: ¡Dios te ama!

2. Y cuando deprimido estés: ¡Dios te ama!
   Pues aunque solo tú te ves: ¡Dios te ama!
   Cuando sufras el dolor, o si vives con temor,
   Mira al cielo y ten valor: ¡Dios te ama!

3. Y aunque lejos de él estés: ¡Dios te ama!
   Ya no demores en volver: ¡Dios te ama!
   Si rebelde fuiste ayer, hoy perdón podrás tener,
   Oh, confía en su poder: ¡Dios te ama!

Floyd W. Hawkins. Tr., Tony Arango. ©1973 y poema en
castellano ©1978 Lillenas Publishing Company, U.S.A. Todos
los derechos reservados. Usado con permiso.

451. NO HAY CUAL JESUS

1. No hay cual Jesús otro fiel amigo,
   No lo hay, no lo hay;
   Otro que pueda salvar las almas,
   No lo hay, no lo hay.

CORO

   Conoce todas nuestras luchas,
   Y sólo él nos sostendrá;
   No hay cual Jesús otro fiel amigo,
   No lo hay, no lo hay.

2. No hay un instante en que nos olvide,
   No lo hay, no lo hay;
   No hay noche obscura que no nos cuide,
   No la hay, no la hay.

3. No hay otro amor como el de Cristo,
   No lo hay, no lo hay;
   Ha prometido estar conmigo,
   Hasta el fin, hasta el fin.

Johnson Oatman, h. Es traducción.

452. CANTARE LA BELLA HISTORIA

1. Cantaré la bella historia que Jesús murió por mí;
   Cómo allá en el Calvario dio su sangre carmesí.

CORO

Cantaré la bella historia de Jesús, mi Salvador,
Y con santos en la gloria a Jesús daré loor.

2. Cristo vino a rescatarme, vil, perdido me encontró;
   Con su mano fiel y tierna al redil él me llevó.

3. Mis heridas y dolores el Señor Jesús sanó;
   Del pecado y los temores su poder me libertó.

Francis H. Rowley. Es traducción.

453. ES DE DIOS LA SANTA GRACIA

1. Es de Dios la santa gracia
   Cual del mar la inmensidad,
   Hay amor en su justicia,
   Muestra en todo su bondad.

2. A quien vive en el pecado
   Lo reprende con amor,
   Y se goza en abundancia
   El que sirve al Salvador.

3. Y jamás de Dios la gracia
   Mente humana entenderá,
   Porque al Padre bondadoso
   Nunca el hombre igualará.

4. Si con fe sencilla el alma
   Recibiera al Salvador,
   Nuestra vida gozaría
   Dulcemente de su amor.

Frederick W. Faber. Tr., J. B. Cabrera.

454. ¡CUAN GLORIOSO ES MI CRISTO!

1. Por mi maldad Jesús murió,
   ¡Cuán glorioso es mi Cristo!
   Por mí pagó y me salvó,
   ¡Cuán glorioso es mi Cristo!

CORO

Salvador muy glorioso es Cristo, mi Cristo.
Salvador muy glorioso es Cristo el Señor. Amén.

2. Le alabo por mi salvación,
   ¡Cuán glorioso es mi Cristo!
   Y por su amor me dio perdón,
   ¡Cuán glorioso es mi Cristo!

3. De mis pecados me limpió,
   ¡Cuán glorioso es mi Cristo!
   Y ahora es Rey, pues ya triunfó,
   ¡Cuán glorioso es mi Cristo!

4. He de vencer por su poder,
   ¡Cuán glorioso es mi Cristo!
   El mal por fe no he de temer,
   ¡Cuán glorioso es mi Cristo!

Elisha A. Hoffman. Tr., Adolfo Robleto. ©1978 Casa Bautista de Publicaciones. Todos los derechos reservados. Amparado por los derechos de copyright internacional.

455. SUENAN MELODIAS EN MI SER

1. Del Dios del cielo oí un canto
   Melodioso, arrobador;
   Lo cantaré con gozo y gratitud,
   Con muy dulce y tierno amor.

CORO

Suenan melodías en mi ser,
De un canto celestial, sonoro, angelical;
Suenan melodías en mi ser
De un dulce canto celestial.

2. Amo a Jesús que en el Calvario
   Mis pecados ya borró;
   Mi corazón se inflama en santo amor
   Que en mi ser él derramó.

3. Será mi tema allá en la gloria,
   Del gran trono en derredor,
   Cantar con gozo y con gratitud
   Alabanzas al Señor.

456. DIME LA HISTORIA DE CRISTO

1. Dime la historia de Cristo, grábala en mi corazón;
   Dime la historia preciosa; ¡cuán melodioso es su
     son!
   Di como cuando nacía ángeles con dulce voz
   "Paz en la tierra," cantaron, "y en las alturas
     gloria a Dios."

CORO

   Dime la historia de Cristo, grábala en mi corazón;
   Dime la historia preciosa; ¡cuán melodioso es su
     son!

2. Dime del tiempo en que a solas en.el desierto se
     halló;
   De Satanás fue tentado mas con poder lo venció.
   Dime de todas sus obras, de su tristeza y dolor,
   Pues sin hogar, despreciado, anduvo nuestro
     Salvador.

3. Dí cuando crucificado, él por nosotros murió;
   Dí del sepulcro sellado, dí como resucitó.
   En esa historia tan tierna miro las pruebas de
       amor,
   Mi redención ha comprado el bondadoso Salvador.

457. CRISTO ES MI DULCE SALVADOR

1. Cristo es mi dulce Salvador, mi bien, mi paz, mi
       luz;
   Mostróme su infinito amor muriendo en dura cruz.
   Cuando estoy triste encuentro en él
   Consolador y amigo fiel;
   Consolador, amigo fiel es Jesús.

2. Cristo es mi dulce Salvador, su sangre me compró;
   Con sus heridas y dolor, perfecta paz me dio.
   Dicha inmortal allá tendré,
   Con Cristo siempre reinaré,
   Dicha inmortal allá tendré, con Jesús.

3. Cristo es mi dulce Salvador, mi eterno Redentor,
   ¡Oh!, nunca yo podré pagar la deuda de su amor.
   Le seguiré fiel en la luz,
   No temeré llevar mi cruz;
   No temeré llevar mi cruz por Jesús.

4. Cristo es mi dulce Salvador, por él salvado soy;
   La roca de la eternidad, en quien seguro estoy;
   Gloria inmortal allá tendré,
   Con Cristo siempre reinaré,
   Gloria inmortal allá tendré con Jesús.

Will L. Thompson. Tr., S.D. Athans.

458. JUNTO A LA CRUZ

1. Junto a la cruz do murió el Salvador,
   Por mis pecados clamaba al Señor,
   ¡Qué maravilla! Jesús me salvó.
   ¡A su nombre gloria!

CORO

   ¡A su nombre gloria! ¡A su nombre gloria!
   ¡Qué maravilla! Jesús me salvó.
   ¡A su nombre gloria!

2. Junto a la cruz recibí el perdón;
   Limpio en su sangre está mi corazón;
   Mi alma está llena de gozo y paz:
   ¡A su nombre gloria!

3. Junto a la cruz hay un manantial
   De agua de vida cual puro cristal;
   Fue apagada por Cristo mi sed:
   ¡A su nombre gloria!

4. Ven sin tardar a la cruz del Señor;
   Allí te espera Jesús, Salvador.
   Allí de Dios hallarás el amor:
   ¡A su nombre gloria!

Elisha A. Hoffman. Tr., Vicente Mendoza.

459. YA PERTENEZCO A CRISTO

1. Cristo el Señor me ama por siempre,
   Mi vida guarda él tiernamente.
   Vence el pecado, cuida del mal.
   Ya pertenezco a él.

CORO

   Ya pertenezco a Cristo, él pertenece a mí.
   No sólo por el tiempo aquí, mas por la eternidad.

2. Cristo bajó del cielo a buscarme;
   Cubierto de pecado encontróme:
   Me levantó de vergüenzas mil.
   Ya pertenezco a él.

3. Gozo indecible inunda mi alma.
   Ya libertado estoy y mi vida
   Llena está de felicidad.
   Ya pertenezco a él.

Norman J. Clayton. ©1938 y 1943 Norman J. Clayton.
Renovado 1966, 1971 Norman J. Clayton Publishing Co.
Usado con permiso. Tr., J. Arturo Savage.

460. PORQUE EL VIVE

1. Dios nos envió a su Hijo, Cristo;
   El es salud, paz y perdón.
   Vivió y murió por mi pecado;
   Vacía está la tumba porque él triunfó.

Porque él vive triunfaré mañana,
Porque él vive ya no hay temor;
Porque yo sé que el futuro es suyo,
La vida vale más y más sólo por él.

2. Grato es tener a un tierno niño;
   Tocar su piel gozo nos da;
   Pero es mejor la dulce calma
   Que Cristo el Rey nos puede dar, pues vivo está.

3. Yo sé que un día el río cruzaré;
   Con el dolor batallaré.
   Y al ver la vida triunfando invicta,
   Veré gloriosas luces y veré al Rey.

461. ES TODO PARA MI

1. En el firmamento veo a Dios,
   En el viento él habla en majestad,
   Aunque reina sobre tierra y mar,
   ¿Que es eso para mí?

2. Yo creeré en su natividad
   Que en la historia es una realidad
   Aunque él vino para liberar,
   ¿Que es eso para mí?

Hasta que por fe le conocí,
Y su gran poder en mí sentí,
No sabía que era un Dios de amor
Que vino desde allá para salvarme a mí.
Yo ahora pertenezco a él,
El me ayuda con su gran poder,
Me conduce siempre a la verdad,
Es todo para mí.

462. CANTEN CON ALEGRIA

1. Canten con alegría las alabanzas de Cristo el Rey;
   Anden en los caminos que nos mostrara su
       augusta grey.
   Vivan los redimidos en las victorias del Vencedor;
   Para que todos juntos veamos las glorias del
       Redentor.

2. Cristo es la luz del mundo, y el que le sigue la luz
       tendrá;
   Cristo es el pan de vida, y el que de él come no
       morirá.
   Cristo es la fuente viva, y el que de él bebe no
       tendrá sed;
   Y si queréis la vida, id a la fuente y allí bebed.

3. Cristo es, de las ovejas que él redimiera, su buen
    Pastor;
   Vino para salvarlas pero sufriendo cruento dolor.
   Y al derramar su sangre en el madero de aquella
    cruz,
   Vida, paz y esperanza, y eterna gloria nos dio
    Jesús.

4. Ahora ya no estoy triste sino que vivo siempre
    feliz,
   Con la dulce esperanza de que algún día iré al país,
   Ese país amado donde moradas fue a preparar:
   Cristo, el Pastor eterno, que a sus ovejas vino a
    salvar.

Alfredo Colom M. ©1954 Robert C. Savage. Asignado a
Singspiration, Inc. Tr. ©1978 Singspiration, Inc. Todos los derechos
reservados. Usado con permiso.

463. ¿SABES POR QUE CANTO A CRISTO?

1. Suena en mi ser dulce canto:
   Cristo el Señor me salvó;
   El Salvador los pecados
   De mi alma todos limpió.

CORO

   ¿Sabes por qué canto a Cristo?
   El es mi amante Señor;
   Por mí murió en el Calvario
   Cristo, mi Salvador.

2. Al contemplar su hermosura,
   Mi alma de amor se llenó;
   No pude menos que amarle,
   Pues Cristo me libertó.

3. Cristo es el Lirio del Valle,
   Rosa es también de Sarón;
   Su gracia y misericordia
   Hoy llenan mi corazón.

464. GRATO ES CONTAR LA HISTORIA

1. Grato es contar la historia del celestial favor;
   De Cristo y de su gloria, de Cristo y de su amor;
   Me agrada referirla, pues sé que es la verdad;
   Y nada satisface cual ella, mi ansiedad.

CORO

   ¡Cuán bella es esa historia! Mi tema de victoria,
   Es esta antigua historia de Cristo y de su amor.

2. Grato es contar la historia que ayuda al mortal;
   Que en glorias y portentos no reconoce igual;
   Me agrada referirla, pues me hace mucho bien:
   Por eso a ti deseo decírtela también.

3. Grato es contar la historia que antigua, sin vejez,
   Parece al repetirla más dulce cada vez;
   Me agrada referirla, pues hay quien nunca oyó
   Que para hacerle salvo el buen Jesús murió.

465. GRANDE GOZO HAY EN MI ALMA HOY

1. Grande gozo hay en mi alma hoy,
   Pues Jesús conmigo está;
   Y su paz, que ya gozando estoy,
   Por siempre durará.

CORO

   Grande gozo, ¡cuán hermoso!
   Paso todo el tiempo bien feliz;
   Porque tengo en Cristo grata y dulce paz,
   Grande gozo siento en mí.

2. Hay un canto en mi alma hoy;
   Melodías a mi Rey;
   En su amor feliz y libre soy,
   Y salvo por la fe.

3. Paz divina hay en mi alma hoy,
   Porque Cristo me salvó;
   Las cadenas rotas ya están;
   Jesús me libertó.

4. Gratitud hay en mi alma hoy,
   Y alabanzas a Jesús;
   Por su gracia a la gloria voy,
   Gozándome en la luz.

Eliza E. Hewitt. Es traducción.

466. VICTORIA EN CRISTO

1. Oí bendita historia, de Jesús quien de su gloria,
   Al Calvario decidió venir para salvarme a mí.
   Su sangre derramada se aplicó feliz a mi alma,
   Me dio victoria sin igual cuando me arrepentí.

CORO

   Ya tengo la victoria, pues Cristo me salva.
   Buscóme y compróme con su divino amor.
   Me imparte de su gloria, su paz inunda mi alma;
   Victoria me concedió cuando por mí murió.

2. Oí que en amor tierno, él sanó a los enfermos;
   A los cojos los mandó correr, al ciego lo hizo ver.
   Entonces suplicante le pedí al Cristo amante,
   Le diera a mi alma la salud y fe para vencer.

3. Oí que allá en la gloria, hay mansiones de victoria,
   Que su santa mano preparó para los que él salvó.
   Espero unir mi canto al del grupo sacrosanto,
   Que victorioso rendirá tributo al Redentor.

E.M. Bartlett. ©1939 E.M. Bartlett. ©1967 Sra. de E.M. Bartlett.
Renovado. Asignado a Albert E. Brumley e hijos. Tr., H.T. Reza.
Usado con permiso.

467. VEN A CRISTO, VEN AHORA

1. Ven a Cristo, ven ahora, ven así cual estás;
   Y de él sin demora el perdón obtendrás.

2. Cree y fija tu confianza en su muerte por ti;
   El gozo alcanza quien lo hiciere así.

3. Ven a Cristo con fe viva, piensa mucho en su
   amor;
   No dudes, reciba al más vil pecador.

4. El anhela recibirte, y hacerte merced;
   Las puertas abrirte al eterno placer.

Pedro Castro

468. HALLE UN BUEN AMIGO

1. Hallé un buen amigo, mi amado Salvador;
   Contaré lo que él ha hecho para mí:
   Hallándome perdido e indigno pecador,
   Me salvó y hoy me guarda para sí.
   Me salva del pecado, me guarda de Satán;
   Promete estar conmigo hasta el fin.
   El consuela en la tristeza, me quita todo afán.
   ¡Grandes cosas Cristo ha hecho para mí!

2. Jesús jamás me falta, jamás me dejará;
   Es mi fuerte y poderoso protector.
   Del mal yo me separo y de la vanidad,
   Para consagrar mi vida al Señor.
   Si el mundo me persigue, si sufro tentación,
   Confiando en Cristo puedo resistir.
   La victoria me es segura y elevo mi canción:
   ¡Grandes cosas Cristo ha hecho para mí!

3. Yo sé que Jesucristo muy pronto volverá,
   Y entre tanto me prepara un hogar.
   En la casa de mi Padre, mansión de luz y paz,
   Do el creyente fiel con él ha de morar.
   Y cuando esté en la gloria, ningún pesar tendré:
   Contemplaré su rostro siempre allí.
   Con los santos redimidos gozoso cantaré:
   ¡Grandes cosas Cristo ha hecho para mí!

Charles W. Fry. Tr., Enrique Turrall.

469. ¡OH QUE SALVADOR ES MI CRISTO JESUS!

1. ¡Oh qué Salvador es mi Cristo Jesús!
   ¡Oh qué Salvador es aquí!
   El salva al más malo de su iniquidad,
   Y vida eterna le da.

CORO

   Me escondo en la *Roca que es Cristo el Señor,
   Y allí nada yo temeré;
   Me escondo en la Roca que es mi Salvador,
   Y en él siempre yo confiaré,
   Y siempre con él viviré.

2. Veré a mis hermanos que aquí yo dejé,
   Y con ellos yo estaré;
   Mas quiero mirar a mi Cristo Jesús,
   El cual murió en dura cruz.

3. Y cuando esta vida termine aquí,
   La lucha por fin dejaré,
   Entonces a Cristo yo voy a mirar,
   Loor a su nombre daré.

4. Y cuando en las nubes descienda Jesús,
   Glorioso al mundo a reinar,
   Su gran salvación y perfecto amor,
   Por siempre yo he de gozar.

Fanny J. Crosby. Es traducción.
*Isaías 32:2.

470. INVITACION DE DULCE AMOR

1. Invitación de dulce amor ofreces al mortal,
   Nos das en Cristo, ¡oh Dios de amor!,
   La vida celestial, la vida celestial.

2. La gloria por la eternidad será feliz mansión
   Del alma que, de la maldad,
   Anhela salvación, anhela salvación.

3. Dulcísima promesa es vivir en ese hogar,
   Si en ti, divino y recto juez,
   Confiamos sin cesar, confiamos sin cesar.

4. La patria excelsa y eternal vislumbra ya la grey,
   Do alumbra fúlgido el fanal
   De Cristo, nuestro Rey, de Cristo, nuestro Rey.
                                        Amén.

V.D. Báez

471. EN PECADOS Y TEMOR

1. En pecados y temor el Salvador me vio,
   Aunque indigno pecador sin merecer amor;
   En Calvario al morir mi vida rescató,
   Mi salud fue consumada en la cruz.

CORO

   Ven al Señor, ¡oh pecador!
   El es tu amigo fiel, ven pecador;
   Ven al Señor, Dios es amor,
   Escucha su tierna voz, ven pecador.

2. De la tumba ya surgió, mi Redentor Jesús;
   A la muerte derrotó, dándonos plena luz;
   Vida eterna el pecador goza por fe en él,
   Y los muertos han de oír su dulce voz.

3. A los cielos ascendió Cristo triunfante Rey,
   A la diestra de Jehová está tu Mediador,
   Intercede en tu favor, no te detengas, pues;
   No desprecies esta voz: es tu Señor.

472. ES LA VIDA DE MI ALMA

Es la vida de mi alma,
Mi Cristo, mi Cristo;
Es la vida de mi alma,
Es Jesús, mi Salvador.
Cristo, Cristo, Cristo, Cristo.
Es la vida de mi alma,
Es Jesús, mi Salvador.

473. CUAN ADMIRABLE ES CRISTO

1. No hay día tan largo y triste,
Una noche tan larga no hay;
Pues el alma que en Cristo confía
Do quiera podrá cantar.

CORO

Cuán admirable es Cristo,
En mi pecho él pone un cantar;
Un himno de triunfo, de gozo y vigor,
En mi pecho él pone un cantar.

2. No habrá una cruz tan cruenta,
Un pesar tan fatal no habrá;
Pues Jesús nos ayuda a llevarlos:
Su amor nunca faltará.

3. No hay carga o pena dura,
Tan enorme conflicto no hay;
Mi Jesús con amor aliviana
La carga más fatal.

4. Pecador no lo hay tan grande,
   Que perdido en el mundo esté,
   Que Jesús en su gracia infinita
   No pueda hoy dar perdón.

474. HE DECIDIDO SEGUIR A CRISTO

1. He decidido seguir a Cristo,
   He decidido seguir a Cristo,
   He decidido seguir a Cristo;
   No vuelvo atrás, no vuelvo atrás.

2. El Rey de gloria me ha transformado,
   El Rey de gloria me ha transformado,
   El Rey de gloria me ha transformado;
   No vuelvo atrás, no vuelvo atrás.

3. La vida vieja ya he dejado,
   La vida vieja ya he dejado,
   La vida vieja ya he dejado;
   No vuelvo atrás, no vuelvo atrás.

475. MI SALVADOR EN SU BONDAD

1. Mi Salvador en su bondad
   Al mundo malo descendió;
   Y del abismo de maldad,
   El mi alma levantó.

CORO

> Seguridad me dio Jesús,
> Cuando en su gracia me alcanzó;
> Estando en sombra, a plena luz,
> En su bondad, me levantó.

2. Su voz constante resistí,
   Aunque él, amante, me llamó;
   Mas su palabra recibí,
   Y fiel me levantó.

3. Tortura cruel sufrió por mí,
   Cuando en la cruz por mí murió,
   Tan sólo así salvado fui,
   Y así me levantó.

4. Que soy feliz, yo bien lo sé,
   Con esta vida que él me dio;
   Mas no comprendo aún por qué,
   Jesús me levantó.

Charles H. Gabriel. Tr., Vicente Mendoza.

476. AL TRONO EXCELSO

1. Al trono excelso, do inmensa gloria,
   Supremo Dios, tu majestad reside,
   Suban las voces puras del ferviente
   Pueblo que pide.

2. Que los altares de los falsos dioses
   Desaparezcan porque no dan vida,
   Sé tú el Dios nuestro; y el debido culto
   Todos te rindan.

3. Sea tu reino nuestra amada patria;
   Tu voluntad, la ley que veneremos;
   La fe de Cristo, la segura guía
   Que procuremos.

4. Danos tu gracia y bendición constante,
   Mientras tengamos por morada el suelo;
   Hasta el momento en que nos des la nueva
   Patria en el cielo. Amén.

Juan Bautista Cabrera

477. PAZ, PAZ, CUAN DULCE PAZ

1. En el seno de mi alma una dulce quietud
   Se difunde inundando mi ser,
   Una calma infinita que sólo podrán
   Los amados de Dios comprender.

¡Paz!, ¡paz!, ¡cuán dulce paz!
Es aquella que el Padre me da;
Yo le ruego que inunde por siempre mi ser,
En sus ondas de amor celestial.

2. Qué tesoro yo tengo en la paz que me dio,
Y en el fondo del alma ha de estar
Tan segura que nadie quitarla podrá
Mientras miro los años pasar.

3. Sin cesar yo medito en aquella ciudad
Do al Autor de la paz he de ver,
Y en que el himno más dulce que habré de cantar
De su paz nada más ha de ser.

4. Alma triste que en rudo conflicto te ves,
Sola y débil tu senda al seguir,
Haz de Cristo tu amigo, pues fiel siempre es,
¡Y su paz tú podrás recibir!

W.D. Cornell. Tr., Vicente Mendoza.

478. AMOROSO SALVADOR

1. Amoroso Salvador, sin igual es tu bondad,
Eres tú mi mediador, mi perfecta santidad.

2. Mi contrito corazón te confiesa su maldad,
Pide al Padre mi perdón por tu santa caridad.

3. Te contemplo sin cesar en tu trono desde aquí;
¡Oh, cuán grato es meditar que intercedes tú por
mí!

4. Fuente tú de compasión, siempre a ti te doy loor:
   Siendo grato al corazón ensalzarte mi Señor.
                                        Amén.

479. CANTAR NOS GUSTA UNIDOS

1. Cantar nos gusta unidos, cantar nos gusta unidos,
   Acordes a una voz,
   A nuestro eterno Padre, a nuestro eterno Padre,
   Y a su Hijo el Salvador.
   ¡Cuán bueno es, cuán bueno es,
   Cuán bueno es cantar juntos!
   ¡Cuán bueno es, cuán bueno es cantar loor a Dios!

2. Orar nos gusta unidos, orar nos gusta unidos
   Con santa devoción,
   A Cristo, que nos haga, a Cristo, que nos haga
   Aceptos en su amor.
   ¡Cuán bueno es, cuán bueno es,
   Cuán bueno es orar juntos!
   ¡Cuán bueno es, cuán bueno es cantar loor a Dios!

3. Leer nos gusta unidos, leer nos gusta unidos
   La fiel revelación,
   Que alumbra nuestros pasos, que alumbra nuestros
        pasos
   Con claro resplandor.
   ¡Cuán bueno es, cuán bueno es,
   Cuán bueno es leer juntos!
   ¡Cuán bueno es, cuán bueno es cantar loor a Dios!

4. Estar nos gusta unidos, estar nos gusta unidos
   En fe y adoración,
   Gozando las delicias, gozando las delicias
   Del día del Señor.
   ¡Cuán bueno es, cuán bueno es,
   Cuán bueno es estar juntos!
   ¡Cuán bueno es, cuán bueno es cantar loor a Dios!

J.B. Cabrera

480. SOLO CRISTO SALVA

1. Sólo Cristo salva de pecado y dolor;
   Derramó su sangre para darnos libertad.

CORO

   No hay otro nombre que ofrece salvación.
   Sólo Cristo salva, dando gozo y perdón.

2. Sólo Cristo salva de tristeza y pesar,
   Dando paz y gozo, consolando con su amor.

Mario Zeballos Ch. Usado con agradecimiento al autor y a la
Comisión de Alfabetización y Literatura en Aymara.

481. CUANTO MAS LE SIRVO

1. Desde que salí hacia el reino,
   Desde que le di control,
   Desde que mi alma es suya,
   Cuanto más le sirvo, más es su dulzor.

CORO

> Cuanto más le sirvo, más es su dulzor;
> Cuanto más le amo, más da de su amor.
> Mi vida es del cielo, mi gozo es su amor,
> Cuanto más le sirvo, más es su dulzor.

2. Mi necesidad él suple
   Y de gracia es dador,
   Mi camino él ilumina,
   Cuanto más le sirvo, más es su dulzor.

482. LUGAR HAY DONDE DESCANSAR

1. Lugar hay donde descansar,
   Junto al corazón de Dios;
   Do nada puede molestar,
   Junto al corazón de Dios.

CORO

> Jesús, del cielo enviado
> Del corazón de Dios,
> ¡Oh siempre cerca tennos
> Del corazón de Dios!

2. Lugar hay de consuelo y luz,
   Junto al corazón de Dios;
   Do nos juntamos con Jesús,
   Junto al corazón de Dios.

3. Lugar hay de eternal solaz,
   Junto al corazón de Dios;
   Do Cristo otorga gozo y paz,
   Junto al corazón de Dios.

Cleland B. McAfee. Tr., George P. Simmonds.

483. HAY UN NOMBRE NUEVO EN LA GLORIA

1. Una vez perdido vivía yo,
   Lejos y vagante en error;
   Mas la voz de Cristo me alcanzó,
   Me llamó con tierno amor.

CORO

Hay un nombre nuevo en la gloria,
Mío es, sí, mío es;
Y los ángeles cantan la historia,
"Salvo es el pecador."
¡Oh!, hay un nombre nuevo en la gloria,
Mío es, sí, mío es;
Todos mis pecados ya son perdonados,
¡Gloria al Señor!

2. En la Biblia dice, que salvo soy
   Por la gracia de Jesucristo;
   Y por fe en su nombre a la gloria voy,
   Porque él me rescató.

3. Cantos de alegría elevo hoy
   A mi Rey y buen Salvador;
   Y ahora mis dones a Cristo doy,
   Y le sirvo por su amor.

C. Austin Miles. Tr. J. Arturo Savage. ©1910 Hall-Mack Co.
©Renovado 1938 The Rodeheaver Co. Usado con permiso.

484. ¿COMO PODRE ESTAR TRISTE?

1. ¿Cómo podré estar triste? ¿Cómo entre sombras ir?
   ¿Cómo sentirme solo y en el dolor vivir?
   Si Cristo es mi consuelo, mi amigo siempre fiel,
   Si aun las aves tienen seguro asilo en él,
   Si aun las aves tienen seguro asilo en él.

CORO

   ¡Feliz, cantando alegre, yo vivo siempre aquí;
   Si él cuida de las aves, cuidará también de mí!

2. "Nunca te desalientes," oigo al Señor decir;
   Y en su palabra fiado, hago al dolor huir.
   A Cristo, paso a paso yo sigo sin cesar,
   Y todas sus bondades me da sin limitar,
   Y todas sus bondades por siempre me ha de dar.

3. Siempre que soy tentado, o si en la prueba estoy,
   Más cerca de él camino, y protegido voy;
   Si en mí la fe desmaya y sufro de ansiedad,
   Tan sólo él me levanta, me da seguridad,
   Tan sólo él me levanta, me da seguridad.

Charles H. Gabriel. Tr., Vicente Mendoza.

485. CANTARE LOOR A CRISTO

1. Cantaré a Jesucristo, de su grande y fiel amor;
   El sufrió en el Calvario por librar al pecador.

CORO

Cantaré a Jesucristo, con su sangre me compró,
El me compró;en la cruz me dio el indulto,
Del pecado me libró.

2. Cantaré la excelsa historia de gloriosa salvación,
   Que al que quiere recibirla se la da por compasión.

3. Cantaré loor a Cristo por su triunfo y gran poder;
   El pecado, infierno, y muerte él me ayudará a
   vencer.

4. Cantaré a Jesucristo, de su eterno y gran amor;
   Hijo soy de Dios por gracia de Jesús mi Salvador.

Philip P. Bliss. Tr., George P. Simmonds. ©1955 George P.
Simmonds. Todos los derechos reservados. Usado con permiso.

486. CADA DIA QUE PASA

1. Cada día que pasa yo me siento mucho más
   agradecido a Dios,
   Y al sentir su amor inmenso yo comprendo todo
   el bien que él hizo por mí.

2. Cada día que pasa yo me siento mucho más
   agradecido a él,
   Y por eso yo le sigo y procuro cada día serle más
   fiel.
   Murió en la cruz por mí, por darme salvación;
   Vertió su sangre allí, por darme redención,
   Y ahora canto yo con gran satisfacción,
   Yo salvo soy; tengo el perdón,
   Tengo el perdón, tengo el perdón.

487. LAS PISADAS DEL MAESTRO

1. Quiero seguir el andar del Maestro,
   Quiero ir en pos de mi Rey y Señor;
   Y modelando por él mi carácter,
   Canto con gozo a mi Redentor.

CORO

   ¡Qué hermoso es seguir el andar del Maestro!
   Siempre en la luz, cerca de Jesús,
   ¡Qué hermoso es seguir el andar del Maestro,
   En su santa luz!

2. Ando más cerca de él, pues me guía
   Cuando el maligno me quiere tentar;
   Siempre confiando en Cristo, mi fuerte,
   Debo con gozo su nombre ensalzar.

3. Sigo sus pasos de tierno cariño,
   Misericordia, amor y lealtad:
   Viendolo a él por el don de la gracia,
   Voy al descanso, gloriosa ciudad.

4. Quiero seguir el andar del Maestro,
   Siempre hacia arriba con él quiero andar.
   Viendo a mi Rey en gloriosa hermosura:
   Con él en gloria podré descansar.

Eliza E. Hewitt. Es traducción.

488. ¿DEBERA JESUS LLEVAR SU CRUZ?

1. ¿Deberá Jesús llevar su cruz y verlo el mundo así?
   No, hay cruces para cada quien cual una para mí.

2. Los santos que hoy gozando están aquí sufrir los ví,
   Mas hoy sin llanto gustan ya eterno amor, sin fin.

3. Paciente llevaré mi cruz, pues me hace mucho bien;
   Imitaré al Señor Jesús quien la cargó también.

4. Mi cruz con calma llevaré hasta que llegue al fin;
   Después corona portaré, pues una es para mí.

Thomas Shepherd y otros. Tr., Abraham Fernández.

489. LA VIDA SE VA COMO EL VIENTO

1. La vida se va como el viento,
   Se va como se va la niebla.
   Fugaz es cual flor de la hierba,
   Que en la mañana es
   Y en la tarde ha muerto.

2. Jamás puede el hombre saber
   Los días que Dios le concederá.
   Jamás puede el hombre saber,
   En cual amanecer
   Ya sus ojos no se abrirán.
   Es por eso que el hombre ha de buscar
   El sendero que a Dios le ha de llevar.
   A Jesús quien es el camino,
   Quien es el camino, verdad y la vida,
   La vida eterna.
   Es por eso que el hombre ha de buscar
   El sendero que a Dios le ha de llevar.
   A Jesús quien es el camino,
   Quien es el camino, verdad y la vida,
   La vida eterna.

490. ¡OH! YO QUIERO ANDAR CON CRISTO

1. ¡Oh! yo quiero andar con Cristo, quiero oír su
    tierna voz,
   Meditar en su palabra y cumplir su voluntad.
   Consagrar a él mi vida, mis dolores y afán;
   Y algún día con mi Cristo, gozaré la claridad.

CORO

   ¡Oh, sí, yo quiero andar con Cristo!
   ¡Oh, sí, yo quiero vivir con Cristo!
   ¡Oh, sí, yo quiero servir a Cristo!
   Quiero serle un testigo fiel.

2. ¡Oh! yo quiero andar con Cristo, él es mi ejemplo
    fiel;
   En la Biblia yo lo leo, y yo sé que es la verdad.
   Cristo era santo en todo, el Cordero de la cruz,
   Y yo anhelo ser cristiano, seguidor de mi Jesús.

3. ¡Oh! yo quiero andar con Cristo, de mi senda él es
    la luz,
   Dejaré el perverso mundo para ir al Salvador.
   Este mundo nada ofrece, Cristo ofrece salvación;
   Y es mi única esperanza vida eterna hallar con
    Dios.

Charles F. Weigle. Tr., H.C. Ball.

491. EVIDENCIAS DEL PERDON DE DIOS

1. ¿Podrá el pecador acaso aquí saber
   Si le perdona el santo Dios, si suyo ha vuelto a ser?

2. Lo que el Señor nos dio queremos proclamar:
   Las evidencias del perdón y de su libertad.

3. En Cristo el Salvador creímos; y en la cruz
   Murió y dio al corazón descanso, paz y luz.

4. Su Espíritu nos da los dones del Señor,
   Riquezas puras de verdad, que brotan de su amor.

Charles Wesley. Tr., F.J. Pagura.

492. CUAN GLORIOSA SERA LA MAÑANA

1. Cuán gloriosa será la mañana
   Cuando venga Jesús el Salvador;
   Las naciones, unidas como hermanas,
   Bienvenida daremos al Señor.

CORO

No habrá necesidad de la luz el resplandor,
Ni el sol dará su luz, ni tampoco su calor;
Allí llanto no habrá, ni tristeza, ni dolor,
Porque entonces Jesús el Rey del cielo
Para siempre será Consolador.

2. Esperamos la mañana gloriosa
   Para dar la bienvenida al Dios de amor
   Donde todo será color de rosa
   En la santa fragancia del Señor.

3. El cristiano fiel y verdadero
   Y también el obrero de valor,
   Y la iglesia, esposa del Cordero,
   Estarán en los brazos del Señor.

493. MI CORAZON, OH EXAMINA HOY

1. Mi corazón, oh examina hoy;
   Mis pensamientos, prueba, oh Señor.
   Ve si en mí perversidades hay;
   Por sendas rectas lléveme tu amor.

2. Dame, Señor, más de tu plenitud,
   Pues que tú eres fuente de salud.
   Sobre la cruz, en medio del dolor,
   Brotar la hiciste por tu gran amor.

J. Edwin Orr. Tr., Carlos P. Denyer y Elizabeth
Ritchey de Fuller.

494. CUANDO MIS LUCHAS TERMINEN AQUI

1. Cuando mis luchas terminen aquí
   Y ya seguro en los cielos esté,
   Cuando al Señor mire cerca de mí,
   ¡Por las edades mi gloria será!

¡Esa será gloria sin fin,
Gloria sin fin, gloria sin fin!
Cuando por gracia su faz pueda ver,
¡Esa mi gloria sin fin ha de ser!

2. Cuando por gracia yo pueda tener
En sus mansiones morada de paz,
Y que allí siempre su faz pueda ver,
¡Por las edades mi gloria será!

3. Gozo infinito será contemplar,
Todos los fieles que allí estarán,
Mas la presencia de Cristo gozar,
¡Por las edades mi gloria será!

Charles H. Gabriel. Tr., Vicente Mendoza.

495. JERUSALEN, MI HOGAR FELIZ

1. ¡Jerusalén, hogar feliz, sagrado para mí!
Mis penas, ¿cuándo cambiaré por gozo y paz en ti?

2. Profetas miles hay allá, que adoran a Jesús;
Apóstoles y mártires disfrutan de su luz.

3. Muy pronto yo también iré a ti, dichoso hogar;
La gracia de mi amado Rey con ellos a alabar.

4. ¡Jerusalén, hogar feliz, morada para mí!
Mis penas todas cambiaré por gozo y paz en ti.

Joseph Bromehead. Tr., James Pascoe.

496. YO PODRE RECONOCERLE

1. Cuando al fin se termine nuestra vida terrenal,
   Y el río oscuro tenga que cruzar,
   En lejana ribera al Salvador conoceré,
   Con sonrisa bienvenida me dará.

CORO

   Yo podré reconocerle;
   En la cruz Cristo me redimió.
   Bien podré reconocerle
   Por heridas que allí recibió.

2. ¡Oh qué gozo será vivir allí con el Señor,
   Y su rostro y hermosura contemplar!
   Sentiré grande gozo cuando me permita ver
   La mansión que ha prometido preparar.

3. Nos esperan allí los que murieron en Jesús,
   Ellos viven en presencia del Señor.
   ¡Oh qué dulce y qué grato estar con ellos en
       reunión,
   Nos será después de ver al Salvador!

4. Por los bellos portales me conducirá Jesús,
   No habrá pecado, ni ningún dolor;
   Gozaré con los suyos alabanzas entonar,
   Mas primero quiero ver a mi Señor.

497. UNIDAD ETERNA

1. Los que ya en el cielo están
   ¿Nuestros nombres guardarán?
   Los que adoran ante el Rey
   ¿Piensan en su antigua grey?

2. La aflicción nos cerca aquí,
   El reposo reina allí;
   Somos presos en dolor,
   Ellos libres por su amor.

3. Sin embargo, en comunión,
   Somos uno en el Señor;
   Tras el velo, oíd su voz,
   Cual la nuestra alaba a Dios.

4. Somos uno en la oración,
   Uno es nuestro Salvador;
   Un hogar, un mismo amor,
   En la tierra o junto a Dios. Amén.

John Mason Neale. Tr., F.J. Pagura.

498. CANTEN DEL AMOR DE CRISTO

1. Canten del amor de Cristo, ensalzad al Redentor,
   Tributadle, santos todos, grande gloria y loor.

CORO

Cuando estemos en gloria,
En presencia de nuestro Redentor,
A una voz la historia,
Diremos del gran Vencedor.

2. La victoria es segura, a las huestes del Señor;
¡Oh, pelead con la mirada puesta en nuestro
Protector!

3. El pendón alzad, cristianos, de la cruz, y caminad;
De victoria en victoria, siempre firmes avanzad.

4. Adelante en la lucha, ¡oh soldados de la fe!
Nuestro el triunfo, ¡oh, escucha los clamores,
¡Viva el Rey!

Eliza E. Hewitt. Tr., H.C. Ball.

499. VOY AL CIELO, SOY PEREGRINO

1. Voy al cielo, soy peregrino,
A vivir eternamente con Jesús;
El me abrió ya veraz camino,
Al expirar por nosotros en la cruz.

CORO

Voy al cielo, soy peregrino,
A vivir eternamente con Jesús.

2. Duelo, muerte, amarga pena,
Nunca, nunca se encontrarán allá;
Preciosa vida, de gozo llena,
El alma mía sin fin disfrutará.

3. ¡Tierra santa, hermosa y pura!
   Entraré en ti salvado por Jesús.
   Yo gozaré siempre la ventura
   Iluminado con deliciosa luz.

M.S.B.D. Shindler. Tr. en *Estrella de Belén*.

500. EN PRESENCIA ESTAR DE CRISTO

1. En presencia estar de Cristo,
   Ver su rostro, ¿qué será?
   Cuando al fin en pleno gozo
   Mi alma le contemplará.

CORO

Cara a cara espero verle
Más allá del cielo azul.
Cara a cara en plena gloria
He de ver a mi Jesús.

2. Sólo tras oscuro velo,
   Hoy lo puedo aquí mirar,
   Mas ya pronto viene el día,
   Que su gloria ha de mostrar.

3. Cuánto gozo habrá con Cristo
   Cuando no haya más dolor,
   Cuando cesen los peligros
   Y ya estemos en su amor.

4. Cara a cara, ¡cuán glorioso
   Ha de ser así vivir!
   ¡Ver el rostro de quien quiso
   Nuestras almas redimir!

Carrie E. Breck. Tr., Vicente Mendoza.

501. POR EL VALLE IREMOS EN PAZ

1. Por el valle iremos en paz,
   Por el valle iremos en paz;
   Jesús nos guiará por el camino,
   Por el valle iremos en paz.

2. No habrá más tristezas allí,
   No habrá más tristezas allí;
   Jesús nos guiará por el camino,
   No habrá más tristezas allí.

3. A los que amamos veremos allí,
   A los que amamos veremos allí;
   Jesús nos guiará por el camino,
   A los que amamos veremos allí.

4. Viviremos con Cristo el Señor,
   Viviremos con Cristo el Señor;
   Jesús nos guiará por el camino,
   Viviremos con Cristo el Señor.

502. HAY UN LUGAR DO QUIERO ESTAR

1. Hay un lugar do quiero estar
   Muy cerca de mi Redentor.
   Allí podré yo descansar
   Al fiel amparo de su amor.

Muy cerca de mi Redentor
Seguro asilo encontraré;
Me guardará del tentador,
Y ya de nada temeré.

2. Quitarme el mundo no podrá
   La paz que halló mi corazón.
   Jesús amante me dará
   La más segura protección.

3. Ni dudas ni temor tendré
   Estando cerca de Jesús;
   Rodeado siempre me veré
   Con los fulgores de su luz.

J.M. Black. Tr., Vicente Mendoza.

503. ALLI NO HABRA TRIBULACION

1. En la mansión do Cristo está,
   Allí no habrá tribulación;
   Ningún pesar, ningún dolor,
   Que me quebrante el corazón.

CORO

Allí no habrá tribulación;
Ningún pesar, ningún dolor,
Y cuando esté morando allá,
Diré que no hay tribulación.

2. Será muy triste estarme aquí,
   Muy lejos, sí, del Salvador,
   Pues moran ya con él allí,

3. Perfecto amor encontraré,
   En la mansión del Salvador;
   Perfecta paz allí tendré,
   Mejor que la que gozo hoy.

4. Entonces, sí, yo gozaré
   De toda la felicidad,
   Y ya con Cristo reinaré
   Por toda la eternidad.

E. Rodríguez

504. CUANDO ALLA SE PASE LISTA

1. Cuando la trompeta suene en aquel día final,
   Y que el alba eterna rompa en claridad;
   Cuando las naciones salvas a su patria lleguen ya,
   Y que sea pasada lista, allí he de estar.

CORO

Cuando allá se pase lista, cuando allá se pase lista,
Cuando allá se pase lista, a mi nombre yo feliz
   responderé.

2. En aquel día sin nieblas en que muerte ya no
      habrá,
   Y su gloria el Salvador impartirá;
   Cuando los llamados entren a su celestial hogar,
   Y que sea pasada lista, allí he de estar.

3. Trabajemos por el Maestro desde el alba al
        vislumbrar;
   Siempre hablemos de su amor y fiel bondad;
   Cuando todo aquí fenezca y nuestra obra cese ya,
   Y que sea pasada lista, allí he de estar.

James M. Black. Tr., J.J. Mercado.

505. ¡OH PROFUNDO, INMENSO AMOR!

1. ¡Oh amor, profundo, inmenso amor!
   De gozo llena el corazón
   Que el Dios eterno, en su bondad,
   Tomara forma corporal.

2. Fue bautizado y soportó
   Intenso ayuno y dolor;
   El por nosotros afrontó
   La más aguda tentación.

3. Fue por nosotros su oración
   Y su enseñanza su labor:
   Jamás buscó su propio bien;
   Se hizo siervo, siendo rey.

4. El por nosotros padeció
   Blasfemias, burlas y dolor;
   Y para darnos vida y luz
   Halló la muerte en una cruz.

5. Mas en su triunfo el nuestro está,
   Y junto al Padre, nuestro hogar;
   Nos da su Espíritu, y en él
   Hallamos gozo, paz, poder.

Tomás de Kempis. Tr. al inglés, Benjamin Webb; tr. al

506. HASTA ESE DIA

1. Puedo cantar, ¡sí!, cuando yo recuerdo
   Que el dolor muy pronto ha de pasar;
   En el camino que va siempre arriba:
   No puede ser el mundo mi hogar.

CORO

   Mas siempre aquí yo seguiré cantando,
   Siempre así con gozo mi alma irá,
   Hasta ese día en que veré la gloria
   Cuando el Señor me lleve allá.

2. Lo terrenal habrá de disiparse
   Al recordar que nada nuestro es;
   Y lo que aquí nos da dolor, tristeza:
   No volveremos a sufrir después.

3. El mundo vil con su trabajo y lucha
   Puede traer miseria y pesar;
   El hombre es como el halcón que, libre,
   Ya listo está, y así podrá volar.

Stuart Hamblen. Tr., Adolfo Robleto. ©1958 Stuart
Hamblen. Todos los derechos reservados. Amparado por los
derechos de copyright internacional. Esta traducción usada
con permiso especial del publicador.

507. TRAS EL OCASO

1. Tras el ocaso despunta el alba,
   El Sol fulgente su luz dará;
   Ya viene el día de eterna dicha,
   Con Cristo en gloria, ¡oh qué será!

2. Tras el ocaso, nada de sombras,
   No habrá más llanto, no habrá ansiedad;
   Allá en el cielo disfrutaremos
   De sempiterna felicidad.

3. Tras el ocaso la tierna mano
   De Dios el Padre me sostendrá;
   A las mansiones que ha preparado
   Para sus hijos, me llevará.

4. Tras el ocaso vislumbro un cielo,
   Donde me espera mi Salvador;
   Con mis amados seré reunido
   En las moradas de luz y amor. Amén.

Virgil T. Brock.©1936 The Rodeheaver Co. ©Renovado 1964
The Rodeheaver Co. Todos los derechos reservados. Amparado
por los derechos de copyright internacional. Usado con permiso.
Tr., S.D. Athans.

508. HAY UN MUNDO FELIZ MAS ALLA

1. Hay un mundo feliz más allá,
   Donde moran los santos en luz,
   Tributando eterno loor,
   Al invicto y glorioso Jesús.

CORO

En el mundo feliz
Reinaremos con nuestro Señor;
En el mundo feliz
Reinaremos con nuestro Señor.

2. Cantaremos con gozo a Jesús,
   Al Cordero que nos rescató,
   Con su sangre vertida en la cruz,
   Los pecados del mundo quitó.

3. Para siempre en el mundo feliz,
   Con los santos daremos loor,
   Al triunfante y glorioso Jesús,
   A Jesús, nuestro Rey y Señor.

Sanford F. Bennett. Tr., H.G. Jackson.

509. FELIZ CUMPLEAÑOS

1. Feliz, feliz cumpleaños deseamos para ti,
   Que el Dios omnipotente te quiera bendecir.

CORO

   ¡Feliz, feliz cumpleaños! Que Dios en su bondad
   Te dé muy larga vida, salud, felicidad.

2. A Dios le damos gracias que con amor sin par,
   Al fin de otro año hermoso te permitió llegar.

Eliza E. Hewitt. Tr., Severa Euresti.

510. CON GRAN GOZO Y PLACER

1. Con gran gozo y placer nos volvemos hoy a ver;
   Nuestras manos otra vez estrechamos.
   Se contenta el corazón ensanchándose de amor:
   Todos a una voz a Dios gracias damos.

¡Bienvenidos! ¡Bienvenidos!
Los hermanos hoy aquí nos gozamos en decir:
¡Bienvenidos! ¡Bienvenidos!
Al volvernos a reunir, ¡Bienvenidos!

2. Dios a todos ayudó, ni un momento nos dejó,
Y otra vez nos reunió, ¡bienvenidos!
El Señor su amor nos dio, su poder nos amparó,
Del peligro nos guardó, ¡bienvenidos!

3. Dios nos guarde en esta amor, para que de corazón,
Consagrados al Señor, le alabemos:
En la eterna reunión do no habrá separación,
Ni tristeza ni aflicción: ¡bienvenidos!

Autor anónimo. Tr., Enrique Turrall.

511. CRISTO ME AMA

1. Cristo me ama, bien lo sé, su Palabra me hace ver,
Que los niños son de aquél, quien es nuestro amigo
    fiel.

CORO

Cristo me ama, Cristo me ama,
Cristo me ama, la Biblia dice así.

2. Cristo me ama, pues murió, y el cielo me abrió;
El mis culpas quitará, y la entrada me dará.

3. Cristo me ama, es verdad, y me cuida en su
   bondad;
   Cuando muera, bien lo sé: viviré allá con él.

Anna B. Warner. Es traducción.

512. TE EXALTARE, MI DIOS, MI REY

Te exaltaré, mi Dios, mi Rey,
Y bendeciré tu nombre
Eternamente y para siempre.
Cada día te bendeciré,
Y alabaré tu nombre
Eternamente y para siempre.
Grande es Jehová,
Y digno de suprema alabanza;
Y su grandeza es inescrutable.
Cada día te bendeciré.

Casiodoro Cárdenas. Usado con permiso de la Iglesia del Pacto
Evangélico en el Ecuador.

513. VENID, NUESTRAS VOCES ALEGRES UNAMOS

1. Venid, nuestras voces alegres unamos
   Al coro celeste del trono al redor;
   Sus voces se cuentan por miles de miles
   Mas todas son una en su gozo y su amor.

2. "Es digno el Cordero que ha muerto", proclaman,
   "De estar exaltado en los cielos así."
   "Es digno el Cordero", decimos nosotros,
   "Pues él por salvarnos sufrió muerte aquí."

3. A ti, que eres digno, se den en los cielos
   Poderes divinos y gloria y honor;
   Y más bendiciones que darte podemos
   Se eleven por siempre a tu trono, Señor.

4. Del Dios de los cielos el nombre sagrado
   A una bendiga la gran creación,
   Y lleve al Cordero sentado en el trono
   El dulce tributo de su adoración.

Isaac Watts. Tr., José J. de Mora.

514. ¡OH JOVENES, VENID!

1. ¡Oh jóvenes, venid!; su brillante pabellón
   Cristo ha desplegado hoy en la nación.
   A todos en sus filas os quiere recibir,
   Y con él a la pelea os hará salir.

CORO

   ¡Vamos a Jesús, alistados sin temor,
   Vamos a la lid, inflamados de valor!
   Jóvenes, luchemos todos contra el mal;
   En Jesús tenemos nuestro General.

2. ¡Oh jóvenes, venid!; el potente Salvador
   Quiere recibiros en su derredor;
   Con él a la batalla salid sin vacilar:
   Vamos pronto, compañeros, vamos a luchar.

3. Las armas invencibles del Jefe guiador
   Son el evangelio y su gran amor;
   Con ellas revestidos, y llenos de poder,
   Compañeros, acudamos; vamos a vencer.

4. Quien venga a la pelea, su voz escuchará;
   Cristo la victoria le concederá;
   Salgamos, compañeros, luchemos bien por él;
   Con Jesús conquistaremos inmortal laurel.

Katherine Hankey. Es traducción.

515. ES CRISTO EL AMIGO DE LOS NIÑOS

1. Es Cristo el amigo de todos los niños;
   Los lleva consigo por sendas de paz.

CORO

   Jesús, el amigo, bendice a los niños
   Y dice que de ellos su reino será.

2. Al grupo de amigos fue Cristo quien dijo:
   "Dejad a los niños que vengan a mí".

3. Vayamos nosotros al lado de Cristo,
   Llevemos a otros muy cerca de él.

William O. Cushing. Tr., Juanita R. de Balloch.

516. ¿QUE TE DARE, MAESTRO?

1. ¿Qué te daré, Maestro? Te diste tú por mí.
   ¿Menos daré de lo que obtendré? o ¿todo daré a
      ti?

Cristo, mi Salvador, te diste tú por mí;
Tu hogar dejaste allí, para morir por mí.
¿Qué te daré, Maestro? Te diste tú por mí,
No la mitad, mas todo mi ser, yo lo daré a ti.

2. ¿Qué te daré, Maestro? Me redimiste a mí.
Es pequeñez, mas mi todo es, y todo lo entrego a
ti.

3. ¿Qué te daré, Maestro? Divino donador.
Tiempo y vigor, talento y ardor serán tuyos, oh
Señor.

Homer W. Grimes. Tr., Francisco Cook.

517. CUAL ES ESA GRAN VERDAD

1. ¿Cuál es esa gran verdad que me hace tan feliz?
¿Quién el premio me dará, y en quién me gloriaré?
Jesucristo el Salvador.

2. ¿Quién derrota a Satanás? ¿Quién consuela mi
dolor?
¿Quién mitiga mi aflicción, y restaura el corazón?
Jesucristo el Salvador.

3. ¿Quién la vida eterna da? ¿Quién venció la muerte
ya?
¿Quién en gloria me sentó con las huestes de la luz?
Jesucristo el Salvador.

4. ¡Esa es la gran verdad que me hace tan feliz!
   Creo en quien murió por mí quien también
     resucitó:
   Jesucristo el Salvador. Amén.

Johann C. Schwedler. Tr. al inglés, Benjamin H. Kennedy; tr.
al castellano, Ernest H. Mellado.

518. AL CRISTO VIVO SIRVO

1. Al Cristo vivo sirvo y él en el mundo está;
   Aunque otros lo negaren yo sé que él vive ya.
   Su mano tierna veo, su voz consuelo da,
   Y cuando yo le llamo, muy cerca está.

CORO

   El vive, él vive, hoy vive el Salvador;
   Conmigo está y me guardará mi amante Redentor.
   El vive, él vive, imparte salvación.
   Sé que él viviendo está porque vive en mi corazón.

2. En todo el mundo entero contemplo yo su amor,
   Y al sentirme triste consuélame el Señor;
   Seguro estoy que Cristo mi vida guiando está,
   Y que otra vez al mundo regresará.

3. Regocijaos, cristianos, hoy himnos entonad;
   Eternas aleluyas a Cristo el Rey cantad.
   La única esperanza es del mundo pecador,
   No hay otro tan amante como el Señor.

Alfred H. Ackley. Tr., George P. Simmonds. © 1933 Homer
A. Rodeheaver. Renovado 1961. The Rodeheaver Company, dueño.
Todos los derechos reservados. Usado con permiso.

519. ¡OH DESPLEGUEMOS EL PENDON!

1. ¡Oh despleguemos el pendón
   En todo el mundo, tierra y mar!
   Que brilla en toda la nación
   La cruz de Cristo sin cesar.

2. ¡Oh despleguemos el pendón
   Que a los perdidos salvará!
   Y a nuestro pueblo en su aflicción
   La luz del cielo irradiará.

3. ¡Oh despleguemos el pendón
   En todo el mundo, tierra y mar!
   El simboliza redención;
   Nuestra esperanza en Cristo está.

4. ¡Oh despleguemos el pendón
   Que resplandezca sin cesar!
   Cristiano, cumple tu misión:
   Por Cristo el triunfo lograrás.

George W. Doane. Tr. en *El Himnario.*

520. GRAN DIA DE VICTORIA

1. Con mis ojos vi llegar la gloria de mi Salvador;
   Con sus pasos va exprimiendo el lagar del
       detractor;
   Con su espada como rayo cual terrible vengador,
   Conquista con verdad.

CORO

¡Gloria, gloria, aleluya! ¡Gloria, gloria, aleluya!
¡Gloria, gloria, aleluya! Dios es quien vencerá.

2. En los campamentos arden las fogatas de verdad,
   Y se pueden ver las huestes adorando con lealtad;
   La sentencia es segura sobre toda la maldad,
   Conquista la verdad.

3. Su trompeta ha sonado y jamás se rendirá,
   El separa corazones y su juicio premiará.
   ¡Oh, mi alma, nunca dudes! La victoria nos dará,
   Conquista su verdad.

4. En lo hermoso de los lirios Cristo vino a Belén,
   Con la gloria en su seno que transforma en Edén.
   El la vida santifica, anunciad tan grande bien,
   Que hay en su verdad.

Julia Ward Howe. Tr., Abel Pierson Garza. ©1978 Casa Bautista de Publicaciones. Todos los derechos reservados. Amparado por los derechos de copyright internacional.

521. HIJOS DEL CELESTE REY

1. Hijos del celeste Rey, dulces cánticos hoy alzad.
   Al Pastor de nuestra grey alabanzas entonad.

2. Sólo del benigno Dios viene la felicidad;
   Si marchamos de él en pos, mostrarános su
   bondad.

3. Es Jesús el Sumo Bien; siempre en su favor confiad;
   Ofreciónos en su Edén eternal felicidad.

4. Vuestros cantos, pues, alzad a su trono con fervor,
   Y homenaje tributad a la gloria del Señor. Amén.

John Cennick. Tr., Juan B. Cabrera.

522. USA MI VIDA

1. Muchos que viven en tu derredor,
   Tristes, hambrientos están;
   Tú, por tu vida, les puedes llevar
   Gozo, luz y bienestar.

CORO

Usa mi vida, usa mi vida
Para tu gloria, oh Jesús;
Todos los días y hoy quiero ser,
Testigo tuyo, Señor, por doquier.

2. Dí a los tristes que Dios es amor;
   El quiere darles perdón
   A los que vienen a Cristo Jesús
   Buscando paz, salvación.

3. Toda tu vida hoy rinde al Señor;
   Cada momento sé fiel,
   Otros que vean en ti su amor
   Pronto se rindan a él.

Ira B. Wilson. Tr., J.F. Swanson. ©1924 George S. Schuler.
© Renovado 1952. The Rodeheaver Co., dueño. Usado con permiso.

523. DIOS TE BENDIGA

Dios te bendiga, protección te dé;
Sea su gracia siempre tu sostén;
Su ángel velando a tu redor esté,
Dándote abrigo siempre por doquier. Amén.

Epigmenio Velasco

524. DA LO MEJOR AL MAESTRO

1. Da lo mejor al Maestro; tu juventud, tu vigor;
   Dale el ardor de tu alma, lucha del bien en favor.
   Cristo nos dio el ejemplo, en todo él fue lo mejor;
   Séle devoto ferviente, dale de ti lo mejor.

CORO

Da lo mejor al Maestro; tu juventud, tu vigor;
Dale el ardor de tu alma, de la verdad lucha en pro.

2. Da lo mejor al Maestro; dale de tu alma el honor;
   Que sea él en tu vida el Santo Confortador.
   Dale y te será dado el Hijo amado de Dios;
   Sírvele día por día; dale de ti lo mejor.

3. Da lo mejor al Maestro; nada supera su amor;
   Se dio por ti a sí mismo dejando gloria y honor.
   No murmuró al dar su vida pues él sufrió con
   valor;
   Amale más cada día; dale de ti lo mejor.

Howard B. Grose. Tr., S.D. Athans.

525. 1 JUAN 1:7

Si andamos en la luz, como él está en la luz,
Tenemos comunión entre nosotros.
Si andamos en la luz, como él está en la luz,
Tenemos comunión entre nosotros.
Y la sangre de Jesucristo, de Jesucristo su Hijo
Nos limpia de todo pecado, de todo pecado.
Y la sangre de Jesucristo, de Jesucristo su Hijo
Nos limpia de todo pecado, de todo pecado.

526. SE ACERCA UN AÑO NUEVO

1. Se acerca un año nuevo: tu voluntad será.
   Velando o trabajando, tu mano nos guiará.
   Un año de progreso, de prueba y bendición,
   Mas cada día probando tu santa dirección.

2. Se acerca un año nuevo, de gracia y de bondad.
   Mirando hacia adelante dejamos la maldad.
   Un año más confiando en tu divino amor;
   ¡Que haya esperanza, sin pena ni temor!

3. Se acerca un año nuevo para testificar
   De grandes bendiciones que tú nos quieres dar.
   Se acerca un año nuevo; enséñanos así:
   Do quiera que nos lleves, el año es para ti! Amén.

527. GLORIA PATRI

Gloria demos al Padre, al Hijo y al Santo Espíritu;
Como eran al principio, son hoy y así serán
Eternamente. Amén.

528. GLORIA PATRI

Esta música se canta con la misma letra del himno
anterior, 527.

529. A DIOS EL PADRE CELESTIAL

1. A Dios, el Padre celestial,
   Al Hijo nuestro Redentor,
   Al eternal Consolador
   Unidos todos alabad.

2. Cantad al trino y uno Dios;
   Sus alabanzas entonad;
   Su eterna gloria proclamad
   Con gozo, gratitud y amor. Amén.

Thomas Ken. Es traducción.

530. A DIOS EL PADRE CELESTIAL

Esta música se canta con la misma letra del himno
anterior, 529.

Pasajes Bíblicos para Lectura

Individual, al Unísono, o Antifonal

La selección de pasajes bíblicos que se dan a continuación está destinada para ser usada por la congregación en la adoración. Cinco traducciones de la Biblia están representadas siendo la revisión de *Reina-Valera* de 1960 la fuente principal. Otras usadas son *Versión Popular (VP), Biblia de las Américas (BLA), Versión Moderna (VM), Versión Hispano-Americana (VHA)* 1953. Para determinar cuál de las versiones usar, se estudió cada pasaje para claridad de pensamiento y facilidad de uso para lectura en grupos. La mayoría de las lecturas son unidades completas de las Escrituras, sacadas de un solo capítulo. Cuando la lectura no es de un solo pasaje, la fuente de cada porción de la lectura está claramente indicada.

Los pasajes pueden ser leídos en voz alta al unísono o alternadamente por la congregación, el coro, el coro y la congregación, o el coro y el que dirige el culto. Por supuesto, se puede leerlos en forma privada. El pasaje destinado para lectura al unísono está todo impreso con la misma clase de tipos. El pasaje destinado para lectura alternada está impreso con dos clases diferentes de tipos separadas por la barra (/) para indicar la alternación de lectores. Por supuesto, cualquiera de los pasajes puede leerse al unísono, si el dirigente del culto así lo desea.

Se proveen un Indice Temático y un Indice Bíblico para las lecturas. El Indice Temático está íntimamente relacionado con el Indice Temático de los himnos para facilitar la coordinación de himnos y pasajes bíblicos en los cultos.

531

¡Alabado sea el Señor! / ¡Alaben a Dios en su santuario! / ¡Alábenlo en su hermosa bóveda celeste! / ¡Alábenlo por sus hechos poderosos! / ¡Alábenlo por su grandeza infinita!

¡Alábenlo con toques de trompeta! / ¡Alábenlo con arpa y salterio! / ¡Alábenlo danzando con panderos! / ¡Alábenlo con flautas e instrumentos de cuerda! / ¡Alábenlo con platillos sonoros! / ¡Alábenlo con platillos vibrantes!

¡Que todo lo que respira alabe al Señor! / ¡Alabado sea el Señor! / ¡Alabado sea el Señor!

Salmo 150 (VP)

532

Alzad, oh puertas, vuestras cabezas, Y alzaos vosotras, puertas eternas, / **Y entrará el Rey de gloria.** / ¿Quién es este Rey de gloria? / **Jehová el fuerte y valiente, Jehová el poderoso en batalla.**

Alzad, oh puertas, vuestras cabezas, Y alzaos vosotras, puertas eternas, / **Y entrará el Rey de gloria.** / ¿Quién es este Rey de gloria? / **Jehová de los ejércitos, El es el Rey de la gloria.**

Salmo 24:7-10

533

Bendice, alma mía, a Jehová, Y bendiga todo mi ser su santo nombre. / **Bendice, alma mía, a Jehová, Y no olvides ninguno de sus beneficios.** / El es quien perdona todas tus iniquidades, El

que sana todas tus dolencias; / **El que rescata del hoyo tu vida, El que te corona de favores y misericordias.**

Misericordioso y clemente es Jehová; Lento para la ira, y grande en misericordia. / **No contenderá para siempre, Ni para siempre guardará el enojo.**

No ha hecho con nosotros conforme a nuestras iniquidades, Ni nos ha pagado conforme a nuestros pecados. / **Porque como la altura de los cielos sobre la tierra, Engrandeció su misericordia sobre los que le temen.** / Cuanto está lejos el oriente del occidente, Hizo alejar de nosotros nuestras rebeliones. / **Como el padre se compadece de los hijos, Se compadece Jehová de los que le temen.**

Bendecid a Jehová, vosotros sus ángeles, Poderosos en fortaleza, que ejecutáis su palabra, Obedeciendo a la voz de su precepto. / **Bendecid a Jehová, vosotros todos sus ejércitos, Ministros suyos, que hacéis su voluntad.** / Bendecid a Jehová, vosotras todas sus obras, En todos los lugares de su señorío. / **Bendice, alma mía, a Jehová.**

Salmo 103:1-4, 8-13, 20-22

534

Mas Jehová está en su santo templo; calle delante de él toda la tierra.

Habacuc 2:20

535

Bendito el que viene en el nombre de Jehová; Desde la casa de Jehová os bendecimos. Jehová es Dios, y nos ha dado luz.

Salmo 118:26-27

536

Los cielos cuentan la gloria de Dios, / **Y el firmamento anuncia la obra de sus manos.** / Un día emite palabra a otro día, / **Y una noche a otra noche declara sabiduría.** / No hay lenguaje, ni palabras, Ni es oída su voz.

La ley de Jehová es perfecta, que convierte el alma; El testimonio de Jehová es fiel, que hace sabio al sencillo. / Los mandamientos de Jehová son rectos, que alegran el corazón; / **El precepto de Jehová es puro, que alumbra los ojos.**

El temor de Jehová es limpio, que permanece para siempre; / **Los juicios de Jehová son verdad, todos justos.** / Deseables son más que el oro, y más que mucho oro afinado; / **Y dulces más que miel, y que la que destila del panal.**

Tu siervo es además amonestado con ellos; / **En guardarlos hay grande galardón,** / ¿Quién podrá entender sus propios errores? / **Líbrame de los que me son ocultos.** / Preserva también a tu siervo de las soberbias; Que no se enseñoreen de mí; / **Entonces seré íntegro,** / y estaré limpio de gran rebelión.

Sean gratos los dichos de mi boca y la meditación de mi corazón delante de ti, Oh Jehová, roca mía, y redentor mío.
Salmo 19:1-3, 7-14

537

Yo me alegré con los que me decían: A la casa de Jehová iremos.
Salmo 122:1

538

¡Cuán amables son tus moradas, oh Jehová de los ejércitos! / **Anhela mi alma y aun ardientemente desea los atrios de Jehová; Mi corazón y mi carne cantan al Dios vivo.**

Aun el gorrión halla casa, Y la golondrina nido para sí, donde ponga sus polluelos, Cerca de tus altares, oh Jehová de los ejércitos, Rey mío, y Dios mío. / **Bienaventurados los que habitan en tu casa; Perpetuamente te alabarán. Porque mejor es un día en tus atrios que mil fuera de ellos.**

Escogería antes estar a la puerta de la casa de mi Dios, Que habitar en las moradas de maldad. / **Porque sol y escudo es Jehová Dios; Gracia y gloria dará Jehová.** / No quitará el bien a los que andan en integridad. / **Jehová de los ejércitos, Dichoso el hombre que en ti confía.**
Salmo 84:1-4, 10-12

539

Cantad alegres a Dios, habitantes de toda la tierra. / **Servid a Jehová con alegría; Venid ante su presencia con regocijo.**

Reconoced que Jehová es Dios; El nos hizo, y no nosotros a nosotros mismos; / **Pueblo suyo somos, y ovejas de su prado.**

Entrad por sus puertas con acción de gracias, Por sus atrios con alabanza; / **Alabadle, bendecid su nombre.** / Porque Jehová es bueno; para siempre es su misericordia, / **Y su verdad por todas las generaciones.**
Salmo 100

540

Venid, aclamemos alegremente a Jehová; / **Cantemos con júbilo a la roca de nuestra salvación.** / Lleguemos ante su presencia con alabanza; / **Aclamémosle con cánticos.** / Porque Jehová es Dios grande, Y Rey grande sobre todos los dioses.

Porque en su mano están las profundidades de la tierra, Y las alturas de los montes son suyas. Suyo también el mar, pues él lo hizo; Y sus manos formaron la tierra seca.

Venid, adoremos y postrémonos; Arrodillémonos delante de Jehová nuestro hacedor. Porque Jehová es Dios grande, Y Rey grande sobre todos los dioses. / **Porque él es nuestro Dios.**

Salmo 95:1-6, 3, 7

541

¡Oh, Jehová, Señor nuestro, Cuán glorioso es tu nombre en toda la tierra! Has puesto tu gloria sobre los cielos.

Cuando veo tus cielos, obra de tus dedos, La luna y las estrellas que tú formaste, Digo: ¿Qué es el hombre, para que tengas de él memoria, Y el hijo del hombre, para que lo visites? /**Le has hecho poco menor que los ángeles, Y lo coronaste de gloria y de honra.**

Le hiciste señorear sobre las obras de tus manos; Todo lo pusiste debajo de sus pies: / **Ovejas y bueyes, todo ello, Y asimismo las bestias del campo,** / Las aves de los cielos y los peces del mar; Todo cuanto pasa por los senderos del mar.

¡Oh, Jehová, Señor nuestro, Cuán grande es tu nombre en toda la tierra!

Salmo 8:1, 3-9

542

Cantad a Jehová cántico nuevo; Cantad a Jehová, toda la tierra. / **Cantad a Jehová, bendecid su nombre; Anunciad de día en día su salvación.**

Proclamad entre las naciones su gloria, En todos los pueblos sus maravillas. / **Porque grande es Jehová, y digno de suprema alabanza; Temible sobre todos los dioses.** / Porque todos los dioses de los pueblos son ídolos; Pero Jehová hizo los cielos. / **Alabanza y magnificencia delante de él; Poder y gloria en su santuario.**

Tributad a Jehová, oh familias de los pueblos, Dad a Jehová la gloria y el poder. / **Dad a Jehová la honra debida a su nombre; Traed ofrendas, y venid a sus atrios.**

Adorad a Jehová en la hermosura de la santidad; Temed delante de él, toda la tierra. / **Decid entre las naciones: Jehová reina.**

Salmo 96:1-10

543

Ninguno se presentará delante de Jehová con las manos vacías; cada uno con la ofrenda de su mano, conforme a la bendición que Jehová tu Dios te hubiere dado.

Deuteronomio 16:16-17

544

¡Alabado sea el Señor! ¡Alaben a Dios en su santuario!

Salmo 150:1 (VP)

545

¡Canten al Señor canción nueva, pues ha hecho maravillas! ¡Ha alcanzado la victoria con su gran poder, con su santo brazo! / **El Señor ha anunciado su victoria; ha mostrado su justicia a la vista de las naciones.**

Ha tenido presente su amor y lealtad por el pueblo de Israel. ¡Hasta el último rincón del mundo ha sido vista la victoria de nuestro Dios!

Canten a Dios con alegría, habitantes de toda la tierra; den rienda suelta a su alegría, y cántenle himnos. / Canten himnos al Señor al son del arpa, al son de instrumentos de cuerda. / **Canten con alegría ante el Señor, el Rey, al son de instrumentos de viento.**
Salmo 98:1-6 (VP)

546

De Jehová es la tierra y su plenitud; El mundo, y los que en él habitan. Porque él la fundó sobre los mares, Y la afirmó sobre los ríos.

¿Quién subirá al monte de Jehová? ¿Y quién estará en su lugar santo? El limpio de manos y puro de corazón; El que no ha elevado su alma a cosas vanas, Ni jurado con engaño. El recibirá bendición de Jehová Y justicia del Dios de salvación.
Salmo 24:1-5

547

Amo a Jehová, pues ha oído Mi voz y mis súplicas; Porque ha inclinado a mí su oído; Por tanto le invocaré en todos mis días. / **Clemente es Jehová, y justo; Sí, misericordioso es nuestro Dios.**

¿Qué pagaré a Jehová Por todos sus beneficios para conmigo? / **Tomaré la copa de la salvación, E invocaré el nombre de Jehová.** / Te ofreceré sacrificio de alabanza, E invocaré el nombre de Jehová. / **A Jehová pagaré ahora mis votos Delante de todo su pueblo, En los atrios de la casa de Jehová, En medio de ti, oh Jerusalén.** ¡Alabado sea el Señor! / **¡Alabado sea el Señor!**
Salmo 116:1-2, 5, 12-13, 17-19a;
Salmo 116:19b (VP)

548

Ciertamente Jehová está en este lugar . . . No es otra cosa que casa de Dios.
Génesis 28:16-17

549

Dios tenga misericordia de nosotros, y nos bendiga; **Haga resplandecer su rostro sobre nosotros;** / Para que sea conocido en la tierra tu camino, / **En todas las naciones tu salvación.** / Te alaben los pueblos, oh Dios; / **Todos los pueblos te alaben.**

Alégrense y gócense las naciones, / **Porque juzgarás los pueblos con equidad, Y pastorearás las naciones en la tierra.**

Te alaben los pueblos, oh Dios; / **Todos los pueblos te alaben.** / La tierra dará su fruto; Nos bendecirá Dios, el Dios nuestro. / **Bendíganos Dios, Y témanlo todos los términos de la tierra.**
Salmo 67

550

¡Adorad a Jehová en la hermosura de la santidad! ¡Alégrense los cielos, y gócese la tierra! ¡brame la mar, y cuanto en ella hay!

¡Regocíjese el campo, y todo lo que está en él! entonces todos los árboles de la selva cantarán de gozo delante de Jehová; porque viene, *sí*, porque viene a juzgar la tierra ¡juzgará al mundo con justicia, y a los pueblos con su verdad!

Salmo 96:9, 11-13 (VM)

551

Te exaltaré, mi Dios, mi Rey, / **Y bendeciré tu nombre eternamente y para siempre.** / Cada día te bendeciré, / **Y alabaré tu nombre eternamente y para siempre.** / Grande es Jehová, y digno de suprema alabanza; / **Y su grandeza es inescrutable.**

Salmo 145:1-3

552

Crea en mí, oh Dios, un corazón limpio, Y renueva un espíritu recto dentro de mí. No me eches de delante de ti, Y no quites de mí tu santo Espíritu. Vuélveme el gozo de tu salvación, Y espíritu noble me sustente. Entonces enseñaré a los transgresores tus caminos, Y los pecadores se convertirán a ti.

Salmo 51:10-13

553

Cantad a Jehová cántico nuevo. Cantad alegres a Jehová, toda la tierra; Levantad la voz, y aplaudid, y cantad salmos.

Salmo 98:1, 4

554

Sólo hay un Dios, el Padre, del cual proceden todas las cosas, y nosotros somos para él; / **y un Señor Jesucristo, por medio del cual son todas las cosas, y nosotros por medio de él.**

1 Corintios 8:6

Como el padre se compadece de los hijos, Se compadece Jehová de los que le temen. / **Porque él conoce nuestra condición; Se acuerda de que somos polvo.**

Salmo 103:13-14

Jehová, tú eres nuestro padre; nosotros barro, y tú el que nos formaste; / **así que obra de tus manos somos todos nosotros.**

Isaías 64:8

555

Que nuestro Señor Jesucristo mismo, y Dios nuestro Padre, el que en su bondad nos ha amado y dado consuelo eterno y una buena esperanza, anime sus corazones y les haga firmes para que digan y hagan todo lo bueno.

2 Tesalonicenses 2:16-17 (VP)

556

El pueblo que andaba en tinieblas vio gran luz; / **los que moraban en tierra de sombra de muerte, luz resplandeció sobre ellos.**

Porque un niño nos es nacido, hijo nos es dado, / **y el principado sobre su hombro;** / y se llamará su nombre Admirable, / **Consejero,** / Dios fuerte, / **Padre eterno,** / Príncipe de paz. / **Lo dilatado de su imperio y la paz no tendrán límite,** . . . El celo de Jehová de los ejércitos hará esto.

Isaías 9:2, 6-7

557

Cuando Jesús nació en Belén de Judea en días del rey Herodes, vinieron del oriente a Jerusalén unos magos, diciendo: / **¿Dónde está el rey de los judíos, que ha nacido? Porque su estrella hemos visto en el oriente, y venimos a adorarle.**

Oyendo esto, el rey Herodes se turbó, y toda Jerusalén con él. / **Y convocados todos los principales sacerdotes, y los escribas del pueblo, les preguntó dónde había de nacer el Cristo.** / Ellos le dijeron: En Belén de Judea; porque así está escrito por el profeta: / **Y tú, Belén, de la tierra de Judá, No eres la más pequeña entre los príncipes de Judá; Porque de ti saldrá un guiador, Que apacentará a mi pueblo Israel.**

Entonces Herodes, llamando en secreto a los magos, indagó de ellos diligentemente el tiempo de la aparición de la estrella; / **y enviándolos a Belén, dijo: Id allá y averiguad con diligencia acerca del niño; y cuando le halléis, hacédmelo saber, para que yo también vaya y le adore.**

Ellos, habiendo oído al rey, se fueron; y he aquí la estrella que habían visto en el oriente iba delante de ellos, hasta que llegando, se detuvo sobre donde estaba el niño. / **Y al ver la estrella, se regocijaron con muy grande gozo.** / Y al entrar en la casa, vieron al niño con su madre María, y postrándose, lo adoraron; y abriendo sus tesoros, le ofrecieron presentes: oro, incienso y mirra. / **Pero siendo avisados por revelación en sueños que no volviesen a Herodes, regresaron a su tierra por** otro camino.

Mateo 2:1-12

558

[Jesucristo] es la imagen del Dios invisible, el primogénito de toda creación, / **Porque en él fueron creadas todas las cosas, las que hay en los cielos y las que hay en la tierra, visibles e invisibles; sean tronos, sean dominios, sean principados, sean potestades; todo fue creado por medio de él y para él.** / **Y él es antes de todas las cosas, y todas las cosas en él subsisten.**

Y él es la cabeza del cuerpo que es la iglesia, él que es el principio, el primogénito de entre los muertos, para que en todo tenga la preeminencia; / por cuanto agradó al Padre que en él habitase toda plenitud, / y por medio de él reconciliar consigo todas las cosas, así las que están en la tierra como las que están el los cielos, haciendo la paz mediante la sangre de su cruz.

Colosenses 1:15-20

559

Así que, hermanos, os ruego por las misericordias de Dios, que presentéis vuestros cuerpos en sacrificio vivo, santo, agradable a Dios, que es vuestro culto racional. No os conforméis a este siglo, sino transformaos por medio de la renovación de vuestro entendimiento, para que comprobéis cuál sea la buena voluntad de Dios, agradable y perfecta.

Romanos 12:1-2

560

En el principio era el Verbo, y el Verbo era con Dios, y el Verbo era Dios. Este era en el principio con Dios. Todas las cosas por él fueron hechas, y sin él nada de lo que ha sido hecho, fue hecho.

En él estaba la vida, y la vida era la luz de los hombres. La luz en las tinieblas resplandece, y las tinieblas no prevalecieron contra ella.

En el mundo estaba, y el mundo por él fue hecho; pero el mundo no le conoció. A lo suyo vino, y los suyos no le recibieron. / **Mas a todos los que le recibieron, a los que creen en su nombre, les dio potestad de ser hechos hijos de Dios; los cuales no son engendrados de sangre, ni de voluntad de carne, ni de voluntad de varón, sino de Dios. Y aquel Verbo fue hecho carne, y habitó entre nosotros (y vimos su gloria, gloria como del unigénito del Padre), lleno de gracia y de verdad.**
Juan 1:1-5, 10-14

561

Aconteció en aquellos días, que se promulgó un edicto de parte de Augusto César, que todo el mundo fuese empadronado. / **Y José subió de Galilea, de la ciudad de Nazaret, a Judea, a la ciudad de David, que se llama Belén, por cuanto era de la casa y familia de David; para ser empadronado con María su mujer, desposada con él, la cual estaba encinta.**

Y aconteció que estando ellos allí, se cumplieron los días de su alumbramiento. / **Y dio a luz a** su hijo primogénito, y lo envolvió en pañales, y lo acostó en un pesebre, porque no había lugar para ellos en el mesón.

Había pastores en la misma región que velaban y guardaban las vigilias de la noche sobre su rebaño. / **Y he aquí, se les presentó un ángel del Señor, y la gloria del Señor los rodeó de resplandor; y tuvieron gran temor.** / Pero el ángel les dijo: No temáis; porque he aquí os doy nuevas de gran gozo, que será para todo el pueblo: que os ha nacido hoy, en la ciudad de David, un Salvador, que es CRISTO el Señor. Esto os servirá de señal: Hallaréis al niño envuelto en pañales, acostado en un pesebre.

Y repentinamente apareció con el ángel una multitud de las huestes celestiales, que alababan a Dios, y decían: ¡Gloria a Dios en las alturas, Y en la tierra paz, buena voluntad para con los hombres!
Lucas 2:1, 4-14

562

Yo rogaré al Padre, y El os dará otro Ayudador para que esté con vosotros para siempre; *es decir*, el Espíritu de verdad, a quien el mundo no puede recibir, porque ni le ve ni le conoce, *pero* vosotros sí le conocéis porque vive con vosotros y estará en vosotros. No os dejaré huérfanos; vendré a vosotros.

Pero el Ayudador, el Espíritu Santo, a quien el Padre enviará en mi nombre, El os enseñará todas las cosas, y os recordará todo lo que os he dicho.
Juan 14:16-18, 26 (BLA)

563

Cuando se acercaban a Jerusalén, junto a Betfagé y a Betania, frente al monte de los Olivos, Jesús envió dos de sus discípulos, y les dijo: / **Id a la aldea que está enfrente de vosotros, y luego que entréis en ella, hallaréis un pollino atado, en el cual ningún hombre ha montado; desatadlo y traedlo. Y si alguien os dijere: ¿Por qué hacéis eso? decid que el Señor lo necesita, y que luego lo devolverá.**

Fueron, y hallaron el pollino atado afuera a la puerta, en el recodo del camino, y lo desataron. Y unos de los que estaban allí les dijeron: / **¿Qué hacéis desatando el pollino?** / Ellos entonces les dijeron como Jesús había mandado; y los dejaron.

Y trajeron el pollino a Jesús, y echaron sobre él sus mantos, y se sentó sobre él. / **También muchos tendían sus mantos por el camino, y otros cortaban ramas de los árboles, y las tendían por el camino.** Y los que iban delante de los que venían detrás daban voces, diciendo: / **¡Hosanna! ¡Bendito el que viene en el nombre del Señor! ¡Bendito el reino de nuestro padre David que viene! ¡Hosanna en las alturas!**

Marcos 11:1-10

564

Y la paz de Dios, que sobrepasa todo entendimiento, guardará vuestros corazones y vuestros pensamientos en Cristo Jesus.

Filipenses 4:7

565

Y a Aquel que es poderoso para hacer todas las cosas mucho más abundantemente de lo que pedimos o entendemos, según el poder que actúa en nosotros, a él sea gloria en la iglesia en Cristo Jesús por todas las edades, por los siglos de los siglos. Amén.

Efesios 3:20-21

566

Así que, entonces tomó Pilato a Jesús, y le azotó. Y los soldados entretejieron una corona de espinas, y la pusieron sobre su cabeza, y le vistieron con un manto de púrpura; y le decían: / **¡Salve, Rey de los judíos!** / y le daban de bofetadas. Entonces Pilato salió otra vez, y les dijo: / **Mirad, os lo traigo fuera, para que entendáis que ningún delito hallo en él.**

Y salió Jesús, llevando la corona de espinas y el manto de púrpura. Y Pilato les dijo: / **¡He aquí el hombre!** / Cuando le vieron los principales sacerdotes y los alguaciles, dieron voces, diciendo: / **¡Crucifícale! ¡Crucifícale!** / Pilato les dijo: / **Tomadle vosotros, y crucificadle; porque yo no hallo delito en él.**

Así que entonces lo entregó a ellos para que fuese crucificado. Tomaron, pues, a Jesús, y le llevaron. / **Y él, cargando su cruz, salió al lugar llamado de la Calavera, y en hebreo, Gólgota;** y allí le crucificaron, y con él a otros dos, uno a cada lado, y Jesús en medio. / **Escribió también Pilato un título, que puso sobre la cruz, el cual decía: JESUS NAZARENO, REY DE LOS JUDIOS.**

Juan 19:1-6, 16-19

567

¿Quién ha creído a nuestro anuncio? ¿y sobre quién se ha manifestado el brazo de Jehová? / **Subirá cual renuevo delante de él, y como raíz de tierra seca; no hay parecer en él, ni hermosura; le veremos, mas sin atractivo para que le deseemos.** / Despreciado y desechado entre los hombres, varón de dolores, experimentado en quebranto; y como que escondimos de él el rostro, fue menospreciado, y no lo estimamos.

Ciertamente llevó él nuestras enfermedades, y sufrió nuestros dolores; y nosotros le tuvimos por azotado, por herido de Dios y abatido. / Mas él herido fue por nuestras rebeliones, molido por nuestros pecados; el castigo de nuestra paz fue sobre él, y por su llaga fuimos nosotros curados. / **Todos nosotros nos descarriamos como ovejas, cada cual se apartó por su camino; mas Jehová cargó en él el pecado de todos nosotros.**

Isaías 53:1-6

568

Pasado el día de reposo, al amanecer del primer día de la semana, vinieron María Magdalena y la otra María, a ver el sepulcro. / **Y hubo un gran terremoto; porque un ángel del Señor, descendiendo del cielo y llegando, removió la piedra, y se sentó sobre ella.**

Su aspecto era como un relámpago, y su vestido blanco como la nieve. Y de miedo de él los guardas temblaron y se quedaron como muertos. / **Mas el ángel, respondiendo, dijo a las mujeres: No temáis vosotras; porque yo sé que buscáis a Jesús, el que fue crucificado.** / No está aquí, pues ha resucitado, / **No está aquí, pues ha resucitado.**

Mateo 28:1-6a

569

Dios tenga misericordia de nosotros, y nos bendiga; Haga resplandecer su rostro sobre nosotros; Para que sea conocido en la tierra tu camino, En todas las naciones tu salvación.

Salmo 67:1-2

570

Entonces los que se habían reunido le preguntaron, diciendo: / **Señor, ¿restaurarás el reino a Israel en este tiempo? / Y les dijo: / No os toca a vosotros saber los tiempos o las sazones, que el Padre puso en su sola potestad; pero recibiréis poder, cuando haya venido sobre vosotros el Espíritu Santo, y me seréis testigos en Jerusalén, en toda Judea, en Samaria, y hasta lo último de la tierra.**

Y habiendo dicho estas cosas, viéndolo ellos, fue alzado, y le recibió una nube que le ocultó de sus ojos. Y estando ellos con los ojos puestos en el cielo, entre tanto que él se iba, he aquí se pusieron junto a ellos dos varones con vestiduras blancas, los cuales también les dijeron: / **Varones galileos, ¿por qué estáis mirando al cielo? Este mismo Jesús, que ha sido tomado de vosotros al cielo, así vendrá como le habéis visto ir al cielo.**

Hechos 1:6-11

571

Varones galileos, ¿por qué estáis mirando al cielo? Este mismo Jesús, que ha sido tomado de vosotros al cielo, así vendrá como le habéis visto ir al cielo.

Hechos 1:11

Por tanto, también vosotros estad preparados; porque el Hijo del Hombre vendrá a la hora que no pensáis.

Mateo 24:44

Porque el Señor mismo con voz de mando, con voz de arcángel, y con trompeta de Dios, descenderá del cielo; y los muertos en Cristo resucitarán primero. / **Luego nosotros los que vivimos, los que hayamos quedado, seremos arrebatados juntamente con ellos en las nubes para recibir al Señor en el aire, y así estaremos siempre con el Señor.**

1 Tesalonicenses 4:16-17

Amados, ahora somos hijos de Dios, y aún no se ha manifestado lo que hemos de ser; pero sabemos que cuando él se manifieste, seremos semejantes a él, porque le veremos tal como él es.

1 Juan 3:2

572

Yo soy el buen pastor; el buen pastor su vida da por las ovejas. / **Yo soy el buen pastor; y conozco mis ovejas, y las mías me conocen,** / así como el Padre me conoce, y yo conozco al Padre; y pongo mi vida por las ovejas. / **También tengo otras ovejas que no son de este redil; aquéllas también debo traer, y oirán mi voz; y habrá un rebaño, y un pastor.**

Mis ovejas oyen mi voz, y yo las conozco, y me siguen, / **y yo les doy vida eterna; y no perecerán jamás, ni nadie las arrebatará de mi mano. Mi Padre que me las dio, es mayor que todos, y nadie las puede arrebatar de la mano de mi Padre.**

Juan 10:11, 14-16, 27-29

573

Pero yo os digo la verdad: Os conviene que yo me vaya; porque si no me fuere, el Consolador no vendría a vosotros; mas si me fuere, os lo enviaré. / **Y cuando él venga, convencerá al mundo de pecado, de justicia y de juicio.** / De pecado, por cuanto no creen en mí; / **de justicia, por cuanto voy al Padre, y no me veréis más;** / y de juicio, por cuanto el príncipe de este mundo ha sido ya juzgado.

Aún tengo muchas cosas que deciros, pero ahora no las podéis sobrellevar. / Pero cuando venga el Espíritu de verdad, él os guiará a toda la verdad; porque no hablará por su propia cuenta, sino que hablará todo lo que oyere, y os hará saber las cosas que habrán de venir. / **El me glorificará; porque tomará de lo mío, y os lo hará saber.**

Juan 16:7-14

574

Que el Dios de firmeza y estímulo os conceda el tener un mismo sentir entre vosotros, según Cristo Jesús; para que unánimes, glorifiquéis a una voz al Dios y Padre de nuestro Señor Jesucristo.

Romanos 15:5-6 (VHA)

575

En el principio creó Dios los cielos y la tierra. / **Y la tierra estaba desordenada y vacía, y las tinieblas estaban sobre la faz del abismo, y el Espíritu de Dios se movía sobre la faz de las aguas.**

Y dijo Dios: Sea la luz; y fue la luz. Y vio Dios que la luz era buena; y separó Dios la luz de las tinieblas. / **Y llamó Dios a la luz Día, y a las tinieblas llamó Noche. Y fue la tarde y la mañana un día.**

Génesis 1:1-5

Todas las cosas por él fueron hechas, y sin él nada de lo que ha sido hecho, fue hecho.

Juan 1:3

Venid, adoremos y postrémonos; Arrodillémonos delante de Jehová nuestro hacedor.

Salmo 95:6

576

Entonces dijo Dios: Hagamos al hombre a nuestra imagen, conforme a nuestra semejanza; y señoree en los peces del mar, en las aves de los cielos, en las bestias, en toda la tierra, y en todo animal que se arrastra sobre la tierra. / **Y creó Dios al hombre a su imagen, a imagen de Dios lo creó; varón y hembra los creó.**

Génesis 1:26-27

¿Qué es el hombre, para que tengas de él memoria, Y el hijo del hombre, para que lo visites? / **Le has hecho poco menor que los ángeles, y lo coronaste de gloria y de honra. / Le hiciste señorear sobre las obras de tus manos; Todo lo pusiste debajo de sus pies.**

Salmo 8:4-6

Jehová, tú eres nuestro padre; nosotros barro, y tú el que nos formaste; así que obra de tus manos somos todos nosotros.

Isaías 64:8

577

Padre nuestro que estás en los cielos, santificado sea tu nombre. Venga tu reino. Hágase tu voluntad, como en el cielo, así también en la tierra. El pan nuestro de cada día, dánoslo hoy. Y perdónanos nuestras deudas, como también nosotros perdonamos a nuestros deudores. Y no nos metas en tentación, mas líbranos del mal; porque tuyo es el reino, y el poder, y la gloria, por todos los siglos. Amén.

Mateo 6:9-13

578

Porque de tal manera amó Dios al mundo, que ha dado a su Hijo unigénito, / **para que todo aquel que en él cree, no se pierda, mas tenga vida eterna.** / Porque no envió Dios a su Hijo al mundo para condenar al mundo, / **sino para que el mundo sea salvo por él.**

El que en él cree, no es condenado; / **pero el que no cree, ya ha sido condenado, porque no ha creído en el nombre del unigénito Hijo de Dios.**

El que cree en el Hijo tiene vida eterna; / **pero el que desobedece al Hijo no verá la vida, sino que la ira de Dios está sobre él.**

Juan 3:16-18, 36

579

Jehová te bendiga, y te guarde;
Jehová haga resplandecer su rostro sobre ti, y tenga de ti misericordia; Jehová alce sobre ti su rostro, y ponga en ti paz.

Números 6:24-26

580

Toda la Escritura es inspirada por Dios, y útil para enseñar, para redargüir, para corregir, para instruir en justicia, a fin de que el hombre de Dios sea perfecto, enteramente preparado para toda buena obra.

2 Timoteo 3:16-17

La ley de Jehová es perfecta, que convierte el alma; El testimonio de Jehová es fiel, que hace sabio al sencillo. Los mandamientos de Jehová son rectos, que alegran el corazón; El precepto de Jehová es puro, que alumbra los ojos.

Salmo 19:7-8

Lámpara es a mis pies tu palabra, Y lumbrera a mi camino. La exposición de tus palabras alumbra; Hace entender a los simples.

Salmo 119:105, 130

Porque la palabra de Dios es viva y eficaz, y más cortante que toda espada de dos filos; y penetra hasta partir el alma y el espíritu las coyunturas y los tuétanos, y discierne los pensamientos y las intenciones del corazón.

Hebreos 4:12

581

La gracia del Señor Jesucristo, el amor de Dios, y la comunión del Espíritu Santo sean con todos vosotros.

2 Corintios 13:14

582

Bueno es alabarte, oh Jehová, Y cantar salmos a tu nombre, oh Altísimo; / **Anunciar por la mañana tu misericordia, Y tu fidelidad cada noche, En el decacordio y en el salterio, En tono suave con el arpa.**

Por cuanto me has alegrado, oh Jehová, con tus obras; En las obras de tus manos me gozo. ¡Cuán grandes son tus obras, oh Jehová! / **¡Cuán grandes son tus obras, oh Jehová!**

Salmo 92:1-5a

583

No se turbe vuestro corazón; creéis en Dios, creed también en mí. / **En la casa de mi Padre muchas moradas hay; si así no fuera, yo os lo hubiera dicho; voy, pues, a preparar lugar para vosotros.** / Y si me fuere yo a preparar lugar, vendré otra vez, y os tomaré a mí mismo, para que donde yo estoy, vosotros también estéis. Y sabéis a dónde voy, y sabéis el camino. / **Yo soy el camino, y la verdad, y la vida; nadie viene al Padre, sino por mí.**

Y yo rogaré al Padre, y os dará otro Consolador, para que esté con vosotros para siempre: / **el Espíritu de verdad, al cual el mundo no puede recibir, porque no le ve, ni le conoce; pero vosotros le conocéis, porque mora con vosotros, y estará en vosotros.**

La paz os dejo, mi paz os doy; yo no os la doy como el mundo la da. No se turbe vuestro corazón, ni tenga miedo.

Juan 14:1-4, 6, 16-17, 27

584

Mas Dios muestra su amor para con nosotros, en que siendo aún pecadores, Cristo murió por nosotros. / **Pues mucho más, estando ya justificados en su sangre, por él seremos salvos de la ira.** / Porque si siendo enemigos, fuimos reconciliados con Dios por la muerte de su Hijo, / **mucho más, estando reconciliados, seremos salvos por su vida.** / Y no sólo esto, sino que también nos gloriamos en Dios por el Señor nuestro Jesucristo, por quien hemos recibido ahora la reconciliación.

Romanos 5:8-11

Porque por gracia sois salvos por medio de la fe; y esto no de vosotros, pues es don de Dios; no por obras, para que nadie se glorie.
Efesios 2:8-9

585

Que si confesares con tu boca que Jesús es el Señor, y creyeres en tu corazón que Dios le levantó de los muertos, serás salvo. Porque con el corazón se cree para justicia, pero con la boca se confiesa para salvación.

Pues la Escritura dice: Todo aquel que en él creyere, no será avergonzado. Porque no hay diferencia entre judío y griego, pues el mismo que es Señor de todos, es rico para con todos los que le invocan; porque todo aquel que invocare el nombre del Señor, será salvo.

Romanos 10:9-13

586

Feliz el hombre a quien sus culpas y pecados le han sido perdonados por completo. Feliz el hombre que no es mal intencionado y a quien el Señor no acusa de falta alguna.

Te confesé sin reservas mi pecado y mi maldad; decidí confesarte mis pecados, y tú, Señor, los perdonaste. Tú eres mi refugio; me proteges del peligro, me rodeas de gritos de victoria.

Alégrense en el Señor, hombres buenos y bien intencionados; ¡gocen y griten de alegría!
Salmo 32:1-2, 5, 7, 11 (VP)

587

Ten piedad de mí, oh Dios, conforme a tu misericordia; Conforme a la multitud de tus piedades borra mis rebeliones. / **Lávame más y más de mi maldad, Y límpiame de mi pecado.** / Porque yo reconozco mis rebeliones, Y mi pecado está siempre delante de mí.

Purifícame con hisopo, y seré limpio; Lávame, y seré más blanco que la nieve. / Esconde tu rostro de mis pecados, Y borra todas mis maldades.

Crea en mí, oh Dios, un corazón limpio, Y renueva un espíritu recto dentro de mí. / No me eches de delante de ti, Y no quites de mí tu santo Espíritu. / **Vuélveme el gozo de tu salvación, Y espíritu noble me sustente. Entonces enseñaré a los transgresores tus caminos, Y los pecadores se convertirán a ti.**

Salmo 51: 1-3, 7, 9-13

588

Dios es luz, y no hay ningunas tinieblas en él. / **Si decimos que tenemos comunión con él, y andamos en tinieblas, mentimos, y no practicamos la verdad;** / pero si andamos en luz, como él está en luz, tenemos comunión unos con otros, y la sangre de Jesucristo su Hijo nos limpia de todo pecado.

Si decimos que no tenemos pecado, nos engañamos a nosotros mismos, y la verdad no está en nosotros. / Si confesamos nuestros pecados, él es fiel y justo para perdonar nuestros pecados, y limpiarnos de toda maldad. / **Si decimos que no hemos pecado, le hacemos a él mentiroso, y su palabra no está en nosotros.**

Y si alguno hubiere pecado, abogado tenemos para con el Padre, a Jesucristo el justo. / **Y él es la propiciación por nuestros pecados; y no solamente por los nuestros, sino también por los de todo el mundo.**

1 Juan 1:5-10, 2:1-2

589

Por cuanto todos pecaron, y están destituidos de la gloria de Dios, / **Mas Dios muestra su amor para con nosotros, en que siendo aún pecadores, Cristo murió por nosotros.**

Romanos 3:23, 5:8

Mas a todos los que le recibieron, a los que creen en su nombre, les dio potestad de ser hechos hijos de Dios.

Juan 1:12

Y este es el testimonio: que Dios nos ha dado vida eterna; y esta vida está en su Hijo. / El que tiene al Hijo, tiene la vida; el que no tiene al Hijo de Dios no tiene la vida.

Estas cosas os he escrito a vosotros que creéis en el nombre del Hijo de Dios, para que sepáis que tenéis vida eterna, y para que creáis en el nombre del Hijo de Dios.

1 Juan 5:11-13

590

Confía en Jehová, y haz el bien; Y habitarás en la tierra, y te apacentarás de la verdad. Deléitate asimismo en Jehová, Y él te concederá las peticiones de tu corazón.

Encomienda a Jehová tu camino, Y confía en él; y él hara. Exhibirá tu justicia como la luz, Y tu derecho como el mediodía.

Salmo 37:3-6

591

Buscad a Jehová mientras puede ser hallado, llamadle en tanto que está cercano. / **Deje el impío su camino, y el hombre inicuo sus pensamientos, y vuélvase a Jehová, el cual tendrá de él misericordia, y al Dios nuestro, el cual será amplio en perdonar.**

Isaías 55:6-7

Así que, arrepentíos y convertíos, para que sean borrados vuestros pecados; para que vengan de la presencia del Señor tiempos de refrigerio.

Hechos 3:19

Venid luego, dice Jehová, y estemos a cuenta: si vuestros pecados fueren como la grana, como la nieve serán emblanquecidos; si fueren rojos como el carmesí, vendrán a ser como blanca lana.

Isaías 1:18

592

Señor, tú nos has sido refugio
De generación en generación. /
**Antes que naciesen los montes
Y formases la tierra y el mundo,
Desde el siglo y hasta el siglo, tú
eres Dios.**

Porque mil años delante de tus
ojos Son como el día de ayer,
que pasó, Y como una de las vigilias
de la noche. / **Los días de
nuestra edad son setenta años; Y
si en los más robustos son
ochenta años, Con todo, su fortaleza
es molestia y trabajo, Porque
pronto pasan, y volamos.** /
Enséñanos de tal modo a contar
nuestros días, Que traigamos al
corazón sabiduría.

**Aparezca en tus siervos tu obra,
Y tu gloria sobre sus hijos. Sea la
luz de Jehová nuestro Dios sobre
nosotros.**

Salmo 90:1-2, 4, 10, 12, 16-17a

593

Jehová es mi pastor; nada me faltará.
En lugares de delicados pastos
me hará descansar; Junto a
aguas de reposo me pastoreará.
Confortará mi alma; Me guiará
por sendas de justicia por amor
de su nombre.

Aunque ande en valle de sombra
de muerte, No temeré mal alguno,
porque tú estarás conmigo; Tu
vara y tu cayado me infundirán
aliento.

Aderezas mesa delante de mí en
presencia de mis angustiadores;
Unges mi cabeza con aceite; mi
copa está rebosando. Ciertamente
el bien y la misericordia me seguirán
todos los días de mi vida,
Y en la casa de Jehová moraré
por largos días.

Salmo 23

594

¡Sea la gratitud tu ofrenda a Dios;
cumple al Altísimo tus promesas!

Salmo 50:14 (VP)

595

Oh Jehová, tú me has examinado
y conocido. / **Has escrudiñado mi
andar y mi reposo, Y todos mis
caminos te son conocidos.** / Pues
aún no está la palabra en mi lengua,
Y he aquí, oh Jehová, tú la
sabes toda.

¿A dónde me iré de tu Espíritu?
¿Y a dónde huiré de tu presencia?
/ Si subiere a los cielos, allí
estás tú; Y si en en Seol hiciere
mi estrado, he aquí, allí tú estás. /
**Si tomare las alas del alba Y habitare
en el extremo del mar,** / Aun
allí me guiará tu mano, Y me
asirá tu diestra. / **Si dijere: Ciertamente
las tinieblas me encubrirán;
Aun la noche resplandecerá alrededor
de mí.** / Aun las tinieblas no
encubren de ti, Y la noche resplandece
como el día; Lo mismo
te son las tinieblas que la luz.

**Examíname, oh Dios, y conoce
mi corazón; Pruébame, y conoce
mis pensamientos; Y ve si hay en
mí camino de perversidad, Y
guíame en el camino eterno.**

Salmo 139:1, 3-4, 7-12, 23-24

596

Den gracias al Señor, porque él
es bueno, porque su amor es eterno.
Díganlo los que el Señor ha
salvado, los que él salvó del
poder del enemigo.

Salmo 107:1-2 (VP)

597

Te alabaré, oh Jehová, con todo mi corazón; Contaré todas tus maravillas.

Salmo 9:1

598

Alzaré mis ojos a los montes; ¿De dónde vendrá mi socorro? / **Mi socorro viene de Jehová, Que hizo los cielos y la tierra.**

No dará tu pie al resbaladero, Ni se dormirá el que te guarda. / **He aquí, no se adormecerá ni dormirá El que guarda a Israel.**

Jehová es tu guardador; Jehová es tu sombra a tu mano derecha. / **El sol no te fatigará de día, Ni la luna de noche.**

Jehová te guardará de todo mal; El guardará tu alma. / **Jehová guardará tu salida y tu entrada Desde ahora y para siempre.**

Salmo 121

599

Den a otros, y Dios les dará a ustedes. Les dará en su bolsa una medida buena, apretada, sacudida y repleta. Dios usará con ustedes la misma medida que ustedes usan con otros.

Lucas 6:38 (VP)

600

Este es el día que hizo Jehová; Nos gozaremos y alegraremos en él.

Salmo 118:24

601

Acuérdate del día de reposo para santificarlo. Seis días trabajarás y harás toda tu obra; / **mas el séptimo día es reposo para Jehová tu Dios; no hagas en él obra alguna.** / Porque en seis días hizo Jehová los cielos y la tierra, el mar, y todas las cosas que en ellos hay, y reposó en el séptimo día; / **por tanto, Jehová bendijo el día de reposo y lo santificó.**

Exodo 20:8-11

También [Jesús] les dijo: El día de reposo fue hecho por causa del hombre, y no el hombre por causa del día de reposo. / **Por tanto, el Hijo de Hombre es Señor aun del día de reposo.**

Marcos 2:27-28

602

Jehová es mi luz y mi salvación; ¿de quién temeré? Jehová es la fortaleza de mi vida; ¿de quién he de atemorizarme? / **Aunque un ejército acampe contra mí, No temerá mi corazón; Aunque contra mí se levante guerra, Yo estaré confiado.**

Una cosa he demandado a Jehová, ésta buscaré; Que esté yo en la casa de Jehová todos los días de mi vida, Para contemplar la hermosura de Jehová, y para inquirir en su templo. / **Porque él me esconderá en su tabernáculo en el día del mal; Me ocultará en lo reservado de su morada; Sobre una roca me pondrá en alto.**

Luego levantará mi cabeza sobre mis enemigos que me rodean, Y yo sacrificaré en su tabernáculo sacrificios de júbilo; Cantaré y entonaré alabanzas a Jehová.

Salmo 27:1, 3-6

603

Viniendo Jesús a la región de Cesarea de Filipo, preguntó a sus discípulos, diciendo: ¿Quién dicen los hombres que es el Hijo del Hombre? / **Ellos dijeron: Unos, Juan el Bautista; otros, Elías, y otros, Jeremías, o alguno de los profetas.**

El les dijo: Y vosotros, ¿quién decís que soy yo? / **Respondiendo Simón Pedro, dijo: Tú eres el Cristo, el Hijo del Dios viviente.**

Entonces le respondió Jesús: Bienaventurado eres, Simón, hijo de Jonás, porque no te lo reveló carne ni sangre, sino mi Padre que está en los cielos. / **Y yo también te digo, que tú eres Pedro, y sobre esta roca edificaré mi iglesia; y las puertas del Hades no prevalecerán contra ella.** / Y a ti te daré las llaves del reino de los cielos; y todo lo que atares en la tierra será atado en los cielos; y todo lo que desatares en la tierra será desatado en los cielos.
Mateo 16:13-19

604

Fuimos, pues, por el bautismo sepultados juntamente con él en muerte, / **para que como Cristo fue levantado de entre los muertos por la gloria del Padre, así también nosotros andemos en novedad de vida.** / Porque si hemos sido unidos con él en una muerte como la suya, lo estaremos también en una resurrección como la suya.

Sabemos que nuestro viejo hombre fue crucificado con Cristo, para que el cuerpo pecaminoso sea deshecho, a fin de que no sirvamos más al pecado. / Así también vosotros, teneos por muertos para el pecado, pero vivos para Dios en Cristo Jesús.
Romanos 6:4-6, 11 (VHA)

Por tanto, id, y haced discípulos a todas las naciones, bautizándolos en el nombre del Padre, y del Hijo, y del Espíritu Santo; enseñándoles que guarden todas las cosas que os he mandado; y he aquí yo estoy con vosotros todos los días, hasta el fin del mundo.
Mateo 28:19-20

605

Vosotros me llamáis Maestro, y Señor; y decís bien, porque lo soy. Pues si yo, el Señor y el Maestro, he lavado vuestros pies, vosotros también debéis lavaros los pies los unos a los otros. Porque ejemplo os he dado, para que como yo os he hecho, vosotros también hagáis. De cierto, de cierto os digo: El siervo no es mayor que su señor, ni el enviado es mayor que el que le envió.
Juan 13:13-16

606

Entonces Jesús vino de Galilea a Juan al Jordán, para ser bautizado por él. Mas Juan se le oponía, diciendo: / **Yo necesito ser bautizado por ti, ¿y tú vienes a mí?**

Pero Jesús le respondió: / **Deja ahora, porque así conviene que cumplamos toda justicia.** / Entonces le dejó. Y Jesús, después que fue bautizado, subió luego del agua; y he aquí los cielos le fueron abiertos, y vio al Espíritu de Dios que descendía como paloma, y venía sobre él. Y hubo una voz de los cielos, que decía: / **Este es mi Hijo amado, en quien tengo complacencia.** *Mateo 3:13-17*

607

Venid a mí todos los que estáis trabajados y cargados, y yo os haré descansar. Llevad mi yugo sobre vosotros, y aprended de mí, que soy manso y humilde de corazón; y hallaréis descanso para vuestras almas; porque mi yugo es fácil, y ligera mi carga.

Mateo 11:28-30

608

Cada uno dé como propuso en su corazón: no con tristeza, ni por necesidad, porque Dios ama al dador alegre. Y poderoso es Dios para hacer que abunde en vosotros toda gracia, a fin de que, teniendo siempre en todas las cosas todo lo suficiente, abundéis para toda buena obra.

2 Corintios 9:7-8

609

Vosotros, pues, sois el cuerpo de Cristo, y miembros cada uno en particular.

1 Corintios 12:27

El es la cabeza del cuerpo que es la iglesia, él que es el principio, el primogénito de entre los muertos, para que en todo tenga la preeminencia.

Colosenses 1:18

Y él mismo constituyó a unos, apóstoles; a otros, profetas; a otros, evangelistas; a otros, pastores y maestros, a fin de perfeccionar a los santos para la obra del ministerio, para la edificación del cuerpo de Cristo, hasta que todos lleguemos a la unidad de la fe y del conocimiento del Hijo de Dios, a un varón perfecto, a la medida de la estatura de la plenitud de Cristo.

Efesios 4:11-13

610

La misma noche que el Señor Jesús fue traicionado, tomó en sus manos el pan y, después de dar gracias a Dios, lo partió y dijo: / **"Coman; esto es mi cuerpo, partido para el bien de ustedes. Hagan esto en memoria de mí."**

Así también, después de la cena, tomó en sus manos la copa y dijo: / **"Esta copa es el nuevo pacto confirmado con mi sangre. Cada vez que la beban, háganlo en memoria de mí." De manera que, hasta que venga el Señor, ustedes proclaman su muerte cada vez que comen de este pan y beben de esta copa.**

Así pues, cualquiera que come del pan o bebe de la copa del Señor de una manera que no honra a Dios, comete un pecado contra el cuerpo y la sangre del Señor. / **Por tanto, cada uno debe examinar su conciencia antes de comer del pan y beber de la copa.**

1 Corintios 11:23-28 (VP)

611

Todo aquel que invocare el nombre del Señor, será salvo. / **¿Cómo, pues, invocarán a aquel en el cual no han creído?** / ¿Y cómo creerán en aquel de quien no han oído? / ¿Y cómo oirán sin haber quien les predique? / ¿Y cómo predicarán si no fueren enviados?

Romanos 10:13-15

Por tanto, id, y haced discípulos a todas las naciones, bautizándolos en el nombre del Padre, y del Hijo, y del Espíritu Santo; enseñándoles que guarden todas las cosas que os he mandado; y he aquí yo estoy con vosotros todos los días, hasta el fin del mundo.

Mateo 28:19-20

612

Así está escrito, y así fue necesario que el Cristo padeciese, y resucitase de los muertos al tercer día; / **y que se predicase en su nombre el arrepentimiento y el perdón de pecados en todas las naciones, comenzando desde Jerusalén. Y vosotros sois testigos de estas cosas.**

Lucas 24:46-48

Por tanto, id, y haced discípulos a todas las naciones, / **bautizándolos en el nombre del Padre, y del Hijo, y del Espíritu Santo;** / enseñándoles que guarden todas las cosas que os he mandado; / **y he aquí yo estoy con vosotros todos los días, hasta el fin del mundo.**

Mateo 28:19-20

Pero recibiréis poder, cuando haya venido sobre vosotros el Espíritu Santo, / **y me seréis testigos en Jerusalén, en toda Judea, en Samaria, y hasta lo último de la tierra.**

Hechos 1:8

613

Hermanos míos, ¿de qué sirve que alguno diga que tiene fe, si no tiene obras? ¿Puede esa fe salvarle? Si algún hermano o hermana no tiene ropa, y necesita el sustento diario, y uno de vosotros les dice: "Id en paz, calentaos y saciaos," pero no los dais lo que necesitan para *su* cuerpo, ¿de qué sirve? Así también la fe, por sí misma, si no tiene obras está muerta.

Pero alguno dirá: "Tú tienes fe y yo tengo obras." Muéstrame tu fe sin las obras, y yo te mostraré mi fe por mis obras.

Santiago 2:14-18 (BLA)

614

Acercándose uno de los escribas, . . . le preguntó[a Jesús] : ¿Cuál es el primer mandamiento de todos? Jesús le respondió: El primer mandamiento de todos es: Oye, Israel; el Señor nuestro Dios, el Señor uno es. Y amarás al Señor tu Dios con todo tu corazón, y con toda tu alma, y con toda tu mente y con todas tus fuerzas. Este es el principal mandamiento.

Y el segundo es semejante: Amarás a tu prójimo como a ti mismo. No hay otro mandamiento mayor que éstos.

Marcos 12:28-31

615

Venid, benditos de mi Padre, heredad el reino preparado para vosotros desde la fundación del mundo. / **Porque tuve hambre, y me disteis de comer;** / tuve sed, y me disteis de beber; / **fui forastero, y me recogisteis;** / estuve desnudo, y me cubristeis; / **enfermo, y me visitasteis;** / en la cárcel y vinisteis a mí.

Entonces los justos le responderán diciendo: Señor, ¿cuándo te vimos hambriento, y te sustentamos, / o sediento, y te dimos de beber? / ¿Y cuándo te vimos forastero, y te recogimos, / o desnudo, y te cubrimos? / ¿O cuándo te vimos enfermo, o en la cárcel, y vinimos a ti?

Y respondiendo el Rey, les dirá: De cierto os digo que en cuanto lo hicisteis a uno de estos mis hermanos más pequeños, a mí lo hicisteis.

Mateo 25:34-40

616

Regocijaos en el Señor siempre.
Otra vez digo: ¡Regocijaos! /
**Vuestra gentileza sea conocida de
todos los hombres. El Señor está
cerca.** / Por nada estéis afanosos,
sino sean conocidas vuestras peticiones delante de Dios en toda
oración y ruego, con acción de
gracias. / **Y la paz de Dios, que
sobrepasa todo entendimiento,
guardará vuestros corazones y
vuestros pensamientos en Cristo
Jesús.**

Por los demás, hermanos, todo lo
que es verdadero, todo lo hones-
to, todo lo justo, todo lo puro,
todo lo amable, todo lo que es de
buen nombre; si hay virtud alguna,
si algo digno de alabanza, en esto
pensad.

Filipenses 4:4-8

617

Mas el fruto del Espíritu es amor,
gozo, paz, paciencia, benignidad,
bondad, fe, mansedumbre, templanza; contra tales cosas no hay
ley. Pero los que son de Cristo
han crucificado la carne con sus
pasiones y deseos.

**Si vivimos por el Espíritu, ande-
mos también por el Espíritu. No
nos hagamos vanagloriosos, irri-
tándonos unos a otros, envidián-
donos unos a otros.**

Gálatas 5:22-26

618

Pero el que tiene bienes de este
mundo y ve a su hermano tener
necesidad, y cierra contra él su
corazón, ¿cómo mora el amor de
Dios en él? Hijitos míos, no
amemos de palabra ni de lengua,
sino de hecho y en verdad.

1 Juan 3:17-18

619

Yo soy la vid, vosotros los pám-
panos; el que permanece en mí,
y yo en él, éste lleva mucho fruto; porque separados de mí nada
podéis hacer. El que en mí no
permanece, será echado fuera como pámpano, y se secará; y los
recogen, y los echan en el fuego,
y arden. Si permanecéis en mí, y
mis palabras permanecen en vosotros, pedid todo lo que queréis, y
os será hecho. En esto es glorifi-
cado mi Padre, en que llevéis
mucho fruto, y seáis así mis
discípulos.

Como el Padre me ha amado, así
también yo os he amado; per-
maneced en mi amor. Si guarda-
reis mis mandamientos, perma-
neceréis en mi amor; así como yo
he guardado los mandamientos de
mi Padre, y permanezco en su
amor. Estas cosas os he hablado,
para que mi gozo esté en vosotros,
y vuestro gozo sea cumplido.

Este es mi mandamiento: Que os
améis unos a otros, como yo os
he amado. Nadie tiene mayor
amor que este, que uno ponga su
vida por sus amigos.

Juan 15:5-13

620

Justificados, pues, por la fe, tenemos paz para con Dios por medio
de nuestro Señor Jesucristo; / **por
quien también tenemos entrada
por la fe a esta gracia en la cual
estamos firmes y nos gloriamos en
la esperanza de la gloria de Dios.**

Y no sólo esto, sino que también
nos gloriamos en las tribulaciones,
sabiendo que la tribulación pro-
duce paciencia; y la paciencia,
prueba; y la prueba, esperanza; /

y la esperanza no avergüenza; porque el amor de Dios ha sido derramado en nuestros corazones por el Espíritu Santo que nos fue dado.

Porque Cristo, cuando aún éramos débiles, a su tiempo murió por los impíos. Ciertamente, apenas morirá alguno por un justo; con todo, pudiera ser que alguno osara morir por el bueno.

Mas Dios muestra su amor para con nosotros, en que siendo aún pecadores, Cristo murió por nosotros. *Romanos 5:1-8*

621
Y sabemos que a los que aman a Dios, todas las cosas les ayudan a bien, esto es, a los que conforme a su propósito son llamados.

¿Qué, pues, diremos a esto? Si **Dios es por nosotros, ¿quién contra nosotros?** / El que no escatimó ni a su propio Hijo, sino que lo entregó por todos nosotros, ¿cómo no nos dará también con él todas las cosas?

¿Quién acusará a los escogidos de Dios? Dios es el que justifica. / ¿Quién es el que condenará? Cristo es el que murió; más aun, el que también resucitó, el que además está a la diestra de Dios, el que también intercede por nosotros. / **¿Quién nos separará del amor de Cristo?** ¿Tribulación, o angustia, o persecución, o hambre, o desnudez, o peligro, o espada?

Antes, en todas estas cosas somos más que vencedores por medio de aquel que nos amó. / **Por lo cual estoy seguro de que ni la muerte, ni la vida, ni ángeles, ni principados, ni potestades, ni lo presente,** ni lo por venir, ni lo alto, ni lo profundo, ni ninguna otra cosa creada nos podrá separar del amor de Dios, que es en Cristo Jesús Señor nuestro. *Romanos 8:28, 31-35, 37-39*

622
Y el Dios de paz que resucitó de los muertos a nuestro Señor Jesucristo, el gran pastor de las ovejas, por la sangre del pacto eterno, os haga aptos en toda obra buena para que hagáis su voluntad, haciendo él en vosotros lo que es agradable delante de él por Jesucristo; al cual sea la gloria por los siglos de los siglos. Amén. *Hebreos 13:20-21*

623
Gracia y paz os sean multiplicadas, en el conocimiento de Dios y de nuestro Señor Jesús.

Como todas las cosas que pertenecen a la vida y a la piedad nos han sido dadas por su divino poder, mediante el conocimiento de aquel que nos llamó por su gloria y excelencia, / por medio de las cuales nos ha dado preciosas y grandísimas promesas, para que por ellas llegaseis a ser participantes de la naturaleza divina, habiendo huido de la corrupción que hay en el mundo a causa de la concupiscencia.

Vosotros también, poniendo toda diligencia por esto mismo, añadid a vuestra fe virtud; a la virtud, conocimiento; al conocimiento, dominio propio; al dominio propio, paciencia; a la paciencia, piedad; a la piedad, afecto fraternal; y al afecto fraternal, amor. / Porque si estas cosas están en vosotros, y abundan, no os dejarán estar ociosos ni sin fruto en cuanto al conocimiento de nuestro Señor Jesucristo. *2 Pedro 1:2-8*

624

En el año que murió el rey Uzías vi yo al Señor sentado sobre un trono alto y sublime, y sus faldas llenaban el templo. / **Por encima de él había serafines; cada uno tenía seis alas; con dos cubrían sus rostros, con dos cubrían sus pies, y con dos volaban.**

Y el uno al otro daba voces, diciendo: Santo, santo, santo, Jehová de los ejércitos; toda la tierra está llena de su gloria. / **Y los quiciales de las puertas se estremecieron con la voz del que clamaba, y la casa se llenó de humo.**

Entonces dije: ¡Ay de mí! que soy muerto; porque siendo hombre inmundo de labios, y habitando en medio de pueblo que tiene labios inmundos, han visto mis ojos al Rey, Jehová de los ejércitos.

Y voló hacia mí uno de los serafines, teniendo en su mano un carbón encendido, tomado del altar con unas tenazas; / y tocando con él sobre mi boca, dijo: He aquí que esto tocó tus labios, y es quitada tu culpa, y limpio tu pecado.

Después oí la voz del Señor, que decía: ¿A quién enviaré, y quién irá por nosotros? Entonces respondí yo: Heme aquí, envíame a mí. / Y dijo: Anda.

Isaías 6:1-9a

625

Si yo hablase lenguas humanas y angélicas, y no tengo amor, vengo a ser como metal que resuena, o címbalo que retiñe. / **Y si tuviese profecía, y entendiese todos los** misterios y toda ciencia, y si tuviese toda la fe, de tal manera que trasladase los montes, y no tengo amor, nada soy. / Y si repartiese todos mis bienes para dar de comer a los pobres, y si entregase mi cuerpo para ser quemado, y no tengo amor, de nada me sirve.

El amor es sufrido, es benigno; / el amor no tiene envidia, / **el amor no es jactancioso, /** no se envanece; / **no es indecoroso, /** no busca lo suyo, / **no se irrita, /** no guarda rencor; / **no se goza de la injusticia, /** mas se goza de la verdad. / **Todo lo sufre, /** todo lo cree, / **todo lo espera, /** todo lo soporta.

El amor nunca deja de ser; pero las profecías se acabarán, y cesarán las lenguas, y la ciencia acabará. / Porque en parte conocemos, y en parte profetizamos; **mas cuando venga lo perfecto, entonces lo que es en parte se acabará.**

Cuando yo era niño, hablaba como niño, pensaba como niño, juzgaba como niño; mas cuando ya fui hombre, dejé lo que era de niño. / **Ahora vemos por espejo, oscuramente; mas entonces veremos cara a cara. Ahora conozco en parte; pero entonces conoceré como fui conocido. /** Y ahora permanecen la fe, la esperanza y el amor, estos tres; pero el mayor de ellos es el amor.

1 Corintios 13

626

Honra a Jehová con tus bienes, Y con las primicias de todos tus frutos.

Proverbios 3:9

627

Bienaventurado el varón que no anduvo en consejo de malos, Ni estuvo en camino de pecadores, Ni en silla de escarnecedores se ha sentado; Sino que en la ley de Jehová está su delicia, Y en su ley medita de día y de noche. Será como árbol plantado junto a corrientes de aguas, Que da su fruto en su tiempo, Y su hoja no cae; Y todo lo que hace, prosperará.

No así los malos, Que son como el tamo que arrebata el viento. Por tanto, no se levantarán los malos en el juicio, Ni los pecadores en la congregación de los justos. Porque Jehová conoce el camino de los justos; Mas la senda de los malos perecerá.

Jehová, ¿quién habitará en tu tabernáculo? ¿Quién morará en tu monte santo? / **El que anda en integridad y hace justicia, Y habla verdad en su corazón.**

Salmo 1:1-6; 15:1-2

628

Vosotros sois la sal de la tierra; pero si la sal se desvaneciere, ¿con qué será salada? No sirve más para nada, sino para ser echada fuera y hollada por los hombres.

Vosotros sois la luz del mundo; una ciudad asentada sobre un monte no se puede esconder. / Ni se enciende una luz y se pone debajo de un almud, sino sobre el candelero, y alumbra a todos los que están en casa. / **Así alumbre vuestra luz delante de los hombres, para que vean vuestras buenas obras, y glorifiquen a vuestro Padre que está en los cielos.**

Mateo 5:13-16

629

Pero al principio de la creación, varón y hembra los hizo Dios. Por esto dejará el hombre a su padre y a su madre, y se unirá a su mujer, y los dos serán una sola carne; así que no son ya más dos, sino uno. Por tanto, lo que Dios juntó, no lo separe el hombre.

Marcos 10:6-9

630

Viendo la multitud, subió al monte; y sentándose, vinieron a él sus discípulos. Y abriendo su boca les enseñaba, diciendo: / **Bienaventurados los pobres en espíritu, porque de ellos es el reino de los cielos.**

Bienaventurados los que lloran, porque ellos recibirán consolación. / **Bienaventurados los mansos, porque ellos recibirán la tierra por heredad.**

Bienaventurados los que tienen hambre y sed de justicia, porque ellos serán saciados. / **Bienaventurados los misericordiosos, porque ellos alcanzarán misericordia.**

Bienaventurados los de limpio corazón, porque ellos verán a Dios. / **Bienaventurados los pacificadores, porque ellos serán llamados hijos de Dios.**

Bienaventurados los que padecen persecución por causa de la justicia, porque de ellos es el reino de los cielos. / **Bienaventurados sois cuando por mi causa os vituperen y os persigan, y digan toda clase de mal contra vosotros, mintiendo.** / Gozaos y alegraos, porque vuestro galardón es grande en los cielos; porque así persiguieron a los profetas que fueron antes de vosotros.

Mateo 5:1-12

631

Entonces Jesús dijo a sus discípulos: Si alguno quiere venir en pos de mí, niéguese a sí mismo, y tome su cruz, y sígame. Porque todo el que quiera salvar su vida, la perderá; y todo el que pierda su vida por causa de mí, la hallará. Porque ¿qué aprovechará al hombre, si ganare todo el mundo, y perdiere su alma? ¿O qué recompensa dará el hombre por su alma? Porque el Hijo del Hombre vendrá en la gloria de su Padre con sus ángeles, y entonces pagará a cada uno conforme a sus obras.

Mateo 16:24-27

632

Entonces se le acercó Pedro y le dijo: Señor, ¿cuántas veces perdonaré a mi hermano que peque contra mí? ¿Hasta siete? / **Jesús le dijo: No te digo hasta siete, sino aun hasta setenta veces siete.**

Por tanto, si traes tu ofrenda al altar, y allí te acuerdas de que tu hermano tiene algo contra ti, / **deja allí tu ofrenda delante del altar, y anda, reconcíliate primero con tu hermano, y entonces ven y presenta tu ofrenda.** Porque si perdonáis a los hombres sus ofensas, os perdonará también a vosotros vuestro Padre celestial; mas si no perdonáis a los hombres sus ofensas, tampoco vuestro Padre os perdonará vuestras ofensas.

Mateo 18:21-22; 5:23-24; 6:14-15

633

El amor sea sin fingimiento. / **Aborreced lo malo,** / seguid lo bueno. / **Amaos los unos a los otros con amor fraternal;** / en cuanto a honra, prefiriéndoos los unos a los otros. / **En lo que requiere diligencia, no perezosos;** / fervientes en espíritu, / **sirviendo al Señor;** / gozosos en la esperanza; / **sufridos en la tribulacion;** / constantes en la oración; / **compartiendo para las necesidades de los santos;** / practicando la hospitalidad.

Bendecid a los que os persiguen; / bendecid, y no maldigáis. / **Gozaos con los que se gozan;** / llorad con los que lloran.

Unánimes entre vosotros; / no altivos, sino asociándoos con los humildes, / **No seáis sabios en vuestra propia opinión.** / No paguéis a nadie mal por mal; procurad lo bueno delante de todos los hombres. / **Si es posible, en cuanto dependa de vosotros, estad en paz con todos los hombres.**

Romanos 12:9-18

634

Nadie tenga en poco tu juventud; antes bien, sé ejemplo para los creyentes, en palabra, en comportamiento, en amor, en fe y en pureza. / **Aplícate a la lectura pública de la escritura, a la exhortación, a la enseñanza.**

No descuides el don que hay en ti, el cual te fue conferido por declaración profética cuando el presbiterio te impuso las manos. / **Practica estas cosas; dedícate a ellas, para que tu progreso sea manifiesto a todos.** / Ten cuidado de ti mismo y de la doctrina; persiste en ello; pues haciendo esto, te salvarás a ti mismo y a tus oyentes.

1 Timoteo 4:12-16 (VHA)

635

Entonces Jehová Dios formó al hombre del polvo de la tierra, y sopló en su nariz aliento de vida, y fue el hombre un ser viviente. / **Y dijo Jehová Dios: No es bueno que el hombre esté solo; le haré ayuda idónea para él.**

Entonces Jehová Dios hizo caer sueño profundo sobre Adán, y mientras éste dormía, tomó una de sus costillas, y cerró la carne en su lugar. Y de la costilla que Jehová Dios tomó del hombre, hizo una mujer, y la trajo al hombre. / **Dijo entonces Adán: Esto es ahora hueso de mis huesos y carne de mi carne.**

Génesis 2:7, 18, 21-23

Por esto el hombre dejará padre y madre, y se unirá a su mujer, y los dos serán una sola carne. / **Así que ya no son ya más dos, sino una sola carne; por tanto, lo que Dios juntó, no lo separe el hombre.**

Mateo 19:5-6

636

Las casadas estén sujetas a sus propios maridos, como al Señor; / **porque el marido es cabeza de la mujer, así como Cristo es cabeza de la iglesia, la cual es su cuerpo, y él es su Salvador.** / Así que como la iglesia está sujeta a Cristo, así también las casadas lo estén a sus maridos en todo.

Maridos, amad a vuestras mujeres, así como Cristo amó a la iglesia, y se entregó a sí mismo por ella. / Así también los maridos deben amar a sus mujeres como a sus mismos cuerpos. El que ama a su mujer, a sí mismo se ama.

Hijos, obedeced en el Señor a vuestros padres, porque esto es justo. / Honra a tu padre y a tu madre. / **Y vosotros, padres, no provoquéis a ira a vuestros hijos, sino criadlos en disciplina y amonestación del Señor.**

Efesios 5:22-25, 28; 6:1-2, 4

637

Y el Dios de esperanza os llene de todo gozo y paz en el creer, para que abundéis en esperanza por el poder del Espíritu Santo.

Romanos 15:13

638

Mujer virtuosa, ¿quién la hallará? Porque su estima sobrepasa largamente a la de las piedras preciosas. / **El corazón de su marido está en ella confiado, Y no carecerá de ganancias.** / Le da ella bien y no mal Todos los días de su vida.

Ciñe de fuerza sus lomos, Y esfuerza sus brazos. / Alarga su mano al pobre, Y extiende sus manos al menesteroso. / **Fuerza y honor son su vestidura; Y se ríe de lo por venir.** / Abre su boca con sabiduría, Y la ley de clemencia está en su lengua.

Considera los caminos de su casa, Y no come el pan de balde. / Se levantan sus hijos y la llaman bienaventurada; Y su marido también la alaba: / **Muchas mujeres hicieron el bien; Mas tú sobrepasas a todas.**

Engañosa es la gracia, y vana la hermosura; La mujer que teme a Jehová, ésa será alabada. / **Dadle del fruto de sus manos, Y alábenla en las puertas sus hechos.**

Proverbios 31:10-12, 17, 20, 25-31

639

No acumuléis para vosotros tesoros en la tierra, donde la polilla y el moho destruyen, y donde ladrones minan y hurtan; / **mas acumulad para vosotros tesoros en el cielo, donde ni polilla ni moho destruyen, y donde ladrones no minan ni hurtan; porque donde esté tu tesoro, allí estará también tu corazón.**

Ninguno puede servir a dos señores; porque o aborrecerá al uno y amará al otro, o será adicto al uno y menospreciará al otro. No podéis servir a Dios y a las riquezas. / **Mas buscad primeramente el reino y la justicia de Dios, y todas estas cosas os serán dadas por añadidura.**

Mateo 6:19-21, 24, 33 (VHA)

640

Porque un niño nos es nacido, hijo nos es dado, / **y el principado sobre su hombro;** / y se llamará su nombre Admirable, Consejero, Dios fuerte, Padre eterno, Príncipe de paz. / **Lo dilatado de su imperio y la paz no tendrán límite, sobre el trono de David y sobre su reino, disponiéndolo y confirmándolo en juicio y en justicia desde ahora y para siempre.**

Juzgará con justicia a los pobres, y argüirá con equidad por los mansos de la tierra. / **y herirá la tierra con la vara de su boca, y con el espíritu de sus labios matará al impío.**

Isaías 9:6-7; 11:4

Y él juzgará entre muchos pueblos, y corregirá a naciones poderosas hasta muy lejos; / **y martillarán sus espadas para azadones,** y sus lanzas para hoces; / no alzará espada nación contra nación, / **ni se ensayarán más para la guerra.**

Miqueas 4:3

641

Honra y majestad están delante de él, fortaleza y alegría, en su morada. ¡Tributad a Jehová, oh familias de los pueblos, tributad a Jehová la gloria y la fortaleza! ¡Tributad a Jehová la gloria debida a su nombre; trae ofrendas, y entrad en su presencia! ¡Adorad a Jehová en la hermosura de la santidad.

1 Crónicas 16:27-29 (VM)

642

Cada primer día de la semana cada uno de vosotros ponga aparte algo, según haya prosperado.

1 Corintios 16:2

No hablo como quien manda, sino para poner a prueba, por medio de la diligencia de otros, también la sinceridad del amor vuestro. Porque ya conocéis la gracia de nuestro Señor Jesucristo, que por amor a vosotros se hizo pobre, siendo rico, para que vosotros con su pobreza fueseis enriquecidos.

Pero esto digo: El que siembra escasamente, también segará escasamente; y el que siembra generosamente, generosamente también segará. Cada uno dé como propuso en su corazón: no con tristeza, ni por necesidad, porque Dios ama al dador alegre. Y poderoso es Dios para hacer que abunde en vosotros toda gracia, a fin de que, teniendo siempre en todas las cosas todo lo suficiente, abundéis para toda buena obra.

2 Corintios 8:8-9, 9:6-8

643

Pedid, y se os dará; buscad, y hallaréis; llamad, y se os abrirá. Porque todo aquel que pide, recibe; y el que busca, halla; y al que llama, se le abrirá.

Mateo 7:7-8

Por tanto, os digo que todo lo que pidiereis orando, creed que lo recibiréis, y os vendrá.

Marcos 11:24

Por nada estéis afanosos, sino sean conocidas vuestras peticiones delante de Dios en toda oración y ruego, con acción de gracias.

Filipenses 4:6

644

¡Dad gracias a Jehová, porque él es bueno! / **porque para siempre es su misericordia.** / ¡Dad gracias al Señor de los señores! / **porque para siempre es su misericordia.** / Al que solo hace grandes maravillas; / **porque para siempre es su misericordia.**

Al que con su inteligencia hizo los cielos; / **porque para siempre es su misericordia.** / Al que extendió la tierra más alta que las aguas; / **porque para siempre es su misericordia,** / Al que hizo los grandes luminares; / **porque para siempre es su misericordia:** / el sol para regir de día; / **porque para siempre es su misericordia:** / la luna y las estrellas para regir de noche; / **porque para siempre es su misericordia.**

¡Dad gracias al Dios del cielo; / **porque para siempre es su misericordia!**

Salmo 136:1, 3-9, 26 (VM)

645

En aquel tiempo los discípulos vinieron a Jesús, diciendo: / **¿Quién es el mayor en el reino de los cielos?** / Y llamando Jesús a un niño, lo puso en medio de ellos, y dijo: / **De cierto os digo, que si no os volvéis y os hacéis como niños, no entraréis en el reino de los cielos. Así que, cualquiera que se humille como este niño, ése es el mayor en el reino de los cielos.**

Mateo 18:1-4

646

Siempre orando por vosotros, damos gracias a Dios, Padre de nuestro Señor Jesucristo, / **habiendo oído de vuestra fe en Cristo Jesús, y del amor que tenéis a todos los santos, a causa de la esperanza que os está guardada en los cielos.**

Por lo cual también nosotros ... no cesamos de orar por vosotros, y de pedir que seáis llenos del conocimiento de su voluntad en toda sabiduría e inteligencia espiritual, / **para que andéis como es digno del Señor, agradándole en todo, llevando fruto en toda buena obra, y creciendo en el conocimiento de Dios;** / fortalecidos con todo poder, conforme a la potencia de su gloria, para toda paciencia y longanimidad; / **con gozo dando gracias al Padre que nos hizo aptos para participar de la herencia de los santos en luz;** / el cual nos ha librado de la potestad de las tinieblas, y trasladado al reino de su amado Hijo, / **en quien tenemos redención por su sangre, el perdón de pecados.**

Colosenses 1:3-5, 9-14

647

Traed todos los diezmos al alfolí
y haya alimento en mi casa; y
probadme ahora en esto, dice Jehová de los ejércitos, si no os
abriré las ventanas de los cielos,
y derramaré sobre vosotros bendición hasta que sobreabunde.

Malaquías 3:10

Ahora bien, se requiere de los
administradores, que cada uno sea
hallado fiel.

1 Corintios 4:2

Por tanto, como en todo abundáis,
en fe, en palabra, en ciencia, en
toda solicitud, y en vuestro amor
para con nosotros, abundad también en esta gracia.

2 Corintios 8:7

648

No se turbe vuestro corazón;
creéis en Dios, creed también en
mí. / **En la casa de mi Padre muchas moradas hay; si así no fuera,
yo os lo hubiera dicho;** / voy,
pues, a preparar lugar para vosotros. Y si me fuere y os prepa-
rare lugar, vendré otra vez, y os
tomaré a mí mismo, para que
donde yo estoy, vosotros también estéis.

Juan 14:1-3

**Vi un cielo nuevo y una tierra
nueva; porque el primer cielo y
la primera tierra pasaron, y el
mar ya no existía más.** / Y yo
Juan vi la santa ciudad, la nueva Jerusalén, descender del cielo,
de Dios, dispuesta como una esposa ataviada para su marido. /
Y oí una gran voz del cielo que
decía: He aquí el tabernáculo de
Dios con los hombres, y él morará con ellos; y ellos serán su pueblo, y Dios mismo estará con
ellos como su Dios.

Enjugará Dios toda lágrima de los
ojos de ellos; y ya no habrá muerte, ni habrá más llanto, ni clamor,
ni dolor; porque las primeras cosas pasaron. / **No habrá allí más
noche; y no tienen necesidad de
luz de lámpara, ni de luz del sol,
porque Dios el Señor los iluminará; y reinarán por los siglos
de los siglos.**

Apocalipsis 21:1-4, 22:5

649

Sométase toda persona a las auto-
ridades superiores; porque no hay
autoridad sino de parte de Dios,
y las que hay, por Dios han sido
establecidas. / **De modo que quien
se opone a la autoridad, a lo esta-
blecido por Dios resiste; y los que
resisten, acarrean condenación para sí mismos.** / Porque los magis-
trados no están para infundir
temor al que hace el bien, sino al
malo. ¿Quieres, pues, no temer la
autoridad? Haz lo bueno, y tendrás alabanza de ella.

Romanos 13:1-3

**Bienaventurada la nación cuyo
Dios es Jehová, El pueblo que él
escogió como heredad para sí.**

Salmo 33:12

650

No acumuléis para vosotros tesoros en la tierra, donde la polilla y
el moho destruyen, y donde
ladrones minan y hurtan; mas
acumulad para vosotros tesoros en
el cielo, donde ni polilla ni moho
destruyen, y donde ladrones no
minan ni hurtan; porque donde
esté tu tesoro, allí estará también
tu corazón.

Mateo 6:19-21 (VHA)

651

Si, pues, habéis resucitado con Cristo, buscad las cosas de arriba, donde está Cristo sentado a la diestra de Dios. Poned la mira en las cosas de arriba, no en las de la tierra. Porque habéis muerto, y vuestra vida está escondida con Cristo en Dios.

Colosenses 3:1-3

Porque el amor de Cristo nos constriñe, pensando esto: que si uno murió por todos, luego todos murieron; y por todos murió, para que los que viven, ya no vivan para sí, sino para aquel que murió y resucitó por ellos.

2 Corintios 5:14-15

Con Cristo estoy juntamente crucificado, y ya no vivo yo, mas vive Cristo en mí; y lo que ahora vivo en la carne, lo vivo en la fe del Hijo de Dios, el cual me amó y se entregó a sí mismo por mí. Pero lejos esté de mí gloriarme, sino en la cruz de nuestro Señor Jesucristo, por quien el mundo me es crucificado a mí, y yo al mundo.

Gálatas 2:20; 6:14

652

¿Con qué limpiará el joven su camino? / **Con guardar tu palabra.** / Con todo mi corazón te he buscado; / **No me dejes desviarme de tus mandamientos.**

En mi corazón he guardado tus dichos, Para no pecar contra ti. / **Bendito tú, oh Jehová; Enséñame tus estatutos.** / Con mis labios he contado Todos los juicios de tu boca. / **Me he gozado en el camino de tus testimonios Más que de toda riqueza.**

En tus mandamientos meditaré; Consideraré tus caminos. / **Me regocijaré en tus estatutos; no me olvidaré de tus palabras.**

Salmo 119:9-16

653

Y habló Dios todas estas palabras, diciendo: Yo soy Jehová tu Dios, que te saqué de la tierra de Egipto, de casa de servidumbre. No tendrás dioses ajenos delante de mí. No te harás imagen.

No tomarás el nombre de Jehová tu Dios en vano; porque no dará por inocente Jehová al que tomare su nombre en vano. Acuérdate del día de reposo para santificarlo.

Honra a tu padre y a tu madre, para que tus días se alarguen en la tierra que Jehová tu Dios te da.

No matarás. No cometerás adulterio. No hurtarás. No hablarás contra tu prójimo falso testimonio. No codiciarás . . . cosa alguna de tu prójimo.

Exodo 20:1-4, 7-8, 12-17

654

Por la misericordia de Jehová no hemos sido consumidos, porque nunca decayeron sus misericordias. Nuevas son cada mañana; grande es tu fidelidad.

Mi porción es Jehová, dijo mi alma; por tanto, en él esperaré.

Lamentaciones 3:22-24

655

Todo tiene su tiempo, y todo lo que se quiere debajo del cielo tiene su hora. / **Tiempo de nacer, y tiempo de morir;** / tiempo de plantar y tiempo de arrancar lo plantado; / **tiempo de matar, y tiempo de curar;** / tiempo de destruir, y tiempo de edificar; / **tiempo de llorar, y tiempo de reir;** / tiempo de endechar, y tiempo de bailar;

Tiempo de esparcir piedras, y tiempo de juntar piedras; / tiempo de abrazar y tiempo de abstenerse de abrazar; / **tiempo de buscar, y tiempo de perder;** / tiempo de guardar, y tiempo de desechar; / **tiempo de romper, y tiempo de coser;** / tiempo de callar, y tiempo de hablar; / **tiempo de amar, y tiempo de aborrecer;** / tiempo de guerra, y tiempo de paz.

Todo lo hizo hermoso en su tiempo; / y ha puesto eternidad en el corazón de ellos, sin que alcance el hombre a entender la obra que ha hecho Dios desde el principio hasta el fin. / **Yo he conocido que no hay para ellos cosa mejor que alegrarse, y hacer bien en su vida.**
Eclesiastés 3:1-8, 11-12

656

En verdad, todas las cosas las estimo como pérdida a causa de la suprema excelencia del conocimiento de Cristo Jesús mi Señor, . . . / **para conocerle a él y el poder de su resurrección, y participar de sus padecimientos, haciéndome semejante a él en su muerte,** / por si logro alcanzar la resurrección de entre los muertos.

No es que ya lo haya conseguido, ni que ya esté perfeccionado; / mas prosigo por si puedo también posesionarme de aquello para lo cual también Cristo Jesús se ha posesionado de mí. / **Hermanos, yo no me precio de haberme posesionado ya de ello;** / mas una cosa hago: olvidándome de lo que queda atrás y extendiéndome a lo que está delante, / **prosigo hacia la meta para alcanzar el premio del llamamiento a lo alto, que Dios hace en Cristo Jesús.**
Filipenses 3:8-14 (VHA)

657

¿Qué pagaré a Jehová Por todos sus beneficios para conmigo? Ahora pagaré mis votos a Jehová Delante de todo su pueblo.
Salmo 116:12, 14

658

Haya, pues, en vosotros este sentir que hubo también en Cristo Jesús, el cual, siendo en forma de Dios, no estimó el ser igual a Dios como cosa a que aferrarse, / **sino que se despojó a sí mismo, tomando forma de siervo, hecho semejante a los hombres;** / y estando en la condición de hombre, se humilló a sí mismo, haciéndose obediente hasta la muerte, y muerte de cruz.

Por lo cual Dios también le exaltó hasta lo sumo, y le dio un nombre que es sobre todo nombre, / para que en el nombre de Jesús se doble toda rodilla de los que están en los cielos, y en la tierra, y debajo de la tierra; / **y toda lengua confiese que Jesucristo es el Señor, para gloria de Dios Padre.**
Filipenses 2:5-11

659

Poned la mira en las cosas de arriba, no en las de la tierra.
Colosenses 3:2

Indice de las Citas Bíblicas
de las Lecturas Bíblicas

Indice de las Citas Bíblicas de los Himnos

Indice Temático de Lecturas Bíblicas

Indice de Títulos y de Primeras Lineas

Los títulos de los himnos están en mayúsculas y las primeras líneas en minúsculas